Détours sur la route de Compostelle
de Mylène Gilbert-Dumas
est le mille vingt-deuxième ouvrage
publié chez
VLB ÉDITEUR.

Direction littéraire : Martin Balthazar et Mélikah Abdelmoumen
Révision linguistique : Raymond Bock
Design de la couverture : Antoine Cloutier-Bélisle
Illustrations en couverture : Agathe Bray-Bourret et Victor Saliba
Photo de l'auteure : Mathieu Rivard

Catalogage avant publication de Bibliothèque et Archives nationales du Québec
et de Bibliothèque et Archives Canada
Gilbert-Dumas, Mylène, 1967-
Détours sur la route de Compostelle
ISBN 978-2-89649-559-7
I. Titre.
PS8563.I474D47 2014 C843'.6 C2014-940393-3
PS9563.I474D47 2014

VLB ÉDITEUR
Groupe Ville-Marie Littérature inc.*
Une société de Québecor Média
1010, rue de La Gauchetière Est
Montréal (Québec) H2L 2N5
Tél. : 514 523-7993, poste 4201
Téléc. : 514 282-7530
Courriel : vml@groupevml.com
Vice-président à l'édition : Martin Balthazar

DISTRIBUTEUR :
Les Messageries ADP inc.*
2315, rue de la Province
Longueuil (Québec) J4G 1G4
Tél. : 450 640-1234
Téléc. : 450 674-6237
* filiale du Groupe Sogides inc.,
filiale de Québecor Média inc.

VLB éditeur bénéficie du soutien de la Société de développement des entreprises culturelles du Québec (SODEC) pour son programme d'édition.
Gouvernement du Québec – Programme de crédit d'impôt pour l'édition de livres – Gestion SODEC.
Nous reconnaissons l'aide financière du gouvernement du Canada par l'entremise du Fonds du livre du Canada pour nos activités d'édition.
Nous remercions le Conseil des arts du Canada de l'aide accordée à notre programme de publication.

Dépôt légal : 1er trimestre 2014

www.editionsvlb.com

DÉTOURS SUR LA ROUTE DE COMPOSTELLE

De la même auteure

Les dames de Beauchêne, t. I, Montréal, VLB éditeur, coll. « Roman », 2002 ; Typo, coll. « Grands romans », 2011.
Mystique, Montréal, La courte échelle, coll. « Mon roman », 2003.
Les dames de Beauchêne, t. II, Montréal, VLB éditeur, coll. « Roman », 2004 ; Typo, coll. « Grands romans », 2011.
Les dames de Beauchêne, t. III, Montréal, VLB éditeur, coll. « Roman », 2005 ; Typo, coll. « Grands romans », 2011.
Rhapsodie bohémienne, Saint-Lambert, Soulières éditeur, coll. « Graffiti », 2005.
1704, Montréal, VLB éditeur, coll. « Roman », 2006 ; Typo, coll. « Grands romans », 2010.
Lili Klondike, t. I, Montréal, VLB éditeur, coll. « Roman », 2008.
Lili Klondike, t. II, Montréal, VLB éditeur, coll. « Roman », 2009.
Lili Klondike, t. III, Montréal, VLB éditeur, coll. « Roman », 2009.
Sur les traces du mystique, Saint-Lambert, Soulières éditeur, coll. « Graffiti », 2010.
L'escapade sans retour de Sophie Parent, Montréal, VLB éditeur, 2011.
Yukonnaise, Montréal, VLB éditeur, 2012.
Mort suspecte au Yukon, Saint-Lambert, Soulières éditeur, coll. « Graffiti », 2012.
Lili Klondike, partie 1. *La fièvre de l'or*, Montréal, Typo, coll. « Grands romans », 2012.
Lili Klondike, partie 2. *Le prix de la liberté*, Montréal, Typo, coll. « Grands romans », 2012.
Les deux saisons du faubourg, Montréal, VLB éditeur, 2013.

Mylène Gilbert-Dumas

DÉTOURS SUR LA ROUTE DE COMPOSTELLE

roman

vlb éditeur
Une société de Québecor Média

Pour Christine et Gérard, Isabelle et Renaud,
Didier et Éveline, Ghislaine et Sébastien,
Louise, Annette, Catherine, Marco, Serge
et tous les autres, croisés deux fois plutôt
qu'une sur le Chemin en 2007 et en 2010

Et pour mon ami Michel Houde,
dont la lumière dégage autant
de chaleur que celle de Christian

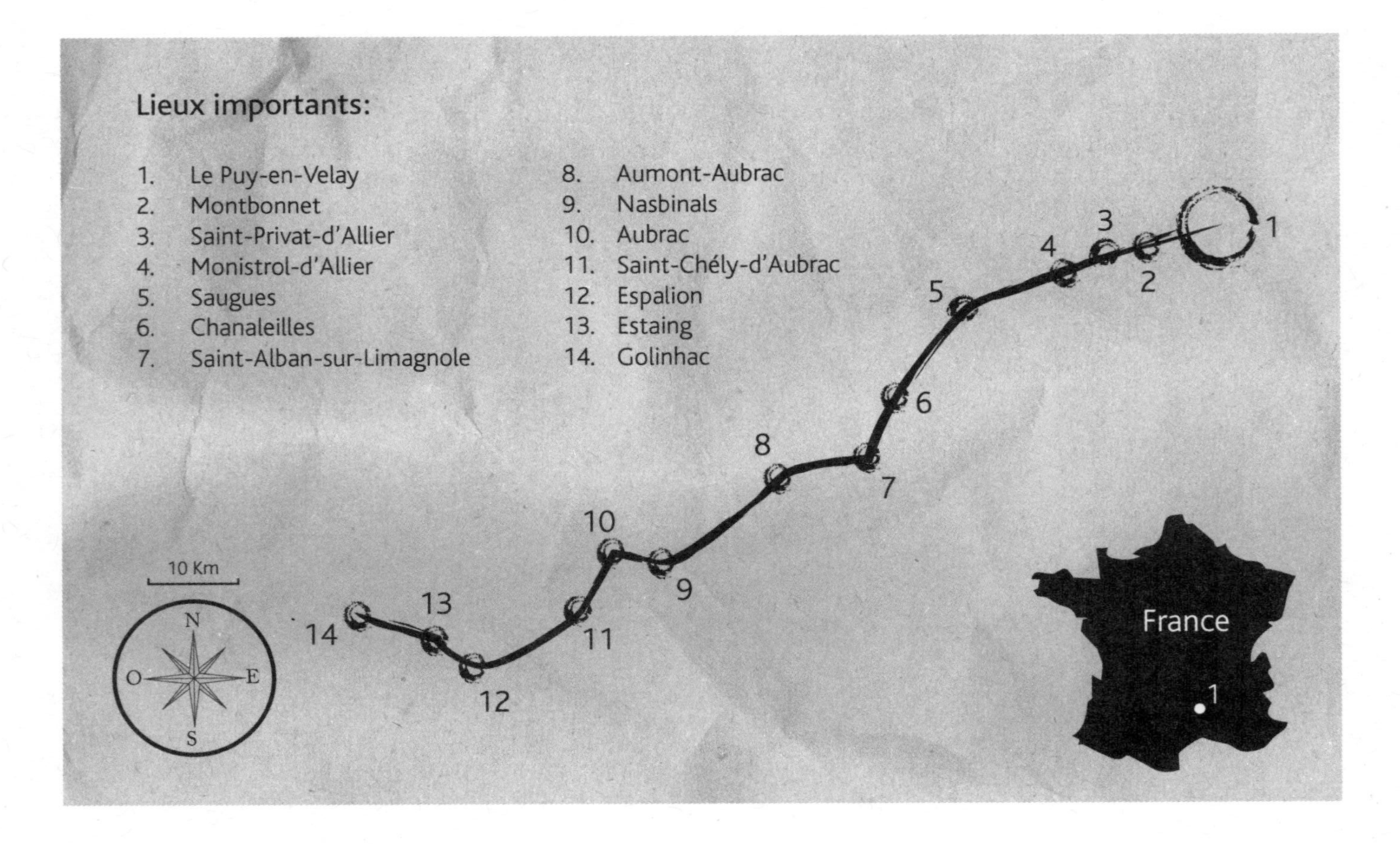
Lieux importants:
1. Le Puy-en-Velay
2. Montbonnet
3. Saint-Privat-d'Allier
4. Monistrol-d'Allier
5. Saugues
6. Chanaleilles
7. Saint-Alban-sur-Limagnole
8. Aumont-Aubrac
9. Nasbinals
10. Aubrac
11. Saint-Chély-d'Aubrac
12. Espalion
13. Estaing
14. Golinhac
10 Km
N
O
E
S
France
1

— Comprends-moi bien, dit-il, ce n'est pas de l'amour. J'ai été amoureux, mais ce n'est pas la même chose. Ce n'est pas un sentiment, mais une force extérieure qui s'est emparée de moi. Je suis parti parce que j'étais convaincu que c'était impossible, qu'un bonheur pareil n'existait pas sur terre ; j'ai lutté contre moi-même, et je me suis rendu compte que je ne pouvais vivre sans elle. Et il faut prendre une décision…

TOLSTOÏ, *Anna Karénine*

Tu penses donc, ô Lyonnaise Dame,
Pouvoir fuir par ce moyen ma flamme ?
Mais non feras, j'ai subjugué les Dieux
Es bas Enfers, en la mer et ès Cieux.
Et penses-tu que n'aye tel pouvoir
Sur les humains, de leur faire savoir
Qu'il n'y a rien qui de ma main échappe ?
Plus fort se pense, et plus tôt je frappe.

LOUISE LABÉ, *Élégies*

Prologue

Le jour se lève sur l'Hôtel des voyageurs, mais on crève déjà. Dans une chambre, à l'étage, quelques rayons se sont frayé un chemin jusqu'au tapis où ils font danser les fleurs délavées. La pièce baigne dans une lumière si chaude qu'il est impossible d'imaginer pareil soleil au Québec. De fait, nous ne sommes pas au Québec. Et l'Hôtel des voyageurs, sis devant la gare, donne l'impression qu'en plus d'être ailleurs, on a remonté le temps. Les meubles sont anciens, le papier peint aussi, et les montants de la fenêtre laissent deviner au moins vingt couches de peinture.

Sur la terrasse, des pèlerins pressés avalent leur déjeuner. Ils vont bientôt reprendre la route, on le sent. Leurs voix montent par éclats jusqu'à la chambre. Des hommes, des femmes. Quelques Français, mais surtout des Allemands. Les autres dorment encore ou viennent tout juste de sortir du lit.

Toutes les trois ou quatre minutes, un vent d'une grande douceur gonfle les rideaux. La brise tiède caresse un bras dénudé. Allongée sur le lit, sous un drap de coton, Mireille n'ose ouvrir les yeux. C'est terrible de découvrir qu'on rêve quand on se sent si bien, hors du temps et loin de chez soi. Quand on a l'impression de refaire sa vie.

Dans la salle de bain, Christian chante sous la douche.

Je me suis fait tout p'tit devant une poupée
qui ferme les yeux quand on la couche.

Je me suis fait tout p'tit devant une poupée
qui fait « Maman » quand on la touche.

Les *D* et les *T* francs de l'accent acadien sonnent bizarre dans les mots de Georges Brassens.

Qu'on se pende ici,
qu'on se pende ailleurs,
s'il faut se pendre.
Je me suis fait tout p'tit...

Le chuintement de l'eau s'éteint, et on entend enfin la radio. L'animateur parle d'une autre journée de grève contre la réforme des retraites. Mireille se bouche les oreilles pour ne pas l'entendre.

Par un coup du destin, quand ils sont arrivés la veille au soir, il restait une chambre avec salle de bain. Véritable luxe sur le Chemin. Mireille est soulagée de ne pas avoir à sortir dans le couloir. Surtout ce matin ! Quelle nuit que celle qu'elle vient de passer ! Elle glisse une main dans ses cheveux que la sueur a collés les uns aux autres. Qui imaginerait, à la voir, qu'elle a un conjoint, trois fils adolescents, une grosse maison, et qu'elle possède un commerce prospère, là-bas, au Québec ? En ce moment, elle ressemble davantage à ces femmes qu'on ramasse sur le coin d'une rue. C'est ainsi qu'elle se sent. Et ça lui fait un drôle d'effet.

Christian est sorti de la salle de bain. Le plancher craque sous ses pieds quand il traverse la pièce. Les yeux clos, Mireille le suit au son. Il y a d'abord les tiroirs de la commode qu'il ouvre et qu'il referme. Le pied du lit qui geint lorsqu'il s'y assoit pour enfiler ses espadrilles. Le plancher craque de nouveau. Il s'est relevé et s'approche. Elle attrape sa main quand il passe à côté et l'attire vers elle, un sourire espiègle sur les lèvres. Elle sent son souffle dans son cou quand il s'approche de son oreille. Elle s'attend à ce qu'il lui souhaite « Bon camino ! » et sursaute quand il lui dit :

— Pas le temps, Mimi. Je vais être en retard.

Mimi ? Incrédule, Mireille ouvre les yeux.

Ce n'est pas Christian qui se tient tout près, penché sur elle. C'est Jocelyn, et son sourire est immense.

— Profite bien de ta journée de congé, murmure-t-il avant de lui déposer un baiser sur le front.

Mireille n'a pas besoin de se redresser pour savoir que la modeste chambre de l'Hôtel des voyageurs a disparu, en même temps que le chaud soleil de la France et la voix grave aux accents acadiens. La voix de Christian.

Elle aurait dû savoir que c'était un rêve. Tous les indices étaient là. On ne range rien dans la commode d'une chambre d'hôtel si on n'y passe qu'une nuit. Il ne faisait pas si chaud le matin, cet automne-là. Et les Allemands parlaient tellement fort que personne ne pouvait faire la grasse matinée. Et la grève des Français contre la réforme des retraites, c'est de l'histoire ancienne. Et puis c'est Hervé qui imitait Brassens. Christian, lui, ne chantait pas.

Mireille entend la voiture de Jocelyn qui démarre. Elle devrait se lever pour aller déjeuner, mais ne bouge pas. Allongée dans son lit, elle regarde le plafond, les yeux dans le vague. Elle tente de retrouver son rêve et, de fil en aiguille, elle remonte jusqu'au visage de Christian. À l'évocation de ce souvenir, son esprit descend en vrille au cœur de sa mémoire à la recherche du moment clé, juste pour le plaisir de revivre l'émoi des premiers instants. C'était il y a des années. À cette époque-là, elle n'était pas encore grand-mère et se trouvait toujours jeune. Elle se croyait en sécurité dans ce nid douillet qu'elle avait construit avec Jocelyn, l'homme qu'elle aimait passionnément et avec qui elle menait une vie rangée. Même leurs affaires allaient bien.

Mais il y a des amours qu'on ne comprend pas. Elles naissent d'un hasard tellement improbable qu'on les croirait le fruit d'un destin décidé ailleurs par une force qui n'a de comptes à rendre à personne. Elles s'éternisent et nous tourmentent longtemps parce qu'on n'en voulait pas, et parce qu'on ne peut plus s'en passer. Christian fait partie de ces amours-là, Mireille l'a toujours su. Et elle se demande maintenant à partir de quand on aurait pu dire que les dés étaient jetés.

Marc-Antoine

L'histoire de Mireille Labbé et de Christian Bernatchez remonte à loin, à bien avant leur rencontre. Comme toutes les histoires d'amour, elle avait été sujette aux lois de la Providence des mois plus tôt, à un moment où Mireille pouvait encore imaginer son avenir avec facilité.

Elle avait élevé trois garçons. L'aîné et le benjamin étaient les siens. Celui du milieu, le fils de Jocelyn. On lui avait souvent dit qu'une fois adolescents, ces trois enfants allaient, à eux seuls, bouleverser ses plans. Mireille n'avait jamais prêté foi à ces prophètes de malheur qui ne savaient pas de quoi ils parlaient et qui jalousaient la famille unie qu'elle formait avec Jocelyn et les garçons. Marc-Antoine, Joshua et Frédérick avaient toujours été des enfants charmants et respectueux. Ils obéissaient, ne se battaient pas et s'aimaient comme des frères, même s'ils n'en étaient pas vraiment. Certes, il y avait eu quelques disputes au fil des ans. Des chicanes de garçons, jamais assez graves pour qu'ils en viennent aux poings. Tout ce beau monde, donc, s'entendait à merveille, et Mireille veillait au grain afin que pareil bonheur ne s'effrite pas.

Comme la plupart des gens de sa génération, Mireille ne croyait pas en Dieu. Ses parents lui avaient donné une éducation terre à terre, l'avaient responsabilisée très jeune et lui avaient inculqué les bases du concept de libre arbitre. Des études de sciences étaient venues à bout de ce qui aurait pu lui rester de curiosité pour le Mystère.

Mireille avait au fil des ans développé une philosophie rationnelle. Elle avait longuement étudié comment les choses se produisaient dans sa vie et dans celles de ses proches, et avait remarqué que les gens organisés qui possédaient, en plus, une certaine force de caractère avaient plus de succès que les autres. Elle en avait tiré les conclusions qui s'imposaient et était ainsi arrivée à une conception de l'existence où le doute n'existait pas et où les influences extérieures pouvaient toujours être neutralisées si on les repérait à temps. Tout phénomène avait une cause et un effet, et il suffisait de faire des efforts pour arriver à ses fins. L'expérience lui ayant toujours donné raison, elle avait fait de ces grandes vérités le fil directeur de sa vie.

Puis 2010 était arrivé.

Le premier vrai problème dans la vie de Mireille se produisit à la fin de mai. Ce soir-là, c'était au tour de Marc-Antoine de l'aider à faire le souper. Il façonnait des boulettes de viande à un bout de la table pendant qu'elle pelait les pommes de terre à l'autre bout. Ils travaillaient dans la bonne humeur – du moins Mireille le pensait-elle –, et il était facile d'imaginer que cette belle complicité durerait encore longtemps.

Sans savoir qu'il détruisait la première des illusions de sa mère, Marc-Antoine lui lança tout de go :

— Je ne me suis pas inscrit au cégep. À partir d'aujourd'hui, je veux travailler à temps plein.

Mireille mit un moment à comprendre ce que son fils venait de lui dire. Depuis des semaines, elle était préoccupée par l'étalage extérieur à monter, les payes de vacances des réguliers à préparer et les employés d'été qu'il fallait recruter. Le ton catégorique sur lequel Marc-Antoine avait fait sa déclaration résonna quand même dans son esprit. Elle leva la tête et lut de la résolution sur son visage. Une certaine crainte aussi, juste en dessous. Elle analysa la situation à la vitesse de l'éclair et décida qu'il lui fallait absolument empêcher ce dérapage. La solution : user de son autorité pour remettre son fils dans le droit chemin.

— Il n'en est pas question !

Elle l'affrontait des yeux et, dans sa main, le couteau bifurqua. Au lieu de glisser sous la pelure, il lui entailla un doigt. Elle jura et se passa la main sous l'eau froide.

— Va donc me chercher un Band-Aid dans la pharmacie de la salle de bain, ragea-t-elle en attrapant une poignée de mouchoirs.

Sa voix était dure. Marc-Antoine obéit, les dents serrées. Quand il revint, le sang avait traversé les quatre épaisseurs de mouchoirs qui servaient de bandage de fortune. Il lui appliqua le pansement sur le doigt puis, toujours aussi tendu, il plongea son regard dans le sien.

— Je n'ai plus cinq ans, maman. Et ce n'est pas en me traitant comme un petit gars que tu vas me faire changer d'idée.

Mireille n'avait pas prévu pareille réplique, mais se dit que sa technique ne nécessitait qu'un léger ajustement. Elle continua donc sur la même voie.

— C'est vrai que tu n'as plus cinq ans, comme tu le dis. Mais tant que tu vivras sous mon toit…

— Peut-être, justement, qu'il est temps que je parte.

Cette fois, elle resta bouche bée. Marc-Antoine était sérieux.

Parce qu'elle vivait une situation nouvelle, Mireille scruta attentivement le visage de son fils à la recherche d'indices. Cette déclaration était-elle prévue, ou Mireille l'avait-elle provoquée ? Difficile à dire. En lui annonçant qu'il quittait l'école, Marc-Antoine anticipait sûrement la colère de sa mère. Mais à dix-sept ans, presque dix-huit, il se considérait comme un homme. Mireille s'éloigna du comptoir et s'assit sur une chaise au bout de la table, indécise quant à la marche à suivre. Marc-Antoine évitait de la regarder maintenant et s'activait avec la viande. Ne l'avait-elle pas toujours poussé, encouragé ? N'avait-elle pas toujours récompensé ses efforts ? Pourquoi est-ce qu'avec celui-là, ça n'avait pas marché ?

Certes, elle avait toujours vu qu'il traînait de la patte. À la fin du primaire, déjà, alors que les apprentissages étaient encore sommaires, il faisait plus de fautes de français que Frédérick, pourtant de trois ans son cadet. Mireille avait beau lui faire répéter ses tables de multiplication, il se trompait souvent, et son frère, encore trop petit pour comprendre qu'il l'humiliait, le corrigeait sans arrêt. Mireille n'avait pas su comment lui éviter cette blessure quotidienne. Pas surprenant qu'il ait détesté l'école après ça. Et malgré tous les efforts de Mireille, les notes de Marc-Antoine avaient toujours frôlé le 60 %... dans le meilleur des cas. En mathématiques, en français, en histoire, en géographie. Il n'y avait qu'en éducation physique qu'il excellait. Et en anglais, où il réussissait un peu mieux, et seulement à l'oral parce qu'à l'écrit, c'était la même catastrophe qu'ailleurs. Vrai qu'à cause de l'école, sa vie avait été une accumulation d'échecs, mais était-ce une raison pour ne pas s'inscrire au cégep ?

Quand Marc-Antoine eut terminé de façonner la dernière boulette, il déposa la vaisselle sale dans l'évier et ouvrit trop grand le robinet. L'eau gicla jusque sur le comptoir.

— De toute façon, dit-il en l'essuyant sans se retourner, je ne serai pas accepté au cégep. J'ai échoué à l'examen de français.

D'instinct, Mireille se redressa pour l'encourager.

— Tu ne peux pas savoir ça tout de suite, les examens du ministère n'ont pas encore été corrigés.

— Je n'ai pas besoin qu'on corrige mon examen pour savoir que je coule. Je n'ai pas été capable de répondre à la question. Et puis même si quelqu'un est assez généreux pour me laisser des points pour l'argumentation, j'ai fait trop de fautes pour passer.

— Ce n'est pas une raison pour...

— Ce n'est pas pour cette raison-là que je lâche l'école, maman. Je veux travailler pour de vrai. Je veux être à l'épicerie quarante heures par semaine et je veux un salaire complet, pas une paye d'employé à temps partiel. Et tandis qu'on en parle, je te dis que je veux partir en appartement.

— Tu n'es pas bien ici ?

— Ça n'a rien à voir. Je veux voler par mes propres ailes.

— Voler *de* mes propres ailes... Ça se dit bien, ça, dans une conversation, mais dans la réalité, c'est pas mal plus difficile que ça en a l'air.

— Tout le monde passe par là.

— C'est vrai. Mais peut-être pas à dix-sept ans.

— Je vais en avoir dix-huit à la fin de l'été.

Mireille regarda son fils comme l'aurait regardé un étranger. Il la dépassait d'une tête et demie et avait tout de l'adulte, la maturité, l'autonomie, le côté responsable. Le goût de la liberté aussi. Au fond, elle avait toujours su qu'elle n'en ferait pas un médecin. Elle avait espéré peut-être au moins un infirmier, mais force était de constater qu'il serait emballeur à l'épicerie, qu'il remplirait les tablettes, qu'il laverait le plancher. Et pour le moment, ces perspectives d'avenir avaient l'air de lui plaire. Mireille pria quand même pour qu'il se ravise dans un an ou deux. Après tout, il n'est jamais trop tard pour retourner à l'école.

— Ça va! déclara-t-elle, enterrant la hache de guerre. Puisque tu sais déjà faire à manger, il faudra, avant que tu partes, que je te montre comment gérer un budget.

Marc-Antoine sourit en poussant un long soupir. Mireille se rendit compte qu'il retenait son souffle depuis longtemps.

Frédérick

Mireille prit son temps pour digérer la décision de Marc-Antoine. Elle voyait la chose comme un accroc au plan de vie qu'elle avait dressé pour sa famille et elle. Il fallut faire des ajustements, diminuer certaines attentes, modifier certains objectifs et changer l'image qu'elle s'était faite jusque-là de son aîné. Et comme par un effet d'entraînement, un deuxième incident se produisit une semaine jour pour jour après le premier. Celui-là non plus, elle ne l'avait pas vu venir.

Il s'agissait d'une convocation à l'école des garçons. Le directeur, indifférent à l'autorité que tout le monde, sans exception, percevait chez Mireille, n'y alla pas par quatre chemins.

— Ce matin, pendant la deuxième période, on a fouillé les casiers du premier étage. On a trouvé ça dans celui de Frédérick.

Il sortit d'un tiroir un sachet de plastique qu'il déposa sur son bureau. Mireille comprit tout de suite qu'il s'agissait de drogue. On ne l'aurait pas convoquée pour des aspirines ! Elle s'empourpra en se tournant vers son fils. Assis sur la chaise d'à côté, Frédérick regardait le plancher. Dire qu'elle le trouvait beau avec ses cheveux longs ! Elle aurait dû savoir qu'autant de charme cachait quelque chose.

— On n'a pas la preuve qu'il en faisait le trafic, poursuivit le directeur, alors on ne portera pas d'accusations. Mais le règlement est clair. À partir d'aujourd'hui, Frédérick ne fréquente plus notre école.

Mireille n'en revenait pas.

—Vous l'expulsez ? À deux semaines des examens ?

— Ici, madame Labbé, on applique la tolérance zéro en ce qui concerne la drogue.

— Mais il va échouer son année scolaire s'il ne fait pas ses examens !

Le directeur lui expliqua qu'il prendrait des mesures pour que Frédérick passe ses examens à part des autres. Il ne devait cependant jamais être vu sur le terrain de l'école en dehors de l'horaire qu'on lui remettrait. Il devait également s'inscrire dans une autre école pour l'année suivante.

En retournant à la maison, Mireille bouillait. Il fallait une conséquence, une punition tellement sévère qu'elle enlèverait à son fils le goût de recommencer. Arrêtée à un feu rouge, elle jeta un œil sur le siège du passager. Frédérick regardait dans l'autre direction. Inutile de piquer une crise dans la voiture, ça ne ferait qu'attirer l'attention. Elle attendit donc d'être arrivée pour l'interroger.

— Veux-tu bien me dire ce que tu faisais avec de la drogue dans ton casier ?

— Rien.

— C'était pour ta consommation personnelle, je suppose ?

Il ne répondit pas, toujours penaud.

Elle descendit au sous-sol, débrancha la souris et le clavier de l'ordinateur qu'elle remonta pour les ranger au salon. Frédérick s'était assis sur le sofa et la regarda faire sans rien dire.

— Bon. À partir d'aujourd'hui, tu n'as plus le droit de toucher à un ordinateur.

Il accusa le coup sans broncher.

— Et je veux que tu sois dans la maison tous les soirs à neuf heures.

Cette fois, il reprit de la vigueur.

— À neuf heures ? Mais ça va être les vacances, bientôt !

— Il fallait y penser avant.

Effaçant de son visage la détresse qu'on pouvait y lire, Frédérick s'essaya avec le charme. N'en avait-il pas toujours été ainsi avec lui ? Mireille le vit esquisser le sourire qui en avait fait chavirer plus d'une. Mais elle était sa mère, pas son prof ni une copine de classe. Elle lui rendit son sourire et attendit qu'il passe à l'offensive, comme il savait si bien le faire. Elle savait, parce qu'elle l'avait mis au monde, qu'il avait trouvé une faille dans cette punition. Il ne se serait pas réjoui autrement.

— Je me demande, maman… Qu'est-ce que je vais faire les soirs où je travaille jusqu'à neuf heures ?

Elle aurait dû y penser. Par chance, elle était aussi vite que lui.

— T'inquiète pas, Fred. C'est moi qui fais les horaires. Tu ne travailleras pas un soir cet été.

Il se figea en comprenant qu'elle a vu clair dans son jeu.

— Mais ça veut dire que je n'aurai plus de temps pour voir mes amis !

Mireille réprima un nouveau sourire. Il venait enfin d'arriver à la bonne conclusion. Elle devait s'assurer que les choses étaient claires entre eux.

— Tu pourras voir tes copains tous les soirs après le souper.

— Mais s'il faut que je rentre à neuf heures…

Il semblait tomber de tellement haut que Mireille se dit qu'il n'était pas inutile de lui montrer que le monde ne lui appartenait pas. Il n'avait que quinze ans, quand même ! Quels ravages il ferait, plus tard, si la leçon ne portait pas !

— Je pense, Fred, que ton nouvel horaire de travail va te donner beaucoup de temps pour réfléchir.

Et comme il s'en retournait dans sa chambre, elle l'interpella de nouveau.

— Fred !

Il s'arrêta net, mais ne se retourna pas.

— Oui ?

Elle prit son temps. Après tout, l'heure était grave. Et puis elle jugeait que ce n'était jamais bon pour un homme – ni pour une femme d'ailleurs – de se savoir trop beau.

— Tu iras te faire couper les cheveux cette semaine.

Il serra les dents.

— D'accord.

— Et si tu t'avises de recommencer tes niaiseries, je t'arrache la tête. Est-ce que c'est clair ?

Il ne répondit pas cette fois, mais Mireille savait qu'il prenait cette menace au sérieux.

* * *

Au début de juin, Mireille fit dresser une tente devant le magasin afin d'y installer, sur des tréteaux, les étalages de fruits et de légumes de saison. Elle avait confié cette tâche à Frédérick, non seulement pour le surveiller de près, mais aussi parce qu'elle savait qu'il fallait le tenir occupé puisqu'il ne pouvait se rendre à l'école avant les examens. Quant à Marc-Antoine, quand il ne travaillait pas sous les ordres de Jocelyn, il étudiait. C'était la première fois de sa vie que Mireille le voyait ouvrir ses cahiers sans qu'elle le lui ait demandé. Il n'irait peut-être pas au cégep, comme il se plaisait à le dire, mais il obtiendrait au moins son diplôme d'études secondaires. Quitte à reprendre l'examen d'écriture. Mais après ça, il ne voulait plus jamais ouvrir un livre de sa vie. C'était un moindre mal, se disait Mireille, qui ne perdait pas espoir de le voir un jour retourner à l'école. Avec un diplôme, tout était encore possible.

Les choses semblaient donc rentrer dans l'ordre. L'été s'était installé, et, avec lui, tout le monde prenait un air décontracté. Même Mireille. Et le soir, quand elle s'allongeait avec Jocelyn, elle ne parlait plus des difficultés liées à l'adolescence ni à la gestion de l'entreprise. Et Jocelyn, même s'il se couchait toujours aussi fatigué, la tenait dans ses bras tout un quart d'heure avant de s'endormir. Et le matin, parfois, quand les trois garçons étaient partis, il lui faisait l'amour comme il l'avait toujours fait, avec tendresse et attention.

Oui, on aurait vraiment dit que la vie reprenait son cours normal, avec son train-train quotidien agréable, organisé et prévisible.

Joshua

On aurait pu qualifier le troisième incident d'accident, mais ça n'en était pas un. Et il avait pris Mireille par surprise au moins autant que les deux premiers.

C'est ce qu'elle se disait en cet après-midi suffocant, debout avec Jocelyn au pied du lit de Joshua, dans une chambre des soins intensifs d'un hôpital de Sherbrooke. Un masque à oxygène dissimulait en partie le visage de l'adolescent. On n'avait qu'à écouter une minute pour comprendre que l'air n'entrait pas dans ses poumons aussi facilement qu'il aurait dû.

Si on lui avait posé la question, Mireille aurait répondu qu'il s'agissait de contagion ou de l'effet domino. Comment expliquer autrement que Joshua, cet enfant modèle auquel Mireille n'était jamais arrivée à trouver un travers, ait senti le besoin de jouer avec sa vie ? Parce qu'il ne s'agissait pas d'autre chose ! Un asthmatique chronique sait qu'une cigarette peut lui être fatale. Pourquoi donc vouloir en faire l'expérience ?

Mireille serra la main de Jocelyn dans la sienne. Le pauvre semblait encore plus démuni qu'elle, quelques semaines plus tôt, dans le bureau du directeur. Lui non plus n'avait pas anticipé l'affaire. Lui non plus n'aurait jamais pu imaginer que Joshua tenterait le diable. Encore heureux que ça n'ait pas été avec du pot !

S'il n'avait aperçu en arrivant le cadran lumineux indiquant le taux de saturation en oxygène, Jocelyn aurait sans doute explosé de colère. Par chance, la gravité de la situation avait désamorcé l'émotion.

C'est l'école qui avait fait hospitaliser Joshua d'urgence. Une enseignante l'avait découvert dans l'escalier, hors d'haleine et blême. Il avait tout de suite admis avoir fumé, même si c'était interdit sur le terrain de l'école.

Mireille imaginait la scène. L'ensemble des bâtiments était délimité par des clôtures. À un bout, près de l'entrée grillagée, il n'y avait pas de trottoir, et les voitures roulaient tellement vite qu'il était dangereux d'y flâner. À l'autre bout, un champ de maïs dont la terre, chargée de fumier, n'avait rien d'invitant. Facile de se persuader que toutes les mesures avaient été prises pour empêcher un petit génie de seize ans, asthmatique chronique et allergique à tout, de jouer avec sa vie. Ça n'avait pas réussi.

Le voilà maintenant aux soins intensifs, cet enfant qui avait voulu faire comme les autres. Combien de temps passerait-il à l'hôpital, cette fois ? Deux semaines ? Trois ? Lors de sa dernière crise d'asthme, à la fin de janvier, le médecin s'était sérieusement inquiété. Si son état n'avait fini par se stabiliser, il aurait fallu l'intuber.

— Tu peux rentrer, lança soudain Jocelyn, la tirant de ses pensées. Je vais attendre qu'il se réveille.

— Je peux attendre avec toi. Les gars n'ont pas besoin de moi pour se faire à souper.

Jocelyn fit non de la tête et se laissa tomber sur le fauteuil.

— Vas-y. Je pense que j'aurai envie de lui parler dans le blanc des yeux. J'aime autant qu'il n'y ait pas de témoin.

Il blaguait, évidemment, mais Mireille ne douta pas un instant que lorsque son fils irait mieux, Jocelyn veillerait à ce que l'expérience ne se répète pas.

Jocelyn

La musique, les chants, les éclats de rire, les conversations qu'on commençait en français pour finir en anglais, et vice versa, tout contribuait à donner au marché d'Ayer's Cliff un air de fête.

C'était une tradition imposée par Jocelyn, et ce, depuis le début de leur fréquentation. Tous les samedis matins, entre la Saint-Jean-Baptiste et l'Action de grâces, Mireille et lui prenaient la route, longeaient le lac Massawippi pour se rendre au village d'Ayer's Cliff. Ils laissaient le commerce entre les mains de deux de leurs gérants et se coupaient du monde, le temps de vivre quelques heures sans soucis. C'était le seul temps qu'ils passaient ensemble, si on exceptait les nuits, parce qu'ils ne prenaient jamais leurs congés les mêmes jours, sauf pour les fériés imposés par la loi. L'épicerie, après tout, c'était leur gagne-pain à tous les deux. Elle leur permettait un bon train de vie, à condition qu'ils s'y consacrent totalement.

Quand leurs fils étaient plus jeunes, on se rendait à Ayer's Cliff en famille. Les garçons apportaient un ballon, Mireille un livre. Jocelyn en profitait pour jaser avec les producteurs qu'il connaissait et en rencontrer de nouveaux. Mais depuis que Marc-Antoine avait atteint l'âge de garder les deux autres, Mireille et Jocelyn partaient en amoureux. Ils déjeunaient dans un restaurant de la rue principale, sirotaient leur café lentement en lisant le journal, puis se rendaient au terrain de foires où se tenait le marché fermier le plus célèbre des Cantons-de-l'Est.

C'était le premier jour de marché, cette année-là. Tout de suite après la Saint-Jean. Il faisait beau. Mireille avait fait le tour des échoppes d'où elle revenait avec des fraises. Au lieu de penser au dessert qu'elle allait cuisiner, elle pensait à Jocelyn avec félicité. Ça lui arrivait, des fois, de ressentir pleinement son bonheur.

Jocelyn n'avait pas été le premier homme dans sa vie, mais il était le seul à ce jour avec qui elle s'était sentie vraiment bien. Le seul aussi avec qui elle pouvait dire qu'il existait une réelle complicité, avec qui, jamais, elle ne se lassait de discuter de tout et de rien, autant des affaires que de leurs garçons. Ensemble, ils ne formaient pas seulement un couple ou une paire d'associés dans une entreprise familiale. C'étaient surtout des âmes sœurs, et ils avaient conscience de la chance qu'ils avaient eue de se rencontrer, un soir d'hiver, lors d'un *blind date* organisé par des amis.

Mireille s'immobilisa, son panier de fraises à la main, de manière à épier son homme de loin. Jocelyn s'était installé au bout du dernier bâtiment. C'était un bon endroit pour regarder les musiciens qui jouaient avec entrain une pièce folklorique connue, mais Jocelyn avait préféré s'allonger dans l'herbe encore fraîche et fermer les yeux. Debout à une dizaine de pas, Mireille sourit en détaillant sa silhouette de gringalet étendu en plein soleil. Comme chaque matin de farniente, il avait laissé en désordre sa tignasse blonde et bouclée. Même s'il était couché, son jean lui tombait trop bas sur les hanches. Il avait roulé les manches de sa chemise et laissé défaits les deux premiers boutons du col, si bien que la chaîne en or qu'elle lui avait offerte l'an dernier étincelait. Comme elle le trouvait beau, son homme ! Et comme elle l'aimait, même après dix années de vie commune !

Elle s'approcha enfin et se laissa choir à côté de lui. Il ouvrit les yeux.

— Tu as trouvé quelque chose d'intéressant ?

Elle lui tendit le panier. Il pigea une fraise et croqua dedans, avant de se laisser retomber en arrière.

— Elles sont bonnes, dit-il, après avoir refermé les yeux. Elles viennent de chez Germain ?

Mireille le lui confirma et sourit en le voyant tendre le bras vers le panier pour en prendre une deuxième.

— Ce sont les meilleures que j'aie mangées cette année. On devrait peut-être lui passer une commande.

Elle plaça le panier à la portée de Jocelyn et s'allongea, le corps perpendiculaire au sien, la tête posée sur son ventre. Elle aussi ferma les yeux. Ils étaient bons, ces matins à deux loin de la maison, de la famille et de l'épicerie. Ils étaient bons surtout parce que Mireille et Jocelyn les vivaient avec intensité et acceptaient d'y prendre autant de plaisir que si c'était la première fois. Comme lorsqu'ils faisaient l'amour. Ce sont ces petits moments de bonheur, jalousement gardés, qui assuraient la pérennité de leur couple. De cela, Mireille était persuadée.

Gédéon

Il a été facile à Mireille de se convaincre que les choses étaient revenues à la normale. Évidemment, il fallait quand même surveiller Frédérick pour qu'il respecte les conditions imposées par le directeur. Il fallait aussi prendre soin de Joshua, qui, bien qu'ayant quitté l'hôpital plus tôt que prévu, demeurait faible et fragile. Mais dans l'ensemble, la tension avait baissé d'un cran dans la maison. Mireille se disait que leurs déboires avaient été temporaires, que la situation était rentrée dans l'ordre, qu'elle avait de nouveau les choses bien en main. Puis Marc-Antoine lui annonça que Marie-Ève, sa blonde, attendait un enfant.

— On a décidé de le garder.

S'il n'y avait eu un siège à proximité, Mireille se serait effondrée sur le plancher tellement elle eut les jambes molles. Heureusement, le sofa du salon se trouvait juste derrière. Elle n'eut qu'à se laisser choir.

« Trois grands adolescents, trois gros paquets de troubles ! » Dire qu'elle n'avait pas voulu y croire !

Elle eut beau interroger Marc-Antoine, elle ne trouva pas un argument pour le faire changer d'avis. Il avait pensé à tout. Aussi organisé que sa mère, il avait bien préparé son coup. Quand le bébé naîtrait, il aurait quitté la maison depuis longtemps. Ça ne concernerait donc plus Mireille. Plus du tout.

— Si c'est un garçon, on va l'appeler Gédéon.

Assommée, Mireille n'osa rien ajouter.

Ce soir-là, debout devant le miroir, avant de se déshabiller pour prendre une douche, elle se regarda longuement. Dans moins d'un an, elle serait grand-mère. Était-elle si vieille? Où donc étaient passées ses années de jeunesse? Elle n'avait pourtant pas de cheveux blancs. Du moins, elle n'en avait jamais vu, même entre les colorations. Et puis on ne voyait pas le détail puisqu'elle portait toujours ses cheveux roulés vers l'arrière dans un chignon serré, pas trop sévère, mais autoritaire. Quand un client cherchait la responsable, à l'épicerie, il n'avait pas de peine à la trouver. Elle avait l'air de la patronne, elle avait l'air de celle qui faisait régner l'ordre. Et ce qu'elle dégageait correspondait tout à fait à sa personnalité.

Elle pencha la tête d'un côté, puis de l'autre, à la recherche de rides. Elle en trouva deux petites, au coin de la bouche quand elle sourit, et de fines pattes-d'oie au coin des yeux. Était-elle encore belle? Elle pensa que oui. Le brun profond de ses yeux n'avait pas changé. Ni la forme busquée de son nez qui lui donnait un air à mi-chemin entre l'Amérindienne et l'Arabe. Il suffisait d'ailleurs qu'elle se mette un foulard sur la tête pour que les étrangers se perdent en conjectures sur ses origines. Dès qu'elle ouvrait la bouche, cependant, son accent québécois prouvait hors de tout doute qu'elle était bel et bien née ici. Et de parents canadiens-français, s'il vous plaît.

Marc-Antoine, papa? Ça n'avait pas de sens! Il était bien trop jeune. Elle chercha une solution au point qu'elle n'en dormit pas pendant trois jours. Il fallait absolument qu'elle intervienne, qu'elle montre à son fils l'avenir de misère qui l'attendait. Il n'y aurait rien de confortable à vivre à trois sur un salaire d'emballeur. C'est vrai que Marie-Ève aurait droit à un congé de maternité. C'est vrai aussi qu'elle reprendrait son poste de caissière au bout d'un an. Mais avec un bébé, c'en serait quand même fini du luxe, des sorties, des beaux vêtements. Fini le temps libre, les jeux vidéo, les rêves de voitures neuves. Et sans diplôme postsecondaire, la pauvreté dresserait devant eux un mur insurmontable.

Le moins que l'on puisse dire, c'est qu'il fallut du temps à Mireille pour se remettre de la nouvelle. Elle discuta même avec Marie-Ève, qui ne se montra pas plus réceptive à ses propositions que Marc-Antoine ne l'avait été. Ces deux-là avaient décidé de plonger dans la vie active et semblaient plus déterminés que Mireille ne l'avait imaginé.

Puis un soir, Jocelyn lui posa la question sans détour.

— Qu'est-ce qui te dérange le plus ? L'idée que ton fils sera papa à dix-huit ans, ou l'idée que tu seras grand-mère à quarante-deux ?

Mireille ne sut que répondre. Elle ne savait pas quel aspect de la situation lui était le plus insupportable. Autant elle craignait pour le bonheur de Marc-Antoine, autant elle était incapable de se voir avec son petit-fils ou sa petite-fille dans les bras. La scène ne cadrait juste pas avec l'image qu'elle se faisait d'elle-même.

C'est ce moment que choisit sa sœur Louise pour lui parler de son projet.

Louise

Mireille et Louise n'avaient qu'un an de différence. Elles avaient toutes les deux étudié les sciences. Mireille avait un temps été technicienne de laboratoire. Louise était devenue pharmacienne. Elles possédaient toutes les deux un commerce, un supermarché pour l'une, une pharmacie pour l'autre. Là s'arrêtaient, cependant, leurs ressemblances.

Louise n'avait jamais eu d'enfant, mais elle avait très jeune épousé son partenaire d'affaires avec qui elle avait voyagé un peu partout dans le monde. Ils possédaient une grosse maison dans l'ouest de Montréal et, jusqu'à il y avait un an, avaient filé le parfait bonheur. En apparence, du moins.

Chaque fois qu'elle rencontrait son beau-frère, Mireille lui trouvait un air mélancolique. Il n'avait pourtant pas de raison d'être malheureux. Il était pharmacien et fils de pharmacien. Grâce à ce lignage, son nom était célèbre, et son commerce, prospère. Il possédait avec Louise plusieurs terrains et bâtiments dont les loyers leur rapportaient beaucoup. Ensemble, ils fréquentaient les grands restaurants et les grands hôtels. Ils étaient tous les deux en santé et possédaient de belles voitures. On reconnaissait sa Porsche quand il la garait dans le centre-ville pendant le Grand Prix ou dans les stationnements des plus chics terrains de golf des environs.

Quelque chose dans son sourire, pourtant, trahissait un malaise profond. Mireille soupçonnait qu'il n'était pas devenu pharmacien de son plein gré, qu'il s'agissait d'une carrière imposée par son père. Et au fil des ans, elle avait bien vu qu'aucune possession, ni aucun voyage, ni aucune activité n'arrivaient à combler ce vide si évident chez lui. Elle ne fut donc pas surprise lorsqu'il demanda le divorce et vendit à Louise sa part dans la pharmacie et dans leurs autres propriétés. Mireille n'avait pas anticipé, cependant, qu'il irait ouvrir un restaurant italien en Montérégie. Mais un gars fait ce qu'il peut pour être heureux, et elle n'aurait jamais pu lui en tenir rigueur, même si, pour ce faire, il avait dû abandonner Louise.

«Abandonner», ici, était un bien grand mot. Louise s'était vite trouvé un autre homme. Et comme elle savait gérer l'argent, elle avait vite repris un train de vie aussi luxueux qu'avant. On aurait pu dire que tout était revenu à la normale chez elle, excepté en ce qui concernait les voyages. Finis les tout-inclus luxueux au Venezuela. Son nouveau compagnon aimait le trekking. C'était donc sac au dos que Louise avait vu le Costa Rica et le Nicaragua... avant que ce nouveau compagnon aussi ne la quitte, au retour d'un voyage en Argentine.

Comment l'idée de faire la route de Compostelle lui était-elle venue? Elle n'aurait su l'expliquer elle-même. Le goût de liberté, peut-être. Le désir, aussi sans doute, de se prouver qu'elle n'avait pas besoin d'un homme. Elle arrivait à quarante ans et, comme tout le monde le sait, avoir quarante ans, ça remet les choses en perspective...

Attablées à la terrasse du café Bla-Bla devant des verres de blanche en fût, les deux sœurs discutaient du projet. Pour être plus précis, il faudrait dire que Louise en parlait. Au milieu d'une description de l'équipement, de la route et des chaussures, elle passait un commentaire sur les fesses du serveur, les cuisses d'un cycliste ou le sourire craquant du client à la table voisine. La routine, quoi!

Mireille l'écoutait d'une oreille distraite en pensant à l'épicerie. L'été était arrivé. Les employés réguliers partaient en vacances les uns après les autres, laissant leurs postes à des étudiants pas toujours fiables. Il fallait les accompagner, ces étudiants, prévenir leurs hésitations, répondre à leurs questions, compléter leur formation. Les surveiller aussi. C'était peut-être les vacances pour tout le monde, mais pour Jocelyn et Mireille, cette période n'était pas de tout repos.

Heureusement, ils pouvaient compter sur leurs trois fils pour voir au bon fonctionnement du commerce quand ils devaient s'absenter quelques heures. Marc-Antoine s'était révélé plus fiable et plus travaillant depuis qu'il avait quitté la maison. Il partageait avec Marie-Ève un quatre et demie à distance de marche de l'épicerie, ce qui lui évitait d'utiliser sa voiture, en prolongeant du coup la durée de vie. Mireille avait visité l'appartement quelques jours après le déménagement et avait failli fondre en larmes tant l'endroit était modeste et petit. Il n'était plus question maintenant de le faire changer d'avis. Marie-Ève avait annoncé la nouvelle dans sa famille, où, si Mireille se fiait aux sous-entendus, la chose n'avait pas été mieux reçue. Cela n'avait en rien atténué l'enthousiasme des futurs parents, qui s'affairaient ces jours-ci à décorer la chambre de bébé.

— Pourquoi tu ne viendrais pas avec moi ?

Tirée de ses pensées par la question, Mireille fronça les sourcils.

— Aller où ?

— Sur la route de Compostelle ! Je parle de ça depuis une heure. Tu ne m'écoutais pas ?

— Oui, oui. Je t'écoutais. Mais je pensais aussi à Marc-Antoine pis au bébé qui s'en vient. Je te dis que je ne suis pas prête.

Louise rit comme si Mireille venait de dire une blague. Mireille s'en offusqua.

— Tu trouves ça drôle d'être grand-tante ?

— Non. Je trouve drôle que tu penses avoir un mot à dire là-dedans. C'est ton fils, mais il ne t'appartient pas.

— Je le sais ! Mais je ne peux pas imaginer qu'il sera pauvre le reste de ses jours.

— Qui te dit qu'il va l'être ? Il retournera peut-être à l'école à un moment donné. Il se découvrira peut-être la bosse des affaires et reprendra peut-être le commerce familial quand Jocelyn et toi prendrez votre retraite.

— Voyons donc ! Il n'aura jamais assez d'argent pour nous racheter l'épicerie.

— As-tu une boule de cristal pour voir l'avenir ?

Mireille ne répondit pas, même si, pour elle, l'avenir de son fils était aussi prévisible que le tonnerre qui suit l'éclair.

— Tu te stresses trop avec ça, Mireille. Et tu as besoin de vacances après le printemps horrible que tu as vécu.

Ce dernier commentaire irrita Mireille.

— Si, moi, je n'ai pas de boule de cristal, toi, tu ne peux pas encore lire dans les pensées.

Encore une fois, Louise éclata de rire.

— Pas besoin de lire dans tes pensées. C'est clair comme de l'eau de roche. Tu as les nerfs à fleur de peau. Tu travailles tout le temps. Tu ne cuisines plus.

— Ce n'est pas vrai. Je cuisine tous les soirs.

— Jocelyn m'a dit que tu avais découvert les pâtes fraîches et qu'il y en avait presque tous les soirs au menu.

— Ce n'est pas de ma faute si je travaille jusqu'à six heures !

— Qui est-ce qui fait les horaires à l'épicerie ?

— OK. C'est moi. Mais il faut que je sois à la maison le soir pour m'assurer que Frédérick respecte les conditions que je lui ai imposées. Il est puni, tu le sais. Et je ne lui laisserai pas un pouce de jeu. Je veux qu'il comprenne à quel point c'est sérieux.

— Je pense qu'il a compris…

— Louise, quand tu auras élevé au moins un enfant, tu pourras me donner des conseils sur la manière d'élever les miens. En attendant… On devrait se commander un autre pichet.

Le froid qui s'immisça entre elles ne dura pas. Dès que le serveur revint avec un pichet bien plein, la bonne humeur reprit ses droits.

— Boire de la bière sur une terrasse en été. Y a-t-il quelque chose de plus agréable ?

Elles échangèrent un sourire complice comme quand elles étaient enfants.

— J'étais sérieuse, tantôt, poursuivit Louise. Tu devrais venir avec moi. On serait juste parties un mois.

— Un mois ? Es-tu malade ? Je n'ai pas pris deux semaines bout à bout depuis dix ans. Alors tout un mois ? N'y pense même pas. J'ai un commerce à gérer. C'est de l'ouvrage, beaucoup d'ouvrage. Et puis j'ai trois adolescents à finir d'éduquer.

— Il en reste juste deux puisque le premier est parti.

— Merci de virer le fer dans la plaie.

Mireille avala une gorgée de bière et poursuivit sa liste :

— D'accord, j'ai deux adolescents qui me donnent du fil à retordre. J'ai un conjoint dont je dois m'occuper, une maison à faire tourner et…

— Et toi ?

— Quoi, moi ?

— Qui est-ce qui s'occupe de toi ?

— Jocelyn, voyons !

— Et toi, tu ne t'occupes jamais de toi ?

— On voit bien que tu n'as pas eu d'enfant, Louise. À partir du moment où tu en mets un au monde, ta vie ne t'appartient plus.

— Ce n'est pas vrai. Regarde les femmes premières ministres, les avocates, les femmes médecins…

— Tu sauras que la majorité d'entre elles n'ont pas d'enfant.

— Je pense que tu utilises tes occupations comme des excuses pour ne pas élargir tes horizons.

— Tiens donc !

À ce moment-ci de la conversation, Mireille se dit qu'elle devait se trouver un prétexte pour s'en aller. Parce qu'il y avait des jours où, vraiment, sa sœur lui tapait sur les nerfs.

Jocelyn (bis)

— Pourquoi tu n'irais pas ?
— Aller où ?
— Avec ta sœur, sur la route de Compostelle.
Mireille ne s'attendait pas à ce que Jocelyn prenne le bord de Louise. Surprise, elle lui servit le même argument qu'à sa sœur quelques heures plus tôt.
— Es-tu malade ? Je n'ai pas pris deux semaines bout à bout en dix ans, alors imagine un mois !
Elle était irritée. Pourquoi Jocelyn lui parlait-il de cela maintenant, juste après l'amour, juste avant de dormir ? Il y avait bien cinq heures qu'elle lui avait raconté comment Louise lui avait fait cette proposition indécente. Sur le coup, il avait ri avec elle et l'avait aidée à dresser la liste des responsabilités qui l'empêchaient de tout abandonner pour partir un mois. Pourquoi avait-il pris autant de temps pour revenir sur le sujet ? Et pourquoi donner raison à Louise maintenant ?
— Tu sais, on est capable de se débrouiller, les gars et moi.
— Je le sais. Mais il y a l'épicerie.
— Je te signale que je possédais cette épicerie bien avant que tu arrives dans ma vie. Et je ne m'en tirais pas trop mal, il me semble.
Mireille ne sut que répondre. Il venait de la blesser, non pas en lui disant qu'elle n'était pas indispensable, mais en suggérant que les affaires n'allaient pas vraiment mieux depuis son arrivée. Elle savait que ce n'était pas vrai. C'est

elle qui avait repositionné l'entreprise. C'était son idée à elle de faire entrer les produits locaux. Elle avait informatisé le système de paye, avait réparti plus équitablement les tâches des gérants et remplacé toutes les caisses traditionnelles par des caisses électroniques. Les inventaires étaient plus faciles à produire grâce à elle. Pourquoi diminuait-il son apport ?

Comme elle ne parlait pas, Jocelyn se rendit compte qu'il avait été mal compris. Il rectifia le tir en l'attirant près de lui.

— Je veux juste dire que le monde ne s'écroulera pas parce que tu pars un mois.

— C'est long, un mois. Qui comptabiliserait les payes ? Qui préparerait les horaires ?

— Tu pourrais préparer les horaires à l'avance. Pour ce qui est des payes, tu aurais juste à me montrer comment tu fais. Après tout, si tu tombais malade, il faudrait bien que je me débrouille.

Elle n'aima pas du tout l'idée qu'elle pourrait tomber malade, mais dut quand même se rendre à l'évidence : c'était vrai que s'il lui arrivait quelque chose, Jocelyn devrait se débrouiller.

Elle tenta néanmoins un autre argument.

— Louise partira au milieu du mois d'août. Tu sais bien que je ne peux pas m'en aller juste avant la rentrée. Surtout qu'il faut que je trouve une nouvelle école pour Frédérick. Et puis je veux le tenir serré, celui-là. Pas question qu'il recommence ses niaiseries.

— Tu sais bien qu'il ne recommencera pas. Et même s'il décidait de recommencer, que tu sois là n'y changera rien.

— Tu te trompes. Frédérick me craint assez pour ne pas de faire d'autres niaiseries. Surtout s'il sait que je le surveille.

— OK, mais tu ne partirais pas six mois. Ton influence n'aurait pas le temps de s'effriter. Et je te signale que je serais là. Je suis capable de le remettre dans le droit chemin aussi bien que toi.

— Pis les livres ? Il faudra bien aller acheter le matériel pour la rentrée. Tu n'as jamais acheté les cahiers et les crayons et… C'est toujours moi qui ai fait ça.

— Raison de plus pour que je commence à le faire. Surtout qu'il nous en reste juste deux à la maison. Si je n'apprends pas maintenant, je n'apprendrai jamais.

— Tu oublies que si Josh se retrouve encore à l'hôpital, tu regretteras que je ne sois pas là pour m'occuper du magasin.

Elle était passée du conditionnel au futur simple sans s'en rendre compte, mais Jocelyn, lui, perçut la nuance. L'idée avait commencé à faire son chemin. Il poursuivit donc au futur.

— S'il arrive quelque chose à Josh, je confierai la responsabilité de l'épicerie à Marc-Antoine. C'est le plus fiable de nos employés.

— Il a juste dix-huit ans.

— Oui, mais c'est le fils du patron. Les autres se tiennent tranquilles quand il est dans le coin. Et puis je ne passerais pas vingt-quatre heures par jour à l'hôpital. De toute façon, c'est l'hiver qu'il est malade, Josh.

Mireille aurait dû sentir un poids de moins sur ses épaules. Elle aurait dû accepter qu'au fond, tout se passerait bien même si elle n'était pas là, que s'il se produisait une catastrophe, Jocelyn était capable d'y faire face. Et puis, dans le pire des cas, elle reviendrait par le premier avion. Son orgueil, pourtant, ne l'entendait pas ainsi.

— Qu'est-ce que tu essaies de me dire ? Que tu veux que je m'en aille ?

— Je dis juste que tu devrais y penser, voir comment ça marche, comment ça se passe une fois que tu te lances dans une aventure comme celle-là.

Jocelyn, qui la connaissait mieux que quiconque, venait de mettre le doigt sur sa plus grande angoisse. Une aventure, ça impliquait des imprévus. Et Mireille détestait ça.

Il éteignit la lumière, se pencha au-dessus d'elle et lui déposa un baiser sur la joue avant de lui murmurer à l'oreille :

— Personne n'est indispensable, Mimi. Et tout le monde, absolument tout le monde, a besoin de vacances.

Cette nuit-là, Mireille dormit peu. Elle passa en revue toutes les tâches qu'elle exécutait au quotidien. La liste était longue. Non, elle ne pouvait pas partir. Deux jours, d'accord. Une semaine, ça passait encore. Mais tout un mois, jamais !

Le voyageur

Partout au Québec, ça sentait les vacances. Les gens qui faisaient la file aux caisses avaient les bras chargés de bière et de steaks. Derrière le comptoir de service, Mireille validait moins de billets de loterie que d'habitude, mais recevait davantage de cannettes vides. Elle faisait le compte, remboursait la consigne et envoyait un emballeur aider les gens âgés à transporter leur épicerie dans leur voiture. Tout ça parce que sa directrice du service était partie camper quelque part en Nouvelle-Angleterre.

C'était un jour d'été ensoleillé comme elle les aimait, avec des clients de bonne humeur, des employés d'été qui se draguaient les uns les autres. Les fournisseurs étaient détendus. Mireille les regardait discuter avec Jocelyn au bout de la section des fruits et légumes. Un nouveau produit pour l'été, une nouvelle mise en marché, une blague, aussi, de temps en temps.

Oui, c'était une de ces journées qui vous accroche sur le visage un sourire qui ne se fane pas. Une de ces journées, aussi, pendant lesquelles on se dit qu'on aime sa vie. Et qu'on aime la vie tout court, avec ses hauts et ses bas. Au point que même Marie-Ève, ce jour-là, semblait attendrissante derrière sa caisse. Et efficace aussi. Mireille arrivait presque à comprendre ce que Marc-Antoine lui trouvait.

Peut-être était-ce précisément à cause de cette bonne humeur que Mireille ne ressentit pas sa méfiance habituelle quand un jeune homme entra avec un sac sur le dos. Elle le regarda même avec curiosité quand il l'abandonna au comptoir de service comme l'exigeait un écriteau suspendu au-dessus de la porte. Elle le suivit des yeux un moment tandis qu'il s'enfonçait plus avant dans le magasin. Puis son attention revint au sac.

Elle détailla avec un intérêt soudain l'étrange chose informe qui occupait tout l'espace libre sur le comptoir. Il ne s'agissait pas d'un sac à dos d'étudiant. On ne l'imaginait pas un instant chargé de livres à cause du tapis de sol roulé et glissé juste en avant, sous les courroies. Amalgame d'aluminium, de toile extensible et de filet, on lui trouvait davantage de ressemblance avec une prothèse qu'avec un baluchon. Ce sac avait sans doute vu beaucoup de pays. Il était sale, usé, et ses poches étaient tendues au maximum. Ici et là, des épingles de sûreté retenaient un sifflet, un élastique à cheveux, une débarbouillette. Son propriétaire était de toute évidence un voyageur du genre de ceux qu'on ramasse en stop sur l'autoroute.

Soudain, la proposition de Louise brilla d'une lumière nouvelle. Mireille se demanda quelle sensation on éprouvait quand on partait longtemps, disons plus de deux jours. Comment se sentait-on quand on laissait tout derrière soi l'espace de quelques semaines ?

Le jeune homme revint vers les caisses, et elle le détailla avec autant de soin qu'elle l'avait fait avec son sac. Elle lui trouva un air un peu sale, avec ses cheveux longs attachés sur la nuque, avec ses ongles noircis, avec son jean usé à la trame sur les genoux et avec ce t-shirt délavé et mouillé aux aisselles. Mais de son sourire et de ses yeux, d'un bleu aussi clair que le ciel, se dégageait une telle sensation de liberté que Mireille se surprit à l'envier. Ce visage, bronzé par les heures passées au soleil, lui semblait heureux, voire sympathique. Certes, il avait minimum vingt ans de moins qu'elle. Personne, sans doute, ne l'attendait ni ne comptait sur lui.

Personne, non plus, ne s'ennuyait de lui. Et il était probable que lui non plus ne s'ennuyait de personne.

Elle pensa à tous ces films, ces *road movies* qu'elle affectionnait dans son adolescence. Une part d'elle-même avait peut-être rêvé de voyager de la sorte, mais la vie en avait décidé autrement. Mireille menait désormais l'existence qu'elle avait choisie, avec l'homme qu'elle avait choisi. À deux, ils avaient éduqué trois garçons, et si, à la fin du printemps, elle n'était pas trop fière de ses fils, elle devait maintenant admettre qu'ils se montraient à la hauteur.

Le jeune homme au sac à dos avait depuis longtemps quitté l'épicerie quand Mireille revint à la réalité. À *sa* réalité. Il approchait 17 heures. Les employés de jour s'en allaient, ceux de soir étaient arrivés. À Lennoxville, là où se trouvait la maison, des voisins auraient sans doute fait un feu de camp. L'air sentirait bon la fumée et les effluves de l'été quand elle allumerait le barbecue pour préparer le souper. Mireille imagina qu'elle et Jocelyn feraient l'amour, ce soir, juste avant de dormir. Parce que demain serait un autre jour, en tout point semblable à celui-ci.

Frédérick (bis)

— Je n'ai pas envie d'aller à l'école ici. Ça a l'air snob.

C'est ainsi qu'avait regimbé Frédérick dans le stationnement de l'école privée où Mireille venait l'inscrire pour septembre.

— Quand on se trouve dans ta situation, Fred, on n'a pas la liberté de choisir.

Il ne dit pas un mot pendant qu'elle remplissait et signait les formulaires dans le bureau de la direction. Du coin de l'œil, elle le voyait concentré à l'excès sur un dépliant pigé sur le bout d'une table. N'importe quoi pour se tenir occupé, mais surtout, pour ne pas avoir l'air coupable. Mireille savait que c'était sa manière à lui d'encaisser l'humiliation.

De retour dans la voiture, elle s'étonna qu'il lui tende le dépliant.

— Je veux m'inscrire à ce programme-là.

Mireille, qui avait posé la main sur le démarreur, suspendit son geste. Il s'agissait d'un programme d'échange culturel. Les élèves choisis suivaient leur cours au Québec avant Noël et en Colombie-Britannique le reste de l'année scolaire. Mireille secoua la tête.

— Tu ne trouves pas que t'inscrire à cet échange-là ressemblerait davantage à une récompense qu'à une punition ?

— Maman… s'il te plaît… J'ai été assez puni. C'était niaiseux. Je le sais. J'ai juste voulu voir si je pouvais…

— Épargne-moi les détails, Fred ! C'est assez gênant comme ça.

— Je m'excuse, maman. Qu'est-ce que je peux te dire d'autre à part te promettre que je ne recommencerai pas ?

— Rien, je suppose.

Un ange passa. Mireille jeta un second coup d'œil sur le dépliant.

— Où est-ce que tu penses qu'on va prendre l'argent pour un programme comme celui-là ? Ce n'est pas donné. Et c'est en plus du coût de l'inscription à l'école.

— On pourrait utiliser une partie de l'héritage que grand-maman m'a laissé.

Mireille le regarda, surprise. Comment avait-il pu trouver aussi rapidement une solution à un problème d'une telle envergure ?

— J'ai placé cet argent pour tes études, Fred.

— Mais je te parle de mes études, justement. Imagine tout ce que je vais apprendre dans un programme comme celui-là.

— J'imagine surtout les occasions pour…

Elle s'interrompit. Frédérick avait raison. Elle ne pouvait pas lui rappeler son erreur ad vitam æternam.

— Tu sais, maman, ça ne sert à rien d'avoir de l'argent si on ne s'en sert pas.

— Il ne faut pas non plus le gaspiller.

— Ce n'est pas du gaspillage, ce programme-là. C'est un cours. Un apprentissage de la vie. Une nouvelle expérience, si tu veux.

— Tiens donc ! Tu l'as, le vocabulaire, aujourd'hui.

— Je suis sérieux.

— Moi aussi.

Elle promit d'en parler à Jocelyn et démarra. Ils n'échangèrent pas une parole de tout le trajet du retour, mais sur les lèvres de Frédérick, il y avait un sourire qui ne s'effaçait pas.

Les anciens de Compostelle

La salle de conférence était aux trois quarts pleine. Autant d'hommes que de femmes, quelques jeunes, mais surtout des plus vieux. Ceux qui avaient déjà parcouru la route de Compostelle se relayaient en avant pour partager leur expérience. Les autres écoutaient et, en dignes apprentis, prenaient des notes. On abordait tous les sujets. On racontait, donnait des conseils, suggérait de l'équipement. Chaque ancien donnait ses trucs. Quoi apporter, quoi ne pas apporter, quoi privilégier. Tout y passait : du type de sac à dos au type de souliers. On parlait même du type de trousse de premiers soins. Tous n'étaient pas d'accord sur tout, mais un point revenait constamment.

— Il faut que chaque chose soit la plus légère possible.

Dès que quelqu'un rappelait cette consigne, Mireille approuvait avant de prendre des notes supplémentaires. À côté d'elle, Louise rêvassait. Elle pouvait bien se payer ce luxe, Louise, parce qu'elle avait une mémoire d'éléphant. Et puis son sac était déjà prêt. Elle l'avait ouvert devant Mireille la semaine précédente. Chemises de polyester, pantalons de polyester, chaussettes de laine, bottes de marche neuves parce que les anciennes ne tiendraient pas le coup pendant un mois. Mireille avait été impressionnée par le degré de préparation de sa sœur. Une vraie pro !

Mais à force d'écouter et d'analyser ce que chacun disait, debout en avant, il lui sembla quand même plus prudent de se fier aux vieux routiers.

Si on voulait marcher beaucoup et longtemps, disait l'un d'eux, il était préférable de chausser des souliers bien formés à notre pied. Donc, pas de souliers neufs.

Ce choix semblait judicieux de l'avis de Mireille. Après tout, une nouvelle paire de bottes ne risquait-elle pas, comme toutes les nouvelles chaussures, de lui blesser les pieds ? Et puis les bottes étaient beaucoup plus lourdes que les espadrilles. Louise, elle, ne l'entendait pas ainsi. Elle affirmait qu'il fallait être bien chaussée quand on s'attaquait à des sentiers de montagne. Selon elle, un peu plus de poids aux pieds était préférable à une entorse. Et nos pieds finissent toujours par s'habituer. Mireille conclut qu'il lui faudrait encore y penser.

On parla ensuite de la *credencial*, sorte de passeport pour la route de Compostelle. Il s'agissait d'un carnet qui permettait de recevoir les tampons des différents villages où passaient les pèlerins. Le document était obligatoire pour être hébergé en Espagne, mais aussi pour obtenir, une fois arrivé à Saint-Jacques, la *Compostella*, ce certificat qui attestait qu'on avait réellement fait le Chemin. Même si elles n'avaient pas l'intention de se rendre jusqu'en Espagne, Louise avait sa *credencial* depuis longtemps, et Mireille avait posté son formulaire dûment rempli trois jours plus tôt.

On parla enfin des livres. Il fallait choisir entre un guide épais qui décrivait l'entièreté de la route et qu'il faudrait traîner tout du long, et un autre, plus mince, qui ne décrivait qu'un segment du Chemin et qu'on pourrait abandonner pour le remplacer par celui du segment suivant. Cette dernière option semblait préférable selon Mireille, mais pas selon Louise, qui comptait écrire dans son guide et le rapporter à la maison à la fin du voyage. Deux choix, deux philosophies, et chacune ferait comme elle l'entendait.

L'avant-midi se termina avec un dîner en commun. C'était l'occasion pour les novices d'échanger directement avec les anciens. Mireille se rendit compte qu'elle était privilégiée de voyager avec sa sœur. Louise avait parcouru plusieurs sentiers d'Amérique du Sud et tenait de son ex-amoureux plusieurs trucs qui impressionnèrent même les plus vieux randonneurs. Glisser le guide dans un sac de plastique transparent assez grand pour qu'il puisse y tenir ouvert le protégerait de la pluie sans en gêner la lecture. Elle recommandait également les épingles de sûreté pour suspendre au sac les sous-vêtements encore mouillés et autres petits objets qu'on doit avoir à portée de la main. Ce détail rappela à Mireille le voyageur de l'épicerie. Malgré son jeune âge, il s'agissait sans doute d'un vieux routier, lui aussi. Louise décrivit ensuite le sifflet intégré à son sac à dos. La meilleure de toutes les inventions, selon elle, parce qu'on était certain de l'avoir toujours près de la bouche si on devait signaler sa présence parce qu'on était perdu ou blessé trop grièvement pour marcher.

Après le dîner, on ramassa les assiettes, nettoya les tables, et chacun se rassit pour écouter le mot de la fin. Tout le monde se tut quand un vieux monsieur se leva. Il raconta d'abord comment il avait parcouru la route cinq fois et comment chacun de ces pèlerinages avait changé sa façon de voir la vie. Il conseilla à ceux qui partaient du Puy-en-Velay en haute saison de réserver le plus possible leurs chambres d'hôtel ou de gîte, faute de quoi ils risquaient de dormir à la belle étoile. Mireille en prit bonne note; pas question de coucher dehors en pays étranger.

Le vieil homme conseilla aussi de porter des vêtements qui séchaient vite, le polyester étant, à ses yeux, le meilleur ami des voyageurs. Louise approuva d'un sourire. Puis il aborda un sujet qu'il considérait comme délicat.

— Et surtout, mesdames, dit-il en rougissant malgré lui, laissez vos petites culottes sexy à la maison. Quand on marche toute la journée, il faut des sous-vêtements confortables. Et je ne pense pas que vous puissiez qualifier de confortables les tangas et les strings qu'on voit dans les revues.

Mireille et Louise se jetèrent un regard entendu.

Comme pour tous les conseils que les hommes âgés aiment donner aux femmes plus jeunes, il fallait en prendre et en laisser. Elles porteraient leurs tangas si ça leur plaisait parce qu'elles avaient découvert depuis longtemps qu'il s'agissait de sous-vêtements bien plus confortables que les culottes traditionnelles. Mais ce confort-là, le vieux monsieur n'y avait pas goûté lui-même, évidemment.

Marc-Antoine (bis)

Mireille avait toujours tenu sa maison propre. Il y avait chez elle une place pour chaque chose et chaque chose avait sa place. Les garçons l'avaient appris en grandissant, et Jocelyn avait dû s'y faire quand Mireille avait emménagé chez lui.

Ce trait de personnalité expliquait la surprise sur le visage de Marc-Antoine quand il vint rendre visite à sa mère à la fin de juillet.

Il était entré sans frapper par la porte de la cuisine et s'était figé en mettant le pied dans le salon. Son regard ahuri en disait long, tandis qu'il parcourait la pièce des yeux. L'ordre habituel avait disparu pour faire place à un fouillis inimaginable. Sur la table basse, une grande carte avait été dépliée et on y avait tracé, au surligneur, plusieurs routes en diagonale. Sur le plancher, guides de randonnées, romans et récits de voyage étaient empilés. Marc-Antoine comptait une vingtaine d'ouvrages jetés là, pêle-mêle, comme au gré des consultations. Appuyés contre un meuble, deux bâtons de marche. Contre un autre, un sac à dos à armature d'aluminium. Ici, un sac de couchage roulé bien serré dans une pochette minuscule. Là, trois chapeaux différents lancés sans doute au hasard. Le tapis de sol avait été déroulé et avait glissé en partie sous le sofa. Dessus, Mireille avait déposé une demi-douzaine de carnets vierges et différentes sortes de stylos. Au milieu de ce bazar, le pèse-personne trônait, comme l'objet le plus important de tous.

Marc-Antoine s'éclaircit la voix.

— Qu'est-ce qui se passe, maman? On se croirait chez Bilbo Baggins.

Mireille avait sursauté en entendant son fils, mais elle lui offrit un large sourire. D'une certaine manière, la comparaison lui plaisait. Comme bien des parents d'adolescents, elle avait vu *Le seigneur des anneaux*, les films tirés de la trilogie de Tolkien. Et comme les personnages, elle était sur le point de partir à l'aventure.

Elle contempla son fils, l'homme qu'il était devenu et qui s'apprêtait, à sa façon, à vivre une grande aventure. Elle devait admettre qu'elle en était fière, même si ça faisait mal. Et Dieu que ça faisait mal!

Mireille s'en était rendu compte en allant magasiner un cadeau de bébé. Dès qu'elle avait mis le pied dans le magasin, dès qu'elle avait vu les petits pyjamas colorés, elle s'était sentie coupée en deux. Une partie d'elle se rappelait avec une pointe de nostalgie l'époque où elle berçait ses fils, où elle les habillait pour qu'ils soient tout beaux et les emmenait en visite chez la parenté. L'autre partie d'elle-même lui enfonçait un poignard dans le cœur. Acheter des vêtements de nourrisson, c'était accepter la situation. C'était aussi accepter de changer la vision qu'elle avait d'elle-même.

Ce n'était pas une question de désir. Pas plus qu'une question de regret. Elle avait décidé depuis longtemps qu'elle n'aurait plus d'enfant. Ses fils étaient grands, elle était passée à autre chose. D'ailleurs, l'idée de revenir aux couches la répugnait. Quand elle voyait une femme enceinte dans la rue, elle ne l'enviait pas non plus. Sauf que décider qu'on n'aurait plus d'enfant était une chose. Accepter qu'on serait bientôt grand-mère en était une autre.

— Alors, c'est décidé? Tu pars?

Mireille chassa ses idées sombres et revint à ce grand gaillard qui la regardait comme s'il n'en croyait pas ses yeux.

— Comme tu peux le constater, j'achève mes préparatifs. Veux-tu que je te montre par où on va passer ?

Elle n'attendit pas sa réponse pour s'agenouiller devant la table. Il la suivit et s'installa à sa gauche. Du bout du doigt, elle désigna une ligne tracée en jaune sur la carte.

— Il y a quatre routes pour faire ce pèlerinage à travers la France. Louise et moi, on va prendre la plus fréquentée, celle qui part du Puy-en-Velay.

Elle fouilla dans ses livres à la recherche d'un guide en particulier et, lorsqu'elle mit la main dessus, elle l'ouvrit au milieu. Tout en haut, commençant sur la page de gauche et se terminant sur la page de droite, se dessinait un plan linéaire qui marquait les dénivellations du terrain.

— Ça commence tout doucement, avec quelques collines ici et là.

Elle tourna la page pour lui montrer la suite du plan.

— Et après, comme tu peux le voir, ça monte et ça descend. Au début, on va marcher des journées de quinze kilomètres, pour s'habituer. Au bout d'une semaine, j'ai prévu qu'on se rendra à vingt ou vingt-cinq, selon les difficultés du parcours.

— Vingt-cinq kilomètres par jour ? Wow ! Et vous irez loin, comme ça ?

Mireille revint vers la carte et désigna la fin du trait jaune, en bas, à gauche.

— Si tout va bien, on marchera pendant huit cents kilomètres jusqu'à Saint-Jean-Pied-de-Port. C'est presque à la frontière espagnole.

— Huit cents…

Marc-Antoine resta un moment bouche bée. Puis, en lisant la détermination sur le visage de sa mère, il lui demanda :

— Tu vas être partie combien de temps ?

— Un mois, je pense.

— Tout un mois ? Ça va être long !

Il regarda sur la carte le tracé des dénivelés et jeta un coup d'œil au guide plein de photos.

— Tu sais, maman, je n'aurais jamais pensé que c'était ton genre de te lancer dans une aventure comme celle-là.

Mireille sourit.

— Moi non plus.

— Alors j'ai rien qu'une chose à te dire.

Mireille fronça les sourcils, un peu craintive. Son fils n'allait tout de même pas essayer de la dissuader de partir !

— J'espère que tu vas avoir du fun.

Soulagée, elle le prit dans ses bras.

— Moi aussi, dit-elle, j'espère que tu vas avoir du fun.

En réalisant qu'elle faisait allusion à sa future paternité, Marc-Antoine bomba le torse.

— Promis.

Joshua (bis)

Joshua n'avait que cinq ans quand Mireille avait emménagé dans la maison de Lennoxville avec ses garçons. Trois ans plus tôt, la mère de Joshua avait levé le camp en laissant son fils à son ex comme on abandonne derrière soi une vieille télévision ou une pile de disques compacts.

Aussi blond que son père, mais le teint plus pâle à cause de la maladie, Joshua n'avait mis que deux semaines avant d'appeler Mireille « maman ». Et elle, elle l'avait aimé tout de suite. Certes, sa fragilité faisait de lui un enfant vulnérable qu'on avait envie de protéger, mais sa grande sensibilité, doublée d'une imagination fertile, le rendait irrésistiblement attachant. Comment sa mère avait-elle pu l'abandonner ? Cela, Mireille ne se l'était jamais expliqué.

C'est avec lui que Mireille fréquentait les vergers des Cantons-de-l'Est. Ils allaient aux fraises en juin, aux framboises en juillet, aux bleuets au mois d'août, aux prunes et aux poires en septembre et aux pommes en octobre. Mais cette année, leurs virées annuelles s'arrêteraient à mi-chemin.

Les framboises abondaient en cette fin de juillet, juteuses et sucrées, même si un peu en retard. Mireille et Joshua s'affairaient de chaque côté d'une haie de framboisiers, un gobelet suspendu au cou. Ils jasaient de tout et de rien en se jetant des coups d'œil complices à travers les branches. Leurs seaux étaient à moitié pleins, alors ils continuaient, tant pour atteindre leur objectif de cueillette que pour le plaisir de savourer ce qui serait peut-être leur dernier après-midi seul à seule.

— Je sais que tu as fouillé dans mon sac à dos, lui lança soudain Mireille en captant son regard au-dessus de la haie.

Joshua se figea. Comme toujours, sa peau si blanche se couvrit de plaques rouges.

— Je m'excuse, dit-il au bout d'un moment. Comment est-ce que tu t'en es rendu compte ?

Mireille rit et avala quelques baies. Elle avait bluffé ; elle ne savait pas lequel des garçons accuser.

— La tente était dans le fond du sac. Moi aussi, au début, je pensais que c'était une bonne place, question d'équilibre. Mais au fil des entraînements, je me suis rendu compte que ça me blessait au creux des reins.

Il y avait maintenant deux semaines qu'elle marchait tous les jours avec le sac à dos chargé au maximum. Et elle le trouvait chaque jour plus lourd que la veille.

— Qu'est-ce que tu as fait ? Tu l'as mise plus haut ?

— Oui, j'ai inversé la tente et le sac de couchage. C'est beaucoup plus confortable.

— Mais ça doit aussi être moins équilibré. Je veux dire, quand tu marches, tu dois sentir le sac tomber vers l'arrière.

— Un peu, oui, mais c'est temporaire. Je n'emporterai pas la tente, finalement.

En effet, quelques jours plus tôt, Mireille avait dressé un plan de marche et avait réservé les chambres d'hôtel pour le trajet en entier. Du coup, ça rendait la tente inutile et ça allégeait d'autant le sac.

— Qu'est-ce que tu cherchais ?

Elle était revenue à ce qui la chicotait. Pourquoi Joshua avait-il fouillé dans ses affaires ? Ça ne lui ressemblait pas. En fait, ça ne ressemblait à aucun des garçons.

— Je voulais savoir ce que tu allais utiliser pour te protéger de la pluie. J'ai vu que tu t'étais acheté un imperméable.

Il avait dit ces derniers mots sur un ton désapprobateur. Elle haussa un sourcil, il continua :

— J'ai fait un peu de recherche et j'ai trouvé plusieurs sites qui recommandent le poncho au lieu de l'imperméable. C'est plus rapide et plus facile à mettre quand il se met à pleuvoir tout d'un coup. S'il fallait que tu sois mouillée et que tu tombes malade là-bas…

— Tu t'inquiétais pour moi ?

— Je t'ai acheté un poncho, avoua-t-il comme s'il s'agissait d'une faute. Je ne veux pas te forcer à l'utiliser, mais j'aimerais ça que tu y penses pendant quelques jours, que tu l'essaies, peut-être aussi. Au pire, je le garderai pour aller à la pêche.

Mireille sentit des larmes lui monter aux yeux. Elle écarta les branches et attrapa la main qu'il avait tendue pour cueillir les framboises qui se cachaient là.

— Merci, dit-elle en serrant ses doigts entre les siens.

Qu'aurait-elle pu dire d'autre ?

Jocelyn (ter)

Les semaines passaient. Mireille s'entraînait. Parfois avec Louise, mais la plupart du temps seule. Elle connaissait son sac à dos par cœur et pouvait y trouver chacune de ses affaires les yeux fermés. Elle savait qu'il pesait dix kilos quand elle remplissait au maximum le réservoir d'eau glissé à l'intérieur. Elle savait qu'elle le trouvait léger le matin et plus lourd en après-midi. Et plus elle s'habituait à son poids, plus le moment du départ approchait.

Le marché d'Ayer's Cliff avait lieu, ce matin-là, même s'il pleuvait sur la région. Mireille et Jocelyn prenaient leur temps pour déjeuner. Ils ne traîneraient pas des heures dehors à la pluie, c'était certain.

Cette tradition aussi se terminait un mois plus tôt que d'habitude. Mireille venait d'arriver à cette conclusion, et sa poitrine lui fit mal. Elle ne verrait pas Jocelyn pendant plusieurs semaines. Elle ne dormirait pas non plus blottie contre lui, la nuit, qu'il fasse chaud ou froid. Ils ne feraient pas l'amour non plus, de tout ce temps.

Il leva les yeux de son journal comme elle se faisait cette réflexion. Il lut sans doute la tristesse sur son visage parce qu'il lui offrit un sourire affligé.

— Tu vas me manquer, dit-il en attrapant sa main.

Mireille sentit sa gorge se nouer.

— Vas-tu m'écrire ?

Elle lui avait posé la question avec une pointe d'inquiétude dans la voix, comme si elle en doutait.

— Évidemment ! La question, c'est plutôt : est-ce que toi, tu vas m'écrire ?

Elle rit.

— Je vais t'envoyer un mot chaque fois que je vais croiser un café internet.

— Bah ! Tu vas être tellement occupée avec toutes ces belles choses que tu vas découvrir...

— Voyons donc !

— J'espère quand même que tu ne passeras pas ton temps sur un ordinateur, sinon je vais penser que ce voyage aura été du gaspillage d'argent.

C'était une boutade. Jamais Jocelyn n'aurait pensé un instant se mêler des affaires d'argent de Mireille.

— C'était une bonne idée d'utiliser ton héritage pour partir. À voir les taux d'intérêt actuels, je me dis que tu étais mieux d'en faire quelque chose que de le placer en espérant qu'il profite.

— Je vais quand même faire attention.

— Tu en feras ce que tu voudras, Mimi. Il est à toi, cet argent-là. Et je trouve aussi que c'était une bonne idée d'inscrire Frédérick à cet échange culturel. Ça va lui faire du bien...

Il ne compléta pas sa phrase. Nul besoin. Mireille savait que Frédérick manquait de maturité et que ce programme avait des chances de lui apporter beaucoup plus qu'un simple séjour en Colombie-Britannique.

— Qu'est-ce que tu vas faire en m'attendant ?

Elle lui avait posé cette question vingt fois. Il répondait toujours la même chose. Il allait travailler en comptant les jours jusqu'à son retour. Ce matin, cependant, il lui dit autre chose.

— Je vais venir à Ayer's Cliff tous les samedis comme si tu étais avec moi. Je vais déjeuner à cette table-ci puisque c'est notre place habituelle. Je vais lire le journal et te parler même si tu n'es pas là. Puis je vais aller au marché, acheter des petites choses juste pour le plaisir et rentrer par l'autoroute parce que tu ne seras pas là pour me dire que c'est plus beau par le vieux chemin.

Mireille gloussa. Comme ils étaient chanceux de s'aimer autant après dix années de vie commune ! Et comme il allait lui manquer !

Lyon

Quand Mireille ouvrit les yeux, elle ne reconnut pas tout de suite l'endroit où elle se trouvait. Pendant une fraction de seconde, elle regarda, l'air hébété, le stuc du plafond, maculé de cernes et garni de toiles d'araignées. Elle se leva sur un coude pour étudier la pièce. Les meubles et la décoration ne lui disaient rien. Même la lumière qui filtrait entre les rideaux lui semblait étrangère. Puis tout lui revint d'un coup. Le voyage en avion, la route en taxi depuis l'aéroport de Lyon, une façade de pierre dans une rue déserte et cette chambre minuscule dans cet hôtel qui semblait tout droit sorti d'une chanson d'Édith Piaf. Après une brève douche où Louise et elle avaient, à tour de rôle, éclaboussé le plancher de la salle de bain, elles s'étaient effondrées sur le lit et, sans même se consulter, avaient plongé dans un profond sommeil.

Louise ronflait encore, enroulée dans la couverture qu'elle avait tirée de son bord au petit matin. Mireille jugea inutile de la réveiller. La journée serait bien assez éprouvante avec le décalage horaire.

Elle abandonna sa sœur à ses rêves et se rendit à la porte-fenêtre, qu'elle ouvrit avant de la refermer derrière elle. Le balcon était minuscule, mais bordé de fleurs. Il offrait une vue sur la cour intérieure où quelques clients – des touristes – déjeunaient en papotant. Le temps était magnifique. Ensoleillé, avec une brise un peu chaude pour une mi-août. Même s'il était encore tôt pour juger de la journée,

Mireille commença à ébaucher un plan de la matinée, puis y renonça. Avant de penser à courir les musées, mieux valait boire au moins un café.

Elle rentra, s'habilla en vitesse et quitta la chambre en emportant le guide touristique de la ville de Lyon.

L'endroit avait sans doute déjà été un hôtel de luxe. L'escalier était taillé dans un bois foncé, ses marches, couvertes d'un tapis rouge et épais dont les nuances s'agençaient avec les couleurs du papier peint qu'on voyait sur les murs du lobby. Les meubles de la réception semblaient aussi chics et anciens que l'escalier et ressemblaient à un décor de film sur la Deuxième Guerre mondiale. Mireille ne put s'empêcher d'imaginer des soldats allemands en chic uniforme aller et venir dans l'immeuble avec, au bras, des Françaises parfumées et vêtues de robes aguichantes.

Elle traversa la pièce et emprunta la porte qui menait dans la cour. Là, des croissants et des morceaux de pain avaient été disposés sur un comptoir. Mireille se servit avant de s'asseoir à une table laissée vacante par un couple qui sortait. Le patron vint débarrasser la vaisselle sale et lui demanda si elle voulait un café.

— Un café au lait, s'il vous plaît.

Louise l'avait avertie la veille, dans l'avion. « En France, si tu ne précises pas quel type de café tu veux, on te servira un expresso. »

En regardant l'homme s'éloigner sur les dalles inégales de la cour, Mireille essaya de se sentir en vacances. Le commerce et les garçons lui trottaient encore dans la tête. Avait-elle vraiment tout réglé avant de partir ? Une partie d'elle-même continuait de passer en revue les comptes à payer, factures à envoyer, les rendez-vous chez le dentiste, chez l'optométriste, chez le médecin. Quand elle se rendit compte que son esprit refusait de lâcher prise, même à cinq mille kilomètres de la maison, elle se fâcha. Assez, c'est assez ! Que pouvait-elle faire, maintenant, de Lyon, à part envoyer un courriel si, vraiment, elle avait oublié quelque chose d'important ? Et puis c'était quand, la dernière fois qu'elle avait oublié quelque chose d'important ? Elle ne s'en souvenait pas, parce que ce n'était jamais arrivé. Alors pourquoi est-ce que ça se produirait maintenant ? Et puis, dans le pire des cas, Jocelyn était toujours à la maison.

En pensant à Jocelyn, Mireille sentit une douleur lui serrer la poitrine. Il lui manquait déjà. Et les garçons aussi. Comment allait-elle faire pour se passer de leur présence pendant tout un mois ? Elle aimait autant ne pas y penser.

Louise arriva, fraîche et dispose, ses cheveux mouillés lui dégoulinant sur les épaules.

— J'espère qu'on change les serviettes tous les jours ici, parce que j'ai encore été obligée d'essuyer le plancher avec la mienne. Je ne sais pas comment font les Français pour se laver sans tout éclabousser, mais j'ai beau faire attention, je n'y arrive pas.

— Ça doit être culturel.

Elles pouffèrent en même temps. Louise se commanda un café, mais ne déjeuna pas.

— Qu'est-ce qu'on fait aujourd'hui ? demanda-t-elle en désignant le guide posé à plat sur la table.

— On va commencer par la lessive.

Louise la regarda, aussi surprise que dégoûtée.

— Fais comme tu veux, continua Mireille, mais moi, je sais que je n'ai rien à me mettre demain matin. J'aurais dû laver mon linge en arrivant hier soir, mais j'étais trop fatiguée.

Louise approuva. Voyager léger avait comme principal inconvénient qu'il fallait laver ses vêtements plus souvent. C'est pour cette raison qu'elles avaient choisi des tissus performants. Leurs petites culottes, leurs chaussettes et leurs t-shirts sécheraient en moins de deux heures.

— Après, on visitera le Vieux Lyon, si ça te tente.

Cette fois, Louise lui sourit franchement.

— Va pour le Vieux Lyon !

Tout en finissant leurs cafés, elles ébauchèrent un plan pour la journée.

Traboules

— On ne peut pas entrer là !

Debout dans la rue étroite, devant un édifice qui s'élevait sur quatre étages, les deux femmes argumentaient. Fallait-il ou non pousser la porte ?

— Ça ne peut pas être ici. C'est une entrée privée. Ça se voit bien !

— Mais non ! C'est un passage ouvert au public. Ça le dit ici.

Mireille tendit le livre à sa sœur en montrant du doigt le paragraphe où il était question des traboules. Louise lut, sceptique.

Les traboules étaient des passages qui permettaient de se rendre d'une rue à une autre en passant sous les maisons. « Sous » signifiait ici au niveau du sol, entre les édifices qui s'étiraient, contigus les uns aux autres. Il s'agissait donc d'une sorte de raccourci érigé au fil des ans par les Lyonnais. Certaines de ces traboules étaient accessibles au public, comme celle que Mireille voulait visiter.

Louise lui redonna le guide avec un grognement affirmatif et lui emboîta le pas.

Après avoir refermé la porte, il leur fallut un moment pour s'habituer à la pénombre qui régnait de l'autre côté. Puis Mireille distingua un sol de pierre, des murs de maçonnerie, et tout au bout, de la lumière. Elles s'engagèrent dans la seule direction possible et arrivèrent, après une quinzaine de pas, dans une cour intérieure. En levant la tête, on apercevait les étages bordés de balcons et, tout en haut, un carré de ciel bleu. La lumière descendait avec douceur, se reflétant sur les murs d'un rose presque orangé. Lorsqu'elle touchait le sol, elle avait la teinte ambrée qu'on voit dans les films.

Mireille remarqua un homme qui lisait assis sur le rebord d'une fontaine asséchée, un chapeau sur la tête. Elle donna un coup de coude à Louise avant de mettre un doigt sur ses lèvres. Il aurait été impoli d'enfreindre l'intimité d'un indigène. Elles évitèrent donc de le regarder, se contentant d'admirer l'architecture de l'escalier en vis qui s'élevait tout au fond. Mireille n'avait jamais rien vu d'aussi beau. Surtout dans cette lumière. On aurait dit que la vie avait mis un filtre très doux sur la pierre. Chaque détail lui semblait plus intense, plus intrigant, presque ensorcelant, sans doute à cause des contrastes atténués par l'ombre qui régnait sur le reste. Pendant un long moment, Mireille demeura immobile, comme hypnotisée. Puis son regard se posa de nouveau sur l'homme qui lisait, le bras appuyé sur un genou. Elle remarqua le nom de l'auteure du livre qu'il tenait ouvert d'une main. « Louise Labé » était écrit en gros sur la couverture.

— Il lit ton livre, murmura-t-elle.

— Comment ça, mon livre ?

— C'est écrit Louise Labé, sur le dessus.

Mireille désigna l'homme du menton. Les lettres rouges étaient bien visibles, même à cette distance.

— D'accord, il y a juste un B, mais avoue que c'est drôle.

Louise haussa les épaules avant de pivoter, nerveuse, pour s'engager plus loin dans le passage. Elle était pressée de sortir, ça se voyait. Mireille jeta un dernier coup d'œil à l'inconnu. Il n'avait toujours pas bougé, pas même levé la tête.

Elles poursuivirent leur pèlerinage, admirant tantôt un plafond à croisées d'ogives, tantôt une trouée de lumière aussi spectaculaire que la précédente. Elles débouchèrent enfin dans une autre rue, étroite et achalandée comme celle qu'elles avaient quittée.

— Wow, s'écria Mireille en refermant la porte. Quel passage extraordinaire ! On devrait visiter les autres.

Louise soupira en s'emparant du guide.

— Il y a là de quoi nous tenir occupées pendant la moitié de la journée au moins !

— Et alors ? Tu as quelque chose de mieux à faire ?

Louise secoua la tête et la suivit tandis qu'elle s'engageait, plus bas, dans la seconde traboule suggérée par le guide.

Viviane

Elle était arrivée par l'arrière, de manière à voir Lyon se découper en contrebas avec ses milliers de cheminées et de toits pentus, gris et roses, qui baignaient dans le soleil d'après-midi. Juste devant s'étendaient des gradins fortement inclinés et déserts. Ce n'est pas tous les jours qu'une Québécoise visite les ruines d'un théâtre romain, et Mireille avait conscience de sa chance. Elle s'avança, s'assit sur une pierre de la dernière rangée et admira la vue. Elle se sentait habitée par une paix aussi étrange qu'inédite.

Elle avait dîné avec sa sœur sur une terrasse en bordure d'une place publique. Le repas avait été ruineux, mais ni l'une ni l'autre n'en avait été choquée. L'expérience en valait le prix. Puis Louise était repartie à l'hôtel. Le décalage horaire l'accablait. Mireille, elle, avait décidé qu'elle dormirait pendant le trajet en train, le lendemain. Elle s'était commandé un autre café et, sur une carte postale, elle avait écrit un mot à Jocelyn pour lui dire qu'elles étaient arrivées saines et sauves en France. Dans moins de vingt-quatre heures, elles partiraient pour Le Puy-en-Velay, point de départ du chemin de Saint-Jacques, mais en attendant…

Marcher seule dans le Vieux Lyon avait produit chez elle une sensation nouvelle. Elle avait d'abord longé les rues pour le plaisir, admiré l'architecture, les arches, les façades décorées, les escaliers étroits montants entre deux édifices. Ici, elle n'était personne, ne connaissait personne et ne s'intéressait à personne. Mais surtout, personne ne comptait sur elle. Elle avait pu relâcher sa vigilance sans s'inquiéter des conséquences que ses décisions pouvaient avoir sur les autres et s'était sentie pendant un court moment comme une esclave affranchie. C'est dans cet état d'esprit qu'elle avait gravi les marches qui menaient tout en haut, vers les ruines romaines dont parlait le guide.

Elle était là, maintenant, à regarder cette ville qu'elle quitterait au petit matin. Cela la chagrina un peu. Il y avait tant à voir ! Elle soupira en se promettant de revenir avec Jocelyn, et se laissa aller, le dos contre la pierre, les yeux clos, pour écouter la rumeur de Lyon.

C'est une voix de femme qui la tira de la somnolence dans laquelle elle avait plongé sans s'en rendre compte. Assise à mi-pente, à l'autre extrémité des gradins, une inconnue lança un objet en sacrant comme seule une Québécoise pouvait le faire. Mireille sourit malgré elle et la regarda fourrager dans son sac en pestant. Elle s'approcha.

— Il y a quelque chose qui ne va pas ?

L'autre leva la tête en reconnaissant son accent. Mireille la trouva tellement belle qu'elle en eut le souffle coupé.

— Les douaniers ont fouillé mon sac à dos et n'ont pas fait attention. Les mines de mon crayon sont toutes cassées.

— Veux-tu un stylo ?

— En as-tu un ? Ça ferait vraiment mon affaire en attendant que je retourne à la librairie. Je m'appelle Viviane.

Elle avait un visage d'un ovale parfait, avec des yeux vert foncé, fortement étirés en amande, comme ceux d'une fée. Mireille se présenta et lui tendit un stylo que l'autre testa aussitôt sur le haut d'une page blanche.

— Tu viens d'où ?

— Lennoxville.

— Ah, oui ? C'est drôle, je suis née dans ce coin-là, mais je vis à Montréal maintenant. C'est-à-dire que je vivais à Montréal… avant de venir ici.

— Et qu'est-ce que tu fais à Lyon ?

— Je prends le train demain pour Le Puy-en-Velay. Je m'en vais faire la route de Compostelle.

— Tiens donc ! Moi aussi. Je suis avec ma sœur.

Viviane jeta un œil vers le haut des gradins, où il n'y avait personne.

— Elle est ici, ta sœur ?

— Non, elle est partie se coucher.

— Elle a eu raison. J'aurais dû faire ça, moi aussi. Je suis crevée. Mais comme je suis arrivée hier soir et que j'ai juste une journée pour visiter Lyon, je me suis dit que je trouverais bien un autre moment pour dormir. Dans le train demain, par exemple.

Elle se tourna de nouveau vers la ville et soupira d'aise.

— C'est tellement beau ici !

Mireille approuva et s'assit, elle aussi. Il y avait quelque chose d'extrêmement familier chez cette jeune femme. C'était peut-être à cause de son accent. Ou bien à cause de ce regard émerveillé qu'elle posait sur tout ce qui les entourait. Mireille lui donnait la jeune vingtaine, à peine plus que Marc-Antoine. Ses cheveux étaient blonds et très longs. Même si elle les portait attachés haut sur le dessus de la tête, sa queue de cheval lui descendait jusqu'aux reins.

— C'est un carnet de voyage ?

Mireille désigna le cahier que Viviane avait posé sur ses genoux. Il était mince et rigide, probablement beaucoup plus léger que le sien. Elle lui demanda où elle l'avait acheté.

— Dans une librairie, juste en bas, à côté du pont. C'est un Moleskine.

Elle parlait avec beaucoup de fierté d'un simple cahier. Mireille la taquina :

— Ah, bon. Qu'est-ce que ça mange en hiver, un Moleskine ?

— Rien, c'est juste un bon carnet bien fait. Il y a plein d'artistes célèbres qui se sont servis de ces carnets-là. Regarde, il y a même une pochette à l'arrière, pour mettre des cartes postales ou d'autres petits papiers.

Elle le tendit à Mireille, qui l'examina avec attention avant de le lui rendre.

— As-tu le temps de me montrer où tu l'as pris ?

— Dans dix minutes. Je voudrais juste finir mes notes. On descendra ensemble, si ça te tente. J'avais l'intention d'aller visiter le Musée des miniatures.

Elle s'interrompit et plissa les yeux en esquissant un sourire avenant.

— As-tu envie de venir avec moi ? Ce n'est pas loin de la librairie.

Mireille accepta, se leva et alla s'asseoir un peu à l'écart pour ne pas déranger Viviane pendant qu'elle écrivait.

Une brise tiède soufflait sur la colline et faisait bruisser les feuilles dans les arbres. Mireille savait que, tout en bas, la Saône coulait vers le sud et se jetait dans le Rhône un peu plus loin, mais à cause de la hauteur des édifices, elle ne voyait ni la rivière ni le fleuve. L'église, par contre, on ne pouvait pas la manquer, avec ses trois étages qui dominaient le reste. Mireille savait qu'elle n'aurait pas le temps de la visiter cette fois-ci, mais se promit que ce serait pour la prochaine fois, avec Jocelyn.

* * *

Les bouteilles se comptaient par dizaines, posées bien alignées sur des étagères de bois, toutes aussi poussiéreuses les unes que les autres. Il y avait également des pots de grès, des fioles de toutes les grosseurs, des bleues, des roses, des transparentes. Certaines étaient pleines, d'autres, à moitié vides. Il y avait des boîtes, en bois pour la plupart, d'autres en métal. Des jarres aussi, et un alambic très ancien, presque effrayant. Et dans un bac suspendu à un crochet, des pétales de fleurs, sans doute en soie ou en plastique, imitaient de loin les pétales de roses fraîchement cueillies. Les murs avaient été peints de manière à reproduire un intérieur du XVIIIe siècle, sombre et usé, et derrière encore, la lumière filtrait lugubrement.

— Wow ! souffla Mireille, debout devant le décor du film *Le parfum, histoire d'un meurtrier*, en plein cœur du Musée des miniatures. On se croirait là pour vrai.

— L'atelier du parfumeur est aussi vrai qu'il pourrait l'être, étant donné que c'était juste un film.

Derrière une table de bois, un mannequin se tenait les bras levés, figé comme dans un arrêt sur image au moment où il mélangeait un liquide à un autre.

— On peut dire que c'est bien fait, ajouta Mireille, franchement impressionnée.

— Si on veut.

— Comment ça, si on veut ? Tu n'as pas aimé le film ?

— Non.

Mireille n'en revenait pas. *Le parfum* faisait partie du palmarès de ses dix meilleurs films à vie. Une liste qui comptait presque exclusivement des films dans lesquels avait joué Alan Rickman, mais cela, elle ne le dit pas. Elle se contenta de vanter les mérites de l'histoire, des décors, des costumes et des personnages.

— Toutes ces jeunes femmes qui meurent pour que le gars puisse faire son parfum, ou ce nez tellement exceptionnel que ça le rend fou, ou le pont qui s'écroule le lendemain de son départ, tu ne trouvais pas ces idées géniales ?

— Il fallait lire le livre pour trouver ça génial.

— Ça venait d'un livre ?

Ça lui faisait bizarre d'être prise en défaut par une jeune femme qui aurait pu être sa fille, mais c'était le cas. Et elle accepta la situation avec humilité, demanda le nom de l'auteur qu'elle nota dans son nouveau cahier, un Moleskine identique à celui de Viviane. Puis les deux femmes se regardèrent en pouffant de rire. Elles venaient d'avoir la même idée.

— Tu penses sérieusement qu'il y en aurait un exemplaire à la librairie ?

— Certaine. C'est juste à côté du musée. Qui laisserait passer une occasion aussi facile de faire de l'argent ?

Elles prirent quand même le temps de visiter le reste de l'exposition. Les miniatures étaient surprenantes. Reproductions de restaurant, de librairie, de grange, de bureau. Tous les détails y étaient, mais Mireille n'avait qu'une idée en tête, ce qui fait qu'elle n'apprécia pas à sa juste valeur le talent des concepteurs.

Elle ne se calma qu'une heure plus tard, en enjambant le pont en compagnie de Viviane, le roman de Patrick Süskind sous le bras.

Viviane se maintenait toujours un peu derrière elle. On aurait dit qu'elle traînait, mais ce n'était pas le cas. Elle restait juste à distance, un peu décalée. Comme une ombre, en fait. Si bien que Mireille devait se tourner pour lui parler. Elle l'entendait bien, cependant, parce que Viviane parlait plus fort que la majorité des gens. Et plus franc, aussi.

— Ma sœur et moi avons trouvé un bon petit restaurant pour souper, pas loin de notre hôtel. Un vrai bouchon lyonnais.

— Un quoi ?

Mireille sortit son guide et, preuve à l'appui, elle lui expliqua de quoi il retournait.

— C'est typique de Lyon, il paraît. Cuisine régionale, coude-à-coude, ambiance festive.

— Manger les uns collés sur les autres, ce n'est pas ma vision d'un bon souper. Je préfère mes autres projets.

Mireille regarda attentivement ce visage rosi par le soleil couchant. D'une certaine manière, elle lui faisait penser à une nymphe grecque avec sa silhouette fine et la souplesse de ses mouvements. Mais son visage… Et ces yeux… L'image de la fée lui revint, et elle pensa que son prénom lui allait bien, finalement. Viviane comme la fée dans la légende du roi Arthur.

— On se verra peut-être dans le train, dit Mireille quand elles arrivèrent au coin de la rue de son hôtel.

— Peut-être, oui.

Après un dernier sourire, Viviane s'éloigna, et Mireille la regarda s'en aller avec la certitude qu'elles se reverraient.

* * *

Mireille ne s'attendait pas à voir autant de pèlerins dans le train qui les menait au Puy-en-Velay. En quittant Lyon, autour de midi, le train comptait presque autant de sacs à dos que de voyageurs. Et tout ce beau monde semblait aussi bien équipé, avec des bâtons de marche accrochés au dos du sac, des chaussures impressionnantes de technologie et des vêtements sans doute achetés exprès pour l'occasion. Décidément, le chemin de Compostelle était populaire.

Pour alléger son sac, Mireille avait abandonné le guide de Lyon à l'hôtel avec son vieux roman apporté du Québec. Elle lui préférait celui acheté avec Viviane, dont elle avait commencé la lecture avant de s'endormir la veille. Il était plus mince et paraissait plus intéressant.

Viviane… Mireille avait eu beau la chercher sur le quai avant le départ du train, elle ne l'avait vue nulle part. Elle avait dû prendre un autre train. Ou peut-être qu'elles s'étaient simplement manquées et qu'elles s'attraperaient sur le quai en arrivant au Puy.

Le trajet devait durer un peu plus de deux heures. Le temps de faire la sieste comme prévu. Mireille glissa donc sur son siège, allongea les jambes sur son sac à dos et se laissa bercer par la voix de Louise qui venait d'entamer une conversation avec un homme assis dans la rangée d'à côté. Il parlait anglais avec un fort accent britannique et ne cessait de lui décrire les églises qu'il fallait visiter et les écueils qu'il fallait éviter quand on empruntait la route de Compostelle.

— Sur le Chemin, disait-il, nous allons rencontrer des pèlerins et des marcheurs. Les premiers prennent la route pour des motifs religieux. Ils ont souvent une coquille épinglée à leur sac à dos. Les seconds sont là pour le plaisir de la randonnée. C'est rare qu'ils fassent la route en entier.

Mireille était déjà au courant de ces détails. On ne se lance pas dans le pèlerinage le plus célèbre de l'histoire de la chrétienté sans préparation ! Pour cette raison, elle cessa d'écouter et, cinq minutes plus tard, elle dormait.

Le Puy

La première chose qu'on remarquait en descendant du train au Puy-en-Velay, c'était l'immense statue de Notre-Dame de France, toute rouge, qui portait dans ses bras un Enfant-Jésus en train de bénir la ville à ses pieds. Elle avait été érigée au sommet de la montagne et entrait en compétition, question hauteur, avec le clocher de la cathédrale qui semblait, vu d'en bas, presque aussi imposant.

Mais la première chose que Louise vit, en posant le pied sur le quai de la gare, ce fut un bar où elle invita son Anglais pour faire plus ample connaissance. On était au milieu de l'après-midi. Il faisait tellement chaud que Mireille les suivit sans s'opposer. Après tout, elle avait soif, elle aussi.

Ils s'installèrent dehors, à l'ombre, mais directement sur le trottoir, si bien que les passants auraient pu, s'ils l'avaient voulu, les interrompre n'importe quand. Si Mireille se commanda une eau minérale en jugeant qu'il était tôt pour boire de l'alcool, ce ne fut pas le cas des deux autres qui, verre de rosé à la main, continuaient la conversation amorcée dans le train. Ils parlaient vite, comme si le temps allait leur manquer. Mireille essaya pendant un moment de participer à l'échange, mais se trouva vite de trop. C'est alors qu'elle aperçut Viviane qui traversait la rue, une cinquantaine de mètres plus loin.

— Excusez-moi, dit-elle en se levant. Surveillez mon sac à dos, je reviens tout de suite.

Sans attendre de réponse, elle s'élança au pas de course. Arrivée au coin de la rue, elle fut déçue de découvrir que

Viviane avait disparu. Elle revint vers sa sœur en se demandant si elle avait rêvé. Non, c'était bien sa nouvelle amie qu'elle avait vue là ; elle aurait reconnu sa longue couette blonde n'importe où. Viviane était donc arrivée par le même train. Elles se verraient sûrement le lendemain, sur le Chemin. C'était inévitable.

* * *

Le café internet était fermé. Et, comble de malheur, il n'y avait pas d'horaire affiché sur la porte. Mireille s'était donc rabattue sur le bureau d'informations touristiques où elle avait acheté une demi-douzaine de cartes postales, qu'elle remplissait maintenant, assise à la terrasse d'un restaurant.

Où était Louise ? Mireille n'en avait aucune idée. Elle l'avait abandonnée au bar avec son Anglais. Tom, qu'il s'appelait. Il fallait prendre la chambre à l'hôtel si on ne voulait pas qu'elle soit louée à quelqu'un d'autre. Et il fallait bien visiter un peu la ville, histoire de découvrir la région où on se trouvait. Si ces considérations s'imposaient d'elles-mêmes pour Mireille, il en allait autrement pour Louise. C'était Tom qu'elle voulait connaître tout à coup.

Les deux sœurs s'étaient donné rendez-vous à 19 heures devant l'hôtel pour décider où elles iraient souper. En attendant, Mireille était partie en reconnaissance, les dents serrées.

Elle avait d'abord visité la cathédrale. L'édifice avait réellement de quoi impressionner. On y accédait en remontant la rue des Tables, rue piétonne bordée d'échoppes où on vendait de la dentelle, des cartes postales, des pâtisseries et des lentilles. Partout, on affichait les mots « dentelle du Puy, lentilles du Puy », comme si le nom de la ville leur donnait une qualité particulière. En ce qui la concernait, Mireille ne voyait pas de différence avec la dentelle ordinaire. Quant aux lentilles, elles différaient certes des lentilles vertes ordinaires, mais comme elle n'en avait jamais mangé, elle se promit de choisir ce plat s'il était au menu du souper.

Tout en haut de la côte se trouvait une dizaine de marches qui permettaient d'entrer par en dessous dans l'église, comme si on entrait dans le ventre d'une bête énorme. L'intérieur était aussi vaste que le laissait deviner l'extérieur. Mireille avait fait le tour, jeté un œil aux contenants qui recevaient les prières écrites des pèlerins et s'était arrêtée d'abord devant la Vierge noire, puis devant la statue de Jeanne d'Arc, où elle était restée plus longtemps. La jeune fille avait été sculptée une épée à la main, vêtue comme un soldat. On l'aurait dite grandeur nature tellement elle était imposante sur son piédestal. Son visage était doux, androgyne, et Mireille s'était demandé comment une si frêle créature avait pu diriger une armée et affronter des hordes de soldats.

C'est en redescendant qu'elle avait aperçu ce restaurant dans une rue piétonnière. La patronne était assise à l'extérieur devant deux grands bols et dénoyautait des prunes jaunes. Ce tableau ressemblait tellement à une scène du film *Le parfum* que Mireille avait choisi cet endroit pour écrire un mot à Jocelyn et lui parler de la visite du musée des miniatures de Lyon.

Elle griffonna pendant une quinzaine de minutes peut-être, tout en sirotant un café crème bien sucré. Dans la rue, les gens allaient et venaient. Les cartes postales remplies, Mireille sortit son guide. Le chemin de Compostelle, dans sa partie française du moins, avait depuis longtemps été converti en sentier de randonnée pédestre. Emprunté désormais par des marcheurs de tout acabit, on y trouvait à la fois un marquage historique et un marquage contemporain. L'ensemble des indications avait été intégré dans les guides, et ce tracé s'appelait désormais le GR 65. Concentrée sur l'étude des premiers kilomètres à affronter le lendemain, Mireille sursauta quand elle entendit, tout près de son oreille, une voix qu'elle reconnut aussitôt.

— Est-ce que cette place est prise ?

Elle se tourna et offrit son plus beau sourire à Viviane, qui s'installa, toujours aussi enjouée, à côté d'elle.

— Comment ça va ?

— Bien, mais j'ai hâte de prendre la route demain matin. Où est ta sœur ?

Mireille se rembrunit.

— Dans un bar… avec un homme rencontré dans le train.

— Elle pourrait tout aussi bien être dans une chambre d'hôtel quelque part en ville, à ce compte-là.

Mireille dut admettre que l'idée lui avait traversé l'esprit. Viviane désigna l'église derrière elles.

— As-tu visité la cathédrale ? C'est tellement impressionnant de sortir par en dessous. Demain, je vais me rendre à la bénédiction des pèlerins juste pour le plaisir de commencer ce voyage en descendant les marches.

Mireille la comprenait tout à fait, mais elle savait que Louise ne voudrait pas en entendre parler. Pour autant qu'elle tenait à faire cette longue randonnée avec une *credencial*, Louise avait toujours été et demeurait une athée convaincue. L'idée de recevoir une bénédiction lui ferait horreur.

Viviane conclut sa description de la cathédrale en déclarant qu'elle n'entamait pas un pèlerinage, mais plutôt une série d'apprentissages. Elle allait marcher simplement pour étudier l'être humain. L'objectif était à ce point surprenant chez une personne si jeune que Mireille l'observa avec plus d'attention. Même si elle sentait chez elle une certaine candeur, quelque chose dans son regard laissait aussi deviner de la souffrance.

Parce qu'elle sentait que Mireille essayait de voir clair en elle, Viviane détourna les yeux et observa les touristes qui se pressaient le long du mur.

Mireille suivit son regard jusqu'à un homme qui marchait vers la terrasse, muni d'un chapeau et de lunettes de soleil comme s'il était midi. Il n'était pas très grand et plutôt maigre. Il s'arrêta à quelques centimètres de la patronne et se pencha vers elle comme s'il humait son odeur.

— Ce sont des mirabelles ? dit-il en faisant sursauter la dame.

— Oui, c'est pour faire une tarte.

— Pouvez-vous me dire où je peux en acheter ?

— Bien sûr. Il y a un marchand, tout en bas, dans la rue que vous voyez là. Son étal est bien garni. Vous ne pouvez pas le manquer.

— Merci.

Il s'en alla comme il était venu, tout concentré, on aurait dit, sur sa quête de fruits. Mireille et Viviane se retournèrent pour le suivre des yeux jusqu'à ce qu'il disparaisse au coin de la rue. Puis elles pouffèrent de rire comme deux adolescentes complices et se commandèrent un morceau de tarte et des cafés.

— Je me demande s'il a lu le livre.

Mireille haussa les épaules.

— Il a peut-être juste vu le film.

Elles rirent encore, et Mireille sentit un frisson lui parcourir l'échine. Quelle étrange coïncidence, quand même ! C'est seulement au moment où elle se faisait cette réflexion qu'elle se rappela les mots de l'inconnu, et sa voix. Et surtout le fait qu'il s'était adressé à la patronne avec un accent qui n'était pas celui des Français.

* * *

— Tu t'inquiètes pour rien.

— Tu trouves ? On s'était donné rendez-vous devant l'hôtel à sept heures. Il est neuf heures passé. Et il fait noir. Une femme seule, dans une ville inconnue à la nuit tombée…

Ils avaient parlé des garçons, puis du commerce, puis de Jocelyn et enfin du voyage.

C'est après avoir attendu en vain Louise assise dans l'escalier devant l'hôtel que Mireille était rentrée pour appeler Jocelyn. Elle avait besoin d'exprimer l'angoisse qui la rongeait. Mais voilà, Jocelyn ne trouvait pas qu'il y avait là de quoi s'inquiéter.

— Elle n'était pas seule, à ce que tu m'as dit. Et puis les Français mangent tard.

Mireille sentit l'impatience la gagner. Depuis deux heures maintenant qu'elle imaginait le pire. Et le pire, c'était Louise, violée et séquestrée quelque part. Peut-être même battue et tuée. Au bout du fil, Jocelyn continuait de nier le danger. Le Puy-en-Velay n'était pas une grosse ville.

— Tu ne comprends pas ! s'impatienta Mireille. Je ne sais rien de son Anglais à part le fait qu'il s'appelle Tom. C'était peut-être un maniaque.

— Je parie qu'ils se sont trouvé une chambre quelque part.

— Arrête ! Louise n'est pas comme ça.

— Ta sœur est célibataire, Mimi.

Au moment où Jocelyn prononçait ces mots au Canada, quelqu'un frappa à la porte.

— Attends-moi une minute, lui lança Mireille avant de déposer le combiné.

Elle débarra la porte, tourna la poignée et découvrit sur le seuil une Louise à la mine piteuse, son sac à dos sur le bras. Sans dire un mot, elle s'écarta pour la laisser entrer puis reprit le téléphone.

— Elle vient d'arriver. Je te rappelle plus tard.

— Pas besoin de me rappeler ce soir. Je me contenterai d'un mot dans deux ou trois jours. Surtout, ne te fâche pas trop, Mimi. Et rappelle-toi que ta sœur est célibataire.

Mireille raccrocha, darda un regard furieux sur Louise, mais ne trouva rien à dire. Sa colère était tellement grande que si elle commençait à l'exprimer, elle se mettrait à crier et serait entendue dans tout l'hôtel. Elle expira bruyamment et attendit.

— Excuse-moi, souffla Louise. Je n'ai pas vu le temps passer.

— Il fait noir ! Comment peux-tu ne pas t'en être aperçu ? Vous étiez assis à une terrasse, quand même, pas au fond d'une discothèque !

— On jasait, Tom et moi, puis il a commandé une bouchée puis le temps a passé. Qu'est-ce que tu veux que je te dise d'autre ?

— J'étais morte d'inquiétude !

— Dans ce cas, tu t'inquiétais pour rien.

— Si tu as l'intention de me laisser poireauter souvent comme ça, tu es mieux de me le dire tout de suite. Il y a un train pour Lyon demain matin.

— Voyons, Mimi. Ne te fâche pas ! Je n'ai pas fait exprès.

— Ah, non ? Essaies-tu de me faire croire que tu avais oublié que je t'attendais ?

— Non. Je ne l'avais pas oublié, mais je viens de te dire que je n'ai juste pas vu le temps passer.

Mireille la regarda fouiller dans son sac, en sortir sa trousse de toilette, du savon à linge et des sous-vêtements propres. Voir sa sœur habitée par un tel calme, alors qu'elle-même bouillonnait, l'irrita plus encore.

— Pis moi ? Je devais faire quoi, en t'attendant ?

— Arrête donc ! Je n'avais pas l'intention de te laisser toute seule aussi longtemps. Et comme je me suis excusée en arrivant, je pense qu'il faudrait que tu arrêtes de revenir sur le sujet, sans quoi le voyage va être long.

— Il risque d'être long, en effet, parce que je pense sérieusement à te laisser l'entreprendre toute seule.

Au lieu de répliquer, Louise s'enferma dans la salle de bain.

Quand, au bout de dix minutes, les deux sœurs sortirent souper, la colère couvait toujours. Et on la sentait gronder des deux côtés cette fois.

Du Puy à Montbonnet

La pente était raide et longue d'un kilomètre. Un tout petit kilomètre, et Mireille était en nage. Il faut dire qu'il faisait chaud. Plus de 30 °C à 9 heures du matin. Son chapeau incliné, elle avançait en regardant le sol, déjà épuisée.

Tout juste derrière, Tom peinait, lui aussi. Son sac devait être beaucoup plus lourd que celui de Mireille ou de Louise parce qu'il marchait la tête et le corps penchés vers l'avant, comme une bête de somme.

— Un tout petit kilomètre, se répéta Mireille en s'arrêtant, histoire de reprendre son souffle.

Une voiture arriva. Pour ne pas lui faire obstacle, Mireille s'écarta en approchant du parapet qui longeait la route sur la gauche depuis le début de la pente. De là, on voyait le Puy-en-Velay en entier, mélange de verdure, de pierres ocre et de tuiles rouges. Sur le bleu du ciel se découpaient d'un côté l'aiguille rocheuse surmontée d'une tour, qu'on appelait le rocher Saint-Michel, de l'autre, le clocher de la cathédrale et, au milieu, point le plus haut de la ville, la célèbre statue de Notre-Dame de France et avec son Enfant Jésus au bras levé.

— *It's beautiful, isn't it ?*

Tom l'avait rejointe. Comme il ne s'exprimait qu'en anglais, Mireille fit un effort pour lui répondre dans sa langue.

— Je suppose que nous allons traverser plusieurs beaux endroits sur notre route.

— Sans doute. Mais ça me fait une étrange sensation de quitter le Puy parce que ça veut dire que nous avons commencé notre voyage.

Mireille approuva. Tom était grand et mince. Svelte et beau, avait dit Louise, la veille, après avoir bu un demi-litre de vin. La colère de Mireille avait fini par s'effacer, mais pas celle de Louise, qui n'avait pas digéré ses remontrances. Et ce matin, elle lui avait lancé un « Bon camino ! » indifférent avant de prendre les devants. Mireille l'avait perdue de vue en quelques minutes. Elle savait désormais, pour l'avoir aperçue en haut de la côte, que sa sœur se trouvait deux ou trois cents mètres en avant. Elle marchait sans se retourner, preuve qu'elle boudait toujours.

— Pensez-vous que Louise est fâchée contre moi ?

Les yeux de Mireille quittèrent le paysage pour se poser sur le visage de Tom. Elle y lut une inquiétude sincère, ce qui prouvait qu'il avait du cœur. Elle fit non de la tête.

— Pourquoi est-ce qu'elle ne nous attend pas ?

Afin d'éviter d'avoir à lui donner des explications qui ne le concernaient pas, Mireille contourna la question.

— On la rejoindra sûrement pour dîner.

— J'espère bien. J'aime beaucoup sa compagnie.

Mireille lui sourit, indulgente. Était-il déjà amoureux ? Elle rit intérieurement. Que de candeur chez un homme de cinquante ans !

Ils regardèrent encore un moment le paysage, puis Mireille reprit la route, Tom sur les talons. Ils n'avaient pas fait dix mètres qu'un inconnu les héla en anglais :

— Quelle pente, quand même !

Ils se retournèrent d'un même geste, et comprirent trop tard que l'autre voulait les forcer à s'arrêter. Il continuait, d'ailleurs, sur le même ton geignard.

— Ce n'est pas une bonne façon d'attirer du monde dans un pèlerinage.

Ils l'attendirent, davantage par sympathie que par réel intérêt. Le pauvre homme était trempé de sueur. Il était très grand, davantage même que Tom, et il avait un ventre aussi rond que celui d'une femme enceinte de sept mois. Il parlait anglais avec un accent rude, comme le font les Allemands.

— Je m'appelle Karel.

Il posa son sac sur le sol en plein milieu de la rue et leur tendit la main. Une autre voiture, qui descendait, celle-là, les contourna. Le conducteur leur jeta un regard courroucé avant d'appuyer sur l'accélérateur.

* * *

Après avoir un moment suivi la route asphaltée, le Chemin piquait à gauche sur un sentier de gravier qui traversait la campagne. De chaque côté s'élevaient des murs de pierre et des buissons, mais on voyait loin. Et le sentier continuait de monter, lentement, mais sûrement. Ici et là se dessinaient dans les champs des petits bois circonscrits. De quoi faire rigoler les Québécois habitués aux forêts sans fin.

Mireille marchait plus lentement maintenant. Et Louise aussi. On la voyait, pas très loin en avant, qui se retournait de temps en temps. Le soleil frappait fort. Déjà, Mireille avait les bras tout rougis malgré la crème solaire. Elle se félicitait d'avoir choisi un chapeau à large bord et plaignait Louise, avec sa simple casquette.

Ils marchaient depuis deux bonnes heures quand ils grimpèrent un sentier à flanc de colline. Ici, selon le guide, le GR contournait le village de La Roche. Deux gamins de neuf ou dix ans s'y étaient improvisés marchands de jus. En échange de quelques euros, ils offraient un verre de cinq cents millilitres rempli d'un liquide orange foncé qui sentait bon les agrumes. Mireille et Tom sortirent leurs portefeuilles, mais pas Karel, qui s'en alla plutôt retrouver Louise. Elle les attendait, assise dans l'herbe, à l'ombre d'un mur de pierre. Un verre de jus à la main, elle avait retrouvé le sourire.

— C'est sublime, vous ne trouvez pas ?

Elle s'était exprimée en anglais parce que c'était évident, à écouter les hommes, qu'aucun des deux ne parlait français. Mireille dut se faire à l'idée. Comme c'était parti, ce voyage au pays de Molière se déroulerait dans la langue de Shakespeare.

Chacun se délesta de son sac, et ainsi soulagée, il sembla à Mireille qu'elle venait de rajeunir de dix ans. Elle s'étira dans tous les sens avant de s'asseoir à l'ombre à son tour. Karel la rejoignit.

— Je n'aurais jamais pensé qu'il pouvait faire aussi chaud à ce temps-ci de l'année.

Mireille approuva et l'écouta expliquer comment il avait tout prévu. Il montra les deux gourdes fixées à son sac. Il y avait là un litre et demi d'eau qu'il ménageait pour en avoir toute la journée. Il lui recommanda de ne pas trop boire de jus parce que, selon lui, ça provoquait des crampes. Mireille hésita, mais vida quand même son verre. Le jus était délicieux. Il ne s'agissait pas de vulgaire jus d'orange congelé, mais du précieux nectar de fruits fraîchement pressés. Elle n'allait tout de même pas le gaspiller ! Elle sortit ensuite un sac de noix et de fruits séchés et en offrit à la ronde. Tout le monde se servit sauf Karel, qui se contenta de boire de l'eau et de se graisser les bras et les jambes d'une épaisse couche de crème solaire. Quand il retira son chapeau, Mireille remarqua à quel point il était blond, le pauvre, et à quel point il avait le teint aussi clair que Joshua. Elle le plaignit.

Tom s'était installé à côté de Louise et cherchait à savoir ce qu'il avait fait pour qu'elle le tienne à l'écart. Louise rit, renonça à lui répondre, mais lui offrit son sourire le plus avenant. La bouderie était terminée. Mireille leva les yeux au ciel, puis dit qu'il était temps de reprendre la marche. C'est ce qu'ils firent, à la queue leu leu, le long d'un sentier en corniche.

* * *

L'impression de flottement durait depuis plusieurs minutes. Mireille était convaincue que si elle ne faisait rien, elle allait s'endormir. Elle ne bougea pas pour autant. Elle sentait les rayons de soleil qui s'approchaient. Déjà, quelques-uns lui balayaient le visage à travers le feuillage. Dans les arbres, des oiseaux piaillaient. Dans le champ devant et, derrière, sur le bord de la rivière, les cigales chantaient. Il était midi, et il devait bien faire 40 °C.

Ils avaient déroulé les ponchos pour se faire un tapis. Ou une nappe. C'était selon les besoins de chacun. Puis tout le monde avait sorti son dîner sauf Karel, qui continuait de téter son eau tiède. Après le repas, on s'était allongé pour la sieste. Inutile de marcher par une telle chaleur. On se vidait d'énergie à la même vitesse qu'on vidait les gourdes. Et on transpirait trop. Beaucoup trop. Ça se sentait.

Mireille ne s'était pas fait prier pour retirer ses chaussures comme les autres. Quel soulagement ça avait été d'ôter aussi ses chaussettes pour laisser ses pieds à l'air libre! La peau était déjà rougie sur les talons et sur le côté extérieur, près des orteils. On l'aurait dite usée. Comme ce n'était pas encore douloureux, Mireille ne s'en faisait pas trop. Elle avait suspendu ses chaussettes à son sac pour leur permettre de sécher et, après avoir mangé, elle s'était couchée sur le dos.

Elle se sentait maintenant sur le point de tomber. La Raison lui répétait qu'il ne fallait pas dormir parce qu'il restait encore cinq kilomètres jusqu'au gîte. Une autre voix lui murmurait que, dans cette chaleur, dormir serait un moindre mal. Ça lui permettrait peut-être d'oublier combien elle avait mal au dos, aux jambes et aux chevilles.

À sa droite, si proche qu'elle aurait pu le toucher en étirant le bras, Karel regardait le ciel sans rien dire. Il paraissait épuisé. Il avait tellement transpiré pendant l'avant-midi que ses vêtements étaient trempés. Il ne se plaignait pas, mais Mireille devinait qu'il souffrait. Son sac, pourtant, ne semblait pas plus lourd que le sien. Un homme de cette stature aurait dû le trouver léger. Ce n'était manifestement pas le cas.

À leur gauche, de l'autre côté de l'arbre, Louise et Tom discutaient à voix basse. Sur la route, les pèlerins défilaient. Même si certains marchaient seuls, la plupart formaient de petits groupes. On y parlait français, mais aussi anglais et d'autres langues que Mireille ne comprenait pas. Elle écoutait tout cela distraitement, plongée dans une paix aussi étrange que nouvelle. De toute la matinée, elle n'avait pas pensé à Jocelyn. Ni aux garçons, ni au commerce d'ailleurs. En fait, elle avait consacré les trois dernières heures à la marche, en plus de regarder le paysage qui changeait au gré des kilomètres. Elle en ressentait une espèce de vide qui, au lieu de la désespérer, lui laissait l'âme au neutre.

Cette idée provoqua un soudain élan de panique. Mireille se redressa sur un coude et s'efforça de redevenir elle-même, de se sentir comme d'habitude. Elle y parvint en quelques secondes. Et aussitôt, l'urgence de repartir pour ne pas arriver trop tard au gîte la reprit.

— On devrait y aller, dit-elle en enfilant ses chaussettes.

Personne ne répondit. Karel se tourna sur le côté pour faire semblant de dormir. Tom et Louise continuèrent de jaser comme s'ils ne l'avaient pas entendue. Elle les ignora à son tour et mit ses chaussures. Elles avaient perdu leur moelleux.

— Restez ici si vous le voulez, mais moi, je veux être certaine d'avoir une place où dormir.

Cette fois, Louise répondit. En anglais, évidemment. Pour ne pas froisser leurs compagnons.

— On a une place, Mimi. Tu as réservé nos chambres pour tout le voyage. Inutile de se presser.

Mireille s'immobilisa, une courroie de son sac à dos dans les mains.

— Si je reste ici, je vais m'endormir et…

— Mais dors, dans ce cas, l'interrompit Tom en étirant le cou pour la regarder dans les yeux. Il fait bien trop chaud pour marcher.

— C'est vrai qu'il fait chaud, consentit Mireille.

Elle hésitait. Au fond, elle avait un peu peur de ce qui était en train de lui arriver. Elle ne comprenait pas comment elle avait pu passer trois heures complètes sans penser à sa famille et à ses autres préoccupations habituelles. Même au Puy, elle n'avait pu s'y soustraire. D'un geste sec, elle balança son sac sur son dos.

— Dormez si vous le voulez, moi j'y vais. Bon camino !

Elle leur avait lancé le « Bon camino ! » qu'on se lançait entre étrangers qui ne se reverraient plus de toute la route. Elle souhaitait ainsi faire réagir Louise, mais c'était inutile. Sa sœur demeura adossée à l'arbre, les yeux clos, sa main dangereusement proche de celle de Tom.

Mireille haussa les épaules et mit un pied devant l'autre. Elle se retrouva vite au gros soleil, seule et fière d'avoir réussi à s'arracher à l'indolence. Elle avait parcouru dix kilomètres. Il lui en restait cinq qu'elle devrait pouvoir parcourir en moins de deux heures. Elle s'imagina prendre une douche au milieu de l'après-midi. L'image lui plut et la motiva à presser le pas.

* * *

Pris tout seuls, deux kilomètres ne constituent pas une très grande distance. Ajoutés à cinq autres, cependant, ils deviennent une affreuse demi-heure supplémentaire. Par 40 °C, on pouvait peut-être même compter quarante-cinq minutes. En arrivant à cette conclusion, Mireille eut l'impression d'ajouter des kilos dans son sac.

Elle avait mal calculé. Pire, elle avait mal lu. Ou n'avait pas remarqué deux pages restées collées. Quoi qu'il en soit, au moment de refuser la sieste, elle ne se trouvait pas à cinq kilomètres du gîte, mais bien à sept et demi. Aussi bien dire huit. Aussi bien ajouter une heure. Aussi bien s'effondrer sur le sol, tant qu'à y être.

Comment l'erreur s'était produite n'avait pas d'importance. La réalité était qu'il faisait de plus en plus chaud, que ses pieds lui faisaient de plus en plus mal et que son sac était de plus en plus lourd. Et il lui restait au moins trois heures de marche.

Parce qu'elle était au bord de l'épuisement, Mireille sentit son cœur bondir dans sa poitrine quand apparut, sur le bord de la route, un casse-croûte improvisé. Il ne s'agissait pas d'un restaurant. C'était une simple remorque qu'on avait reculée à cet endroit pour vendre à gros prix des sandwichs et des breuvages aux pèlerins affamés et assoiffés. Mireille s'approcha d'une table, laissa son sac tomber sur le sol et s'affala lourdement sur une chaise. Il faisait vraiment trop chaud pour marcher.

— Prendriez-vous une limonade ?

Une femme s'était approchée, la soixantaine, un tablier autour de la taille, les cheveux roulés dans un chignon serré. Mireille lui sourit.

— Deux, s'il vous plaît.

La femme se tourna et cria à l'intention de son mari :

— Deux limonades pour la p'tite dame !

Mireille la paya et ferma les yeux. Dès qu'il fit noir dans sa tête, toutes les douleurs de son corps se manifestèrent en même temps. Elle ne fut plus qu'un immense tas de souffrance, ce qui lui fit monter les larmes aux yeux. Non, elle n'était pas prête à faire ce voyage. Elle ne s'était pas assez entraînée. Elle portait un sac bien trop lourd. Ses chaussures devaient être trop usées. Rien, absolument rien ne se déroulait comme prévu. Même Louise la lâchait. Elle avait rencontré quelqu'un et voilà qu'elle l'abandonnait dans une épreuve qu'elle n'avait même pas choisie! Mireille enrageait. Avoir su! Avoir su, elle n'aurait pas quitté sa famille pour accompagner sa sœur, qui avait peur de partir seule. Avoir su, elle serait restée auprès de son chum et de ses enfants et se tiendrait, en ce moment, debout derrière le comptoir de service de l'épicerie, occupée à rembourser la consigne des cannettes vides. Ou bien en train de préparer le dépôt des payes. Ou bien en train de répondre à la question d'un client ou d'une employée peu familière avec les nouvelles caisses. Chose certaine, si elle avait eu à choisir, elle n'aurait pas décidé de venir se torturer fin seule au milieu de nulle part.

— On ne connaît pas ça, chez nous, des chaleurs comme celle-là, n'est-ce pas?

Pour la première fois de la journée, Mireille sourit de plaisir. Elle n'avait pas besoin d'ouvrir les yeux pour savoir qui était la jeune femme qui s'assoyait à côté d'elle.

— Es-tu allée à la bénédiction des pèlerins ce matin?

— Non. Je suis passée tout droit. J'ai pris la route tout de suite en me levant, mais je n'ai rencontré personne avant onze heures.

— Deux limonades pour ces chères dames.

Mireille ouvrit les yeux. La patronne avait déposé les verres entre elle et Viviane et s'en était allée comme si de rien n'était.

— Tu attendais quelqu'un? demanda Viviane.

— Non, j'avais juste trop soif. Mais bois-en une si tu veux.

— Ça va, je peux me commander un verre.

— Inutile. Je te l'offre.

Sans faire plus de chichi, Viviane vida d'un trait la limonade. Mireille se dit que son amie avait bien plus soif qu'elle et se félicita de lui avoir donné à boire. Elle la regarda se déchausser, mais n'osa l'imiter de peur que ses pieds, une fois hors des espadrilles, ne puissent plus y rentrer. Elle sentait l'enflure, la peau irritée. Peut-être avait-elle même des ampoules…

Sans dire un mot, Viviane fit bouger ses orteils en même temps qu'elle étira les bras. Ces gestes rassurèrent Mireille. Viviane avait peut-être l'âge d'être sa fille, mais elle était aussi courbaturée qu'elle-même. Cette idée lui fit penser à Louise, dont elle était sans nouvelle depuis deux heures.

— Tu as dû dépasser ma sœur sur la route.

— Ça se peut. Elle a l'air de quoi ?

Au lieu de la lui décrire, Mireille lui décrivit l'endroit où ils avaient fait la sieste.

— Quand je suis partie, il y avait un grand et gros Allemand qui dormait dans un coin. Ma sœur jasait avec un grand Anglais derrière l'arbre.

— Je me souviens d'un couple qui s'embrassait au bord de la rivière, mais je n'ai vu personne avec eux.

— Dans ce cas, tu as dû dépasser Karel sur la route.

— À moins que je l'aie dépassé pendant qu'il était allé faire pipi derrière un arbre.

Mireille approuva. S'il y avait quelque chose qu'elle avait remarqué depuis le matin, c'était bien la rareté des toilettes publiques. Chacun se cherchait un coin dès qu'on entrait dans un boisé. Et, naturellement, tout le monde choisissait les mêmes endroits, assez à l'écart, mais pas trop. Les deux fois où Mireille s'était accroupie, les petits tas de papier de toilette souillé lui avaient levé le cœur.

Karel apparut tout à coup dans son champ de vision. Il allait passer tout droit sur le sentier, mais quand il l'aperçut, il piqua vers la cantine et vint s'écraser sur une chaise.

— C'est encore loin, Montbonnet ? demanda-t-il en se délestant de son sac.

Viviane l'apostropha.
— Tu n'as pas de guide ?
— Oui, mais il est dans le fond de mon sac.
— Il n'est pas très utile dans le fond de ton sac.
— Tout le monde en a un, alors je n'ai pas besoin du mien.
Viviane jeta un regard entendu vers Mireille ; elle non plus n'aimait pas les gens qui comptaient sur les autres.
— Le monsieur désire quelque chose ?
La patronne s'était adressée à Karel, qui n'ouvrit même pas les yeux.
— Non, merci.
Elle lui jeta un regard noir et récupéra les verres vides avant de s'en aller.
— Tu ne manges pas ? s'enquit Mireille.
Karel fit non de la tête.
— Mais tu n'as pas dîné non plus.
— J'ai de la graisse à brûler.
— Tu ne pourras pas marcher tous les jours si tu ne manges jamais !
— Je vais maigrir.
— Tu ne vas pas maigrir, le sermonna Viviane. Tu vas mourir.
— Mais non, je ne mourrai pas.
La patronne revint avec un linge pour nettoyer la table qu'ils n'avaient pas salie. Elle se disait sans doute qu'ils avaient assez traîné. Mireille lui donna raison. Si elle voulait arriver avant la tombée de la nuit, il fallait repartir. Elle se leva et, comme elle s'apprêtait à soulever son sac pour se le mettre sur le dos, Karel le lui prit des mains.
— Il doit être beaucoup plus léger que le mien pour que tu marches comme ça, sans te fatiguer.
— Je suis en masse fatiguée, ne t'inquiète pas. Mais…
Elle n'eut pas le temps de finir sa phrase. Karel avait soulevé son sac d'une main et le comparait au sien, incrédule.

— Ils sont aussi lourds l'un que l'autre.

— Elle est peut-être juste plus habituée. Tu t'es entraîné combien de semaines avant de partir, Karel ?

Viviane avait vu juste. Karel rougit, murmura un faible « zéro » avant d'endosser son sac et de s'éloigner.

— Si tu mangeais un peu, lui lança Viviane, tu trouverais peut-être la route moins difficile.

Il ne répondit pas.

Mireille consulta son guide et grimaça. Elle ne savait pas exactement où ils se trouvaient sur la carte, mais chose certaine, il leur restait encore au moins trois kilomètres à parcourir avant d'arriver au gîte. Peut-être même quatre.

Ils reprirent le Chemin à trois. Pendant une minute environ, Mireille s'inquiéta pour Louise. Puis des images de la veille lui revinrent à l'esprit et la rassurèrent. Sa sœur était célibataire, majeure et vaccinée. Elle pouvait bien batifoler avec son Anglais, aucune loi ne le lui interdisait.

Elle sourit intérieurement en couvant Viviane et Karel d'un même regard. Elle n'était plus seule, désormais.

Karel

D'où ces vaches étaient-elles sorties ? Mireille n'en avait aucune idée. Elle ne les avait pas vues venir, et voilà qu'elles envahissaient maintenant la route, les contournant, elle, Karel et Viviane, comme s'il s'agissait de vulgaires obstacles sur leur trajectoire.

Difficile de ne pas rire avec toutes ces clochettes qui tintaient, ces meuglements, ces sabots qui frappaient sur le chemin goudronné. Ils s'étaient tous les trois arrêtés pour les laisser passer, puis Karel, remarquant un muret de pierres sur sa droite, se fraya un chemin pour aller s'y reposer. Mireille et Viviane le rejoignirent dès que le gros du troupeau fut passé. C'était le temps d'une pause. La cinquième depuis qu'ils avaient quitté la cantine.

Elles lancèrent leurs sacs à dos à côté de celui de Karel et s'assirent à leur tour sur le muret, à l'ombre du seul arbre des environs.

— Je n'en peux plus, murmura l'Allemand. Il doit bien y avoir un gîte dans le village qu'on voit là.

Mireille sortit son guide et secoua la tête.

— Le prochain gîte se trouve à Montbonnet, dans un kilomètre et demi.

— Un kilo…

Le visage de Karel traduisait son désespoir.

— Je n'y arriverai pas. Partez sans moi, les filles. Je vais passer la nuit ici.

Viviane le poussa du coude, visiblement exaspérée.

— Voyons donc ! Tu ne peux pas rester sur le bord de la route toute la nuit. Et puis ce n'est rien, un kilomètre et demi. On en a déjà fait treize aujourd'hui.

— Justement. Je pense que treize, c'est mon maximum.

Mireille s'agenouilla près de son sac à dos et en sortit des noix et des fruits secs.

— Tiens ! Si tu es à ce point-là fatigué, c'est parce que tu n'as rien mangé de la journée et que tu as seulement bu de l'eau. Tu manques d'énergie.

— Non merci.

Il lui redonna la collation sans même y jeter un œil.

— Écoute-moi bien ! s'insurgea Viviane en se redressant pour lui faire face.

Parce qu'il était assis, et elle, debout, leurs regards arrivaient à la même hauteur. Elle le toisa avec défi.

— C'est stupide de penser que tu vas réussir la route de Compostelle en t'affamant de la sorte. Alors je te le dis tout de suite : ou bien tu manges, ou bien je te fais manger de force.

On pouvait lire l'hésitation sur le visage de Karel. Il mourait de faim, mais sa détermination à perdre du poids semblait plus forte que tout. Viviane attrapa le sac de fruits secs, en sortit un abricot et s'approcha de Karel jusqu'à presque le toucher.

— Je ne vois vraiment pas pourquoi tu veux autant maigrir, dit-elle. Moi, je te trouve sexy comme ça.

Il la regarda droit dans les yeux, incrédule. Viviane lui déposa l'abricot dans la bouche et s'y attarda un moment, au point que les lèvres de Karel se refermèrent sur ses doigts. Elle les retira, coquine, et lui offrit le sourire le plus avenant que Mireille ait vu de sa vie.

Karel vida le sac sans se faire prier.

Il venait tout juste de terminer quand quelqu'un, quelque part, siffla. Ils tournèrent la tête tous les trois en même temps.

À moins de cent mètres, Louise et Tom arrivaient, radieux et guillerets.

— Vous voilà enfin ! s'écria Mireille sur un ton faussement exaspéré. On commençait à penser que vous étiez retournés au Puy.

— Nous ? Virer de bord ? railla Louise. On n'a pas pris la route de Compostelle pour s'arrêter en chemin, quand même !

On rit et on fit les présentations. Et quand ils reprirent tous la route, Mireille remarqua à quel point Karel était frais et dispos. Elle se demanda ce qui l'avait le plus revigoré. L'énergie contenue dans la collation ou l'invitation que Viviane avait délibérément laissé planer ?

Montbonnet

Le chemin goudronné montait et montait encore et tout en haut se trouvait – enfin ! – le village de Montbonnet. Mireille se dit qu'elle n'avait jamais eu aussi hâte d'arriver quelque part. Les derniers vingt mètres lui semblèrent une véritable torture. La peau des épaules à vif, les pieds plus douloureux à chaque pas, elle avançait comme une automate, attirée vers le haut parce qu'elle savait que l'attendaient une douche, un bon repas, un lit.

— Nous, on a réservé à l'Escole. Et vous ?

Louise avait posé cette question à tout le monde, mais Mireille devinait que c'était la situation de Tom qui l'intéressait.

Karel répondit qu'il dormait aussi au gîte de l'Escole, mais Tom, lui, avait une réservation dans une maison d'hôte.

— Et toi, Viviane ?

— Moi, je n'ai pas de réservation. Je prendrai la première place disponible. Au pire, je planterai ma tente dans un champ.

— Tu n'y penses pas ! C'est dangereux.

Si Mireille était horrifiée, elle était bien la seule.

— Mais non, ce n'est pas dangereux. Je l'ai déjà fait.

Karel lui lança un regard complice.

— Au pire, tu dormiras dans mon lit.

Viviane pouffa.

— Mon cher, attend de voir de quoi a l'air le gîte avant de rêver. D'habitude, on nous offre des lits à une place très courts. Je pense que tu vas t'y trouver à l'étroit, même tout seul.

— Tu penses ?

— Elle a raison, renchérit Louise. Un gîte, d'habitude, c'est peu cher et peu confortable.

— Ah, bon.

Il avait l'air déçu. Et cette fois, Mireille savait ce qui le préoccupait : l'idée de passer une mauvaise nuit alors qu'il avait tant souffert pendant la journée.

L'Escole s'avéra plus accueillant que ce qu'on avait anticipé. Après avoir franchi le portique qui séparait le gîte de la rue, on apprit, au grand dam de Mireille, qu'il ne restait plus un lit disponible. La nouvelle ne sembla pas déranger Viviane outre mesure. Elle poursuivit son chemin avec Tom.

Mireille les regarda s'éloigner, inquiète. Louise la bouscula.

— Arrête donc de t'en faire pour tout le monde. Viviane doit bien pouvoir s'occuper d'elle-même puisqu'elle a l'habitude de voyager seule.

— Elle t'a dit ça ?

— Oui. Elle a déjà traversé la Russie à bord du Transsibérien.

— La Russie ? Toute seule ?

— C'est ce qu'elle m'a dit. Il paraît qu'elle a beaucoup aimé.

Mireille jeta un dernier regard au bout de la rue, mais Tom et Viviane avaient disparu.

* * *

Quinze lits répartis dans quatre chambres. Deux douches, des cabines de toilettes, une longue table où tout le monde s'était installé pour souper après s'être lavé, changé, avoir fait sa lessive et suspendu les vêtements mouillés sur une corde dans la cour.

On y entendait tous les accents de la France, et à un bout, on parlait même allemand. Quel bonheur ç'avait été pour Karel d'y trouver deux compatriotes ! Il avait tout de suite oublié ses compagnes de marche pour se lier d'amitié avec eux et, sans doute, permettre à son cerveau de se reposer en poursuivant une conversation dans sa langue maternelle.

À l'autre bout, Louise décrivait d'où elle venait à un couple de Parisiens. Au centre, Mireille se taisait, épuisée. En déposant son sac à dos par terre au pied de son lit, elle avait réalisé à quel point elle n'était pas en forme. Il n'y avait pas un muscle de son corps qui ne lui faisait pas mal. Mais c'est en ôtant ses chaussures avant d'entrer dans le gîte, tel que le prescrivait le règlement, qu'elle avait eu la pire des surprises. Non, ce n'était pas une surprise. Elle s'en doutait depuis midi. C'était juste plus grave que ce à quoi elle s'était attendue. Sous les deux talons de même que sur le côté d'un petit orteil, des ampoules étaient apparues. Celles des talons posaient problème parce qu'elles se trouvaient dans la courbe, à l'endroit où frottaient tout naturellement les chaussures. Mireille avait pourtant pris toutes les précautions possibles. Elle s'était enduit les pieds d'une crème spéciale tous les matins depuis trois semaines. Elle portait deux paires de chaussettes pour marcher. Elle avait mis du talc comme on le lui avait recommandé à la séance d'information. Tout cela n'avait rien donné. Marcher quinze kilomètres à 40 °C, ça fait du dégât, qu'on ait ou non de la crème, du talc, une, deux ou trois paires de chaussettes. Mireille avait transpiré des pieds, et la peau mouillée s'était usée jusqu'à brûler et former des cloques. Louise, qui de nature transpirait peu, n'avait pas été incommodée. Malgré les bottes neuves, ses pieds étaient en parfait état. Un peu découragée – et jalouse, aussi –, Mireille s'était lavée, avait remis de la crème et s'était chaussée d'une paire de sandales. Elle priait maintenant pour que l'enflure diminue et qu'il lui soit possible, le lendemain, de renfiler ses espadrilles.

On leur avait servi des saucisses, du riz, du pain, de la salade et du vin. Et tous mangeaient comme si on les avait affamés pendant trois jours. Même Karel, qui badigeonnait sa saucisse avec force moutarde. Ils étaient donc quinze à se partager ce gîte d'étape pour la nuit. Sept hommes, huit femmes. Trois Allemands, trois Québécoises, huit Français et un homme mystère, qui dévorait en silence tout ce qui passait devant lui. En s'assoyant à table, il avait tout de suite attiré l'attention de Mireille parce qu'il portait, à l'œil gauche, un verre de contact qui imitait un œil de chat. Elle le trouva un peu vieux pour ce genre de fantaisie. Surtout qu'il n'en portait qu'un. Mireille s'était dit qu'il devait avoir perdu l'autre pendant la journée. Comme il ne disait rien et ne semblait pas s'intéresser à ses compagnons de route, personne n'osa l'interroger. On le laissa tranquille et, plus tard, quand il fut l'heure d'aller dormir, Mireille le vit se coucher dans le lit à côté du sien. Elle lui rendit son « Bonne nuit ! » et son sourire.

Deux minutes plus tard, elle dormait.

* * *

C'est un frôlement qui la tira du sommeil. Mireille ouvrit les yeux et, paniquée de voir les autres lits déserts, elle se redressa sur un coude. Il lui fallut un moment pour réaliser ce qu'il y avait d'étrange à se trouver seule dans cette chambre silencieuse. C'est alors qu'elle remarqua la pression dans ses oreilles. Elle avait passé une partie de la nuit à se tourner dans son lit, tenue éveillée par les ronflements qui s'élevaient de partout. À l'aide de sa lampe frontale, elle avait trouvé ses bouchons dans sa trousse de toilette, et c'est seulement après les avoir enfoncés dans ses oreilles qu'elle avait pu se rendormir. Elle retira les bouchons, et l'univers entra d'un coup dans sa tête. Il y avait des voix, beaucoup de voix. Certaines venaient du couloir et des autres chambres. D'autres montaient du rez-de-chaussée par l'escalier. Mireille saisit sa montre, fixée à une ganse de son sac à dos. Il était 7 heures du matin.

Elle s'habilla en vitesse et descendit. Autour de la table, presque tout le monde avait fini de déjeuner. Louise et Karel comparaient l'information donnée par leur guide respectif en terminant leur café. Mireille s'assit avec eux.

— Tu aurais dû me réveiller.

Louise ne releva pas le reproche, préférant lui verser un café et pousser vers elle le panier de baguettes en morceaux.

— Il y a des yogourts dans le frigo. En veux-tu ?

— Deux, s'il vous plaît. Je meurs de faim. Où sont les autres ?

Elle avait prononcé cette dernière phrase en anglais, histoire d'inclure Karel dans la conversation. Celui-ci lui répondit que ses amis allemands avaient déjà pris la route.

— Déjà ?

— Oui. Les autres sont en train remplir leur sac à dos.

— Il ne faut pas me laisser dormir aussi longtemps.

Louise leva les yeux au ciel.

— C'est correct, Mimi. On a compris.

— Je vais me sentir bousculée, maintenant.

— Tu as juste à prendre ton temps quand même. Ce n'est pas comme si c'était une course ou qu'on risquait d'arriver en retard ; tu as déjà réservé toutes nos chambres d'hôtel.

— Quand même ! On sera les derniers à partir.

Louise quitta la cuisine sans rien dire et remonta à la chambre. Mireille n'essaya pas de la retenir. Elle se versa un autre café, y ajouta beaucoup de lait et croqua dans une pomme. Le panier de fruits en regorgeait. Karel alla s'asseoir dans un fauteuil pour enduire ses pieds de pommade. Mireille soupira. Elle ne devait absolument pas oublier de faire de même, même si elle savait que les autres devraient l'attendre.

De Montbonnet à Saint-Privat-d'Allier

Le village étant situé au milieu d'une colline, on en sortait par le haut. Il fallait ensuite longer une ferme où la fermière, pour peu qu'on arrive à une heure décente, vendait son fromage aux pèlerins. Mais il était trop tôt ce matin-là pour frapper à sa porte, et c'est sans s'arrêter que Mireille, Louise et Karel passèrent devant chez elle. Immédiatement après la grange se trouvait un poteau sur lequel on avait fixé de multiples marqueurs. En plus du numéro 65 et du traditionnel coquillage, typique du chemin de Saint-Jacques, apparaissait maintenant le numéro 40. Mireille s'arrêta et consulta son guide. Les deux autres attendirent, leurs regards tournés vers le village qu'ils venaient de quitter.

— Il y a deux GR qui passent ici.

Elle leva la tête et suivit des yeux le sentier.

— On ne verra jamais bien loin devant puisqu'on s'en va dans le bois. Il faudra être prudents pour ne pas se tromper de route.

Les deux autres approuvèrent, et quand elle rangea son guide, ils lui emboîtèrent le pas sans rien dire. Le chemin était boueux et jonché de crottin de cheval et de bouse de vache. De chaque côté, une brume épaisse voilait le paysage. Mireille marchait, le corps déjà penché vers l'avant. Son sac à dos lui semblait plus lourd que la veille. Et ses pieds, qu'elle avait chaussés de peine et de misère, paraissaient plus gros et plus sensibles aussi, tant à la toile et aux coutures et qu'aux aspérités du terrain. Parce qu'au moment de quitter le gîte il y avait apparence de pluie, Mireille avait enfilé son poncho par-dessus son polar et remplacé les shorts par un pantalon. Elle se disait maintenant qu'elle avait bien fait. On gelait ! Où étaient donc passés les 40 °C de la veille ?

Le Chemin piquait à travers champ sur plus d'un kilomètre, après quoi il s'enfonçait dans un boisé, circonscrit comme l'avaient été tous les boisés aperçus depuis le départ du Puy. Ça montait, et c'était glissant, et à tout moment, Mireille devait s'aider de son bâton. Un couple les dépassa, mieux chaussé et chargé de sacs à dos plus légers. Mireille les perdit de vue très vite. Puis, à la première fourche, elle prit à gauche en suivant les panneaux indicateurs. Derrière elle, Louise et Karel l'imitèrent. Elle les entendit échanger quelques mots. Ils parlaient peu et attendaient, l'un comme l'autre, de voir surgir à un détour du sentier une silhouette connue. Viviane, pour Karel, Tom, pour Louise. De l'avis de Mireille, la situation était d'un ridicule consommé. Il aurait fallu établir un plan de match, la veille, avant de se séparer. Il aurait au moins fallu se fixer rendez-vous, quelque part sur la route asphaltée, près de la ferme, par exemple. L'endroit était facile à trouver. N'importe quoi sauf s'en remettre au hasard, comme ils l'avaient fait. Comment savoir, en effet, où étaient rendus Viviane et Tom ? Ils sirotaient peut-être encore leur café à Montbonnet…

Le lac de l'Œuf apparut sur leur droite. En fait de lac, il s'agissait plutôt d'un marais cerné d'une végétation dense. L'humidité faisait frissonner, et Mireille fut soulagée lorsqu'ils quittèrent enfin le bois pour gagner le plein soleil. Il s'était écoulé une heure, et en une heure, le ciel s'était dégagé. Il faisait presque chaud. L'air sentait la sciure de bois, et pour cause ! Plus loin, sur leur gauche, un pan entier de forêt avait été coupé à blanc. Un gros rocher bordait une série de souches encore humides. Mireille s'y affala, tant pour se reposer que pour permettre à Louise et à Karel de la rejoindre.

Elle retira son sac qu'elle laissa choir sur le sol. Quel bonheur c'était de ne plus sentir ce poids sur ses épaules ! Elle étira les bras, puis les jambes, puis le cou. Elle avait déjà mal partout. Elle repéra un rocher plus gros derrière lequel elle serait à l'abri des regards et s'y rendit, non sans avoir auparavant mis son sac à dos en évidence de manière à ce que sa sœur l'aperçoive et attende son retour.

Comme partout où elle s'était arrêtée pour uriner depuis deux jours, l'endroit était sale et jonché de papier hygiénique souillé. L'odeur lui leva le cœur, mais elle se soulagea néanmoins à la même place que les femmes passées par là les jours précédents.

Quand elle la vit revenir, Louise la héla :

— C'est à ton tour de m'attendre.

— Je t'avertis ; ce n'est pas propre.

— Pas grave.

Mireille s'assit sur le rocher, retira son chapeau, son poncho et son polar. Il commençait vraiment à faire chaud.

— Penses-tu qu'ils sont partis avant ou après nous ?

Mireille suivit le regard de Karel vers l'orée du bois où venaient d'apparaître quatre pèlerins. Ça faisait bizarre de voir tous ces gens marcher dans le même sens, de partager avec eux une destination commune, un même désir, un seul élan. C'était grisant, mais aussi étourdissant. Personne ne se croisait. On se dépassait, on se faisait doubler et on laissait derrière soi un fil de relations humaines. Un fil invisible qui s'entortillerait au gré des rencontres. Les compagnons de table d'hier seraient-ils ceux de ce soir ? de demain ?

— Je ne sais pas plus que toi à quelle heure ils sont partis, dit-elle en sortant des abricots secs.

Elle lui en offrit, et, comme la veille, il les refusa.

— Toujours au pain sec et à l'eau ?

Il ne releva pas la boutade et téta sa gourde.

— Tu devrais au moins déposer ton sac à dos. Ça permettrait à tes muscles de se détendre un peu.

— Je ne peux pas. Si je l'enlève, je ne serai plus capable de le remettre. Il est juste trop lourd.

Mireille se leva et, posant une main sur le bras de Karel, elle insista :

— Tu ne seras jamais capable de nous suivre si tu ne donnes pas une chance à ton corps de prendre des forces.

— Vous dormez où ?

— À Monistrol-d'Allier.

— Et Viviane ?

— Aucune idée. Mais je suis certaine qu'elle marchera au moins quinze kilomètres aujourd'hui.

Il eut une moue sceptique puis abdiqua, et son sac rejoignit les deux autres.

— Je reviens.

Sans plus d'explication, il s'éloigna vers un sous-bois voisin. Louise, qui revenait, le suivit des yeux un moment.

— Penses-tu qu'ils sont partis avant nous ?

Mireille leva les yeux au ciel. Si voir le désir motiver Karel l'amusait, constater la même pulsion chez sa sœur l'irritait.

— Comment veux-tu que je le sache ?

— D'habitude, tu sais toujours tout.

— Je ne sais pas toujours tout. Je suis préparée, ce n'est pas la même chose.

— Fâche-toi pas.

— Je ne suis pas fâchée, mais je te signale que si je suis là, c'est pour faire la route avec toi.

— Moi aussi, moi aussi.

— Ben, ça ne paraît pas.

— Arrête donc ! Tu ne vas pas être jalouse de Tom, quand même ?

— Je ne suis pas jalouse, mais j'ai l'impression d'être la seule à prêter attention aux panneaux, aux paysages, aux cartes. Vous ne m'avez pas adressé la parole de la matinée.

— Ce n'est pas de notre faute si on a d'autres intérêts.

Le retour de Karel mit fin à la dispute. Tant mieux, se dit Mireille, qui n'avait pas eu l'intention de se quereller. Elle espérait quand même qu'à partir de maintenant, sa sœur tiendrait compte de sa présence.

Ils se reposèrent un moment tandis que les deux femmes avalaient une bouchée. Karel regardait toujours le boisé qu'ils venaient de traverser. Ceux qui en sortaient n'étaient jamais ceux qu'ils attendaient, alors ils remirent leurs sacs à dos et poursuivirent leur chemin. Droit devant se trouvait un village plus petit encore que les précédents. Louise s'esclaffa en apercevant le panneau indicateur.

— Le Chier ! J'espère au moins qu'on y trouve des toilettes publiques.

Mireille sourit. Elle avait pensé exactement la même chose en lisant le nom du village sur la carte de son guide.

Au cœur du village, cependant, ils ne trouvèrent pas de toilettes. Seul aménagement touristique, un robinet fiché dans un mur de pierre qui permettait de remplir les gourdes. Juste à côté, sur un banc de parc, Tom et Viviane les attendaient en mangeant une collation.

Saint-Privat-d'Allier

Petit village médiéval gris et rose, Saint-Privat-d'Allier avait été érigé dans une cuvette. On y accédait en descendant le long d'un sentier forestier qui débouchait tout près des premières maisons. Ils y arrivèrent aux environs de midi et s'installèrent pour dîner sur une terrasse tout juste passé la rivière. Ils choisirent une table qui, même si elle longeait le trottoir, se trouvait à l'ombre et offrait une vue imprenable sur l'église.

Mireille n'était pas fâchée d'arriver. Ses pieds la torturaient. Les autres aussi semblaient contents de cette pause que Tom qualifiait de « civilisée ». La route avait été difficile depuis Le Chier. Sept kilomètres et demi, tantôt sur une pente raide qui montait, tantôt sur une pente raide qui descendait. Aucun plat où les chevilles auraient pu se reposer pendant la marche. À cause de la chaleur, ils avaient peu parlé, concentrés pour préserver leurs forces dans les montées, pour garder leur équilibre dans les descentes.

Mireille, Viviane et Karel s'étaient suivis à la queue leu leu tandis que Tom et Louise marchaient tantôt devant, tantôt derrière, mais toujours côte à côte. Ces deux-là semblaient vraiment filer un parfait bonheur.

On leur servit de gigantesques assiettes de fromages et de charcuteries accompagnées de salades tout aussi immenses. Comme quoi on avait l'habitude des pèlerins affamés dans ce coin de pays ! Les pichets de vin que le patron déposa sur la table prouvaient qu'on était bel et bien en France, même si le voyage continuait de se dérouler en anglais. Karel, qui n'avait commandé que de l'eau, ne refusa pas le vin que Viviane versa dans son verre.

Ils prirent leur temps pour manger, pour boire et pour se reposer. De toute façon, la chaleur était aussi accablante que la veille. Pendant tout ce temps, Mireille, dont les ampoules s'étaient certainement aggravées, se demanda si elle ne devait pas retirer ses chaussures. Elle y renonça parce qu'elle avait été bien élevée. On ne se déchausse pas dans un restaurant, un point c'est tout. Ce n'était pas seulement impoli, ça manquait d'hygiène. Elle se promit cependant de laisser ses pieds respirer à la première occasion, et insisterait pour qu'ils fassent une pause, s'il le fallait, un peu plus tard en après-midi.

Quand les additions arrivèrent, Karel leur rappela qu'il n'avait pas commandé de vin et insista pour ne payer que son repas. Mireille le toisa, puis son regard croisa celui de Louise. Ni l'une ni l'autre n'ayant pu manger tout ce qu'on leur avait servi, elles avaient poussé leurs assiettes vers Karel, qui les avait vidées sans se faire prier. Il avait aussi avalé le reste de la salade de Tom et bu sans hésitation le vin qu'on lui avait donné à plusieurs reprises. Qu'il se montre ensuite aussi pingre dérangeait tout le monde, mais Karel ne semblait pas s'en apercevoir.

Il était presque 2 heures. À partir de maintenant, il ferait de moins en moins chaud. C'était donc le bon moment pour reprendre la route. Mireille ressortit son guide, lut les instructions à haute voix et désigna une rue qui menait vers un plateau.

— Eh, oui ! dit-elle en voyant les regards découragés de ses compagnons. Ça monte encore.

Elle rangea son guide et s'avança la première.

De Saint-Privat-d'Allier à Monistrol-d'Allier

Le guide prétendait qu'on y avait la plus belle vue possible sur la vallée de l'Allier. Le guide parlait d'un belvédère extraordinaire, d'une chapelle magnifique. Le guide précisait que tous les pèlerins s'y arrêtaient. Ce que le guide ne disait pas, en revanche, c'était que pour accéder à ce lieu digne de tous les éloges, il fallait gravir une pente qui partait du GR dans un angle de vingt-cinq degrés. Affalée sur un banc, au pied de ladite pente, Mireille regardait Louise, Tom, Viviane et Karel gravir le sentier rocailleux. Pour monter à leur aise, ils avaient demandé à Mireille de surveiller les sacs à dos. Ils marchaient donc plus légers qu'ils ne l'avaient fait de la journée. Tant mieux pour eux! Mireille préférait de loin ce siège où elle pouvait enlever un peu du poids qui lui écrasait les pieds.

Elle avait retiré de peine et de misère ses chaussures, puis ses chaussettes, et avait découvert avec horreur que de nouvelles ampoules étaient apparues. Elle en avait maintenant sur le côté de chaque pied, en plus de celles des talons. Mireille allongea les jambes par-dessus son sac à dos de manière à laisser la brise lui caresser les orteils. Elle était découragée. Comment pourrait-elle reprendre la route maintenant? Il était impensable d'enfiler à nouveau ses espadrilles. La douleur serait insupportable. Et que dire du poids qu'il faudrait mettre sur les ampoules à chaque pas? Si elle en avait eu le courage, elle aurait pansé ses blessures, mais pour cela, il aurait fallu que son corps accepte de se courber vers l'avant. Pour le moment, il refusait tout net de bouger.

Mireille avait l'impression d'être arrivée au pire des culs-de-sac. Impossible de continuer, mais impossible aussi de reculer. Elle s'imagina un moment rester ici, sur ce banc, toute la nuit. Elle s'imagina dérouler son sac de couchage, s'allonger de tout son long, ne pas remettre de pression sur ses chevilles ni sur le reste. Laisser son corps endolori se reposer, récupérer.

Il ne s'était écoulé qu'une heure depuis le départ de Saint-Privat. Une toute petite heure qui avait pourtant semblé une éternité. Dès qu'elle avait entamé la première côte, elle avait regretté de ne pas s'être déchaussée pendant le dîner. Elle sentait l'humidité à travers les chaussettes. Elle sentait la brûlure sur le côté du pied. Et elle sentait que chaque pas aggravait la situation.

Comment imaginer qu'elle aurait volontairement rallongé le parcours en escaladant une côte de plus pour aller voir une simple chapelle ? Jamais de la vie ! Sa seule ambition, à ce moment-ci, consistait à prendre assez de repos pour permettre à l'enflure de diminuer. Peut-être qu'après, elle serait capable de se chausser de nouveau. Peut-être qu'après, elle se sentirait mieux, régénérée, apte à parcourir les quatre ou cinq kilomètres qui restaient avant Monistrol-d'Allier.

Encore quatre ou cinq kilomètres. Elle avait envie de pleurer rien qu'à y penser.

Elle ferma les yeux et se serait probablement endormie si une voix n'était venue la tirer de son engourdissement. Elle se redressa et découvrit, agenouillé près de son sac à dos, un inconnu qui lui prêtait un grand intérêt.

— Tu ne peux pas marcher ton Chemin comme ça.

Il s'était adressé à elle en français, mais pas avec l'accent des Français qu'elle rencontrait depuis qu'elle avait pris la route. En fait, Mireille avait déjà entendu un accent semblable dans sa jeunesse, lorsqu'elle travaillait au laboratoire avec une fille des Îles-de-la-Madeleine. Il s'agissait du parler acadien, avec des T et des D si francs qu'ils sonnaient comme de la musique à ses oreilles.

L'homme portait des lunettes de soleil et un chapeau, comme presque tous les pèlerins en cette fin d'août. Mais était-ce le carré de sa mâchoire, la souplesse avec laquelle il retira son propre sac à dos qui disait quelque chose à Mireille ? Elle avait l'impression de le connaître tout en étant persuadée qu'elle ne le connaissait pas. Il continuait de parler.

— J'ai déjà eu les pieds de même, la première fois que j'ai fait le Chemin.

Il fouilla dans une poche de son sac et en ressortit une trousse de premiers soins et une débarbouillette.

— Je m'étais arrêté pas loin. Je ne pouvais pas continuer et je pensais que j'allais passer la nuit ici tellement j'avais mal.

Il attrapa sa gourde, imbiba la débarbouillette et se mit à laver délicatement les pieds de Mireille.

— Un couple de Normands s'est arrêté. J'avais ôté mes bas, alors ils voyaient bien que j'avais des ampoules partout. La femme a dit à son mari de l'attendre. Elle m'a lavé les pieds et m'a fait des bandages pour que je reprenne la route avec eux autres.

Il continuait de raconter son histoire en s'affairant, tantôt avec la débarbouillette, tantôt avec de l'onguent, des compresses, du ruban gommé. Ses gestes étaient lents, précis. Ce n'était pas la première fois qu'il faisait un bandage. Il savait où mettre les compresses pour protéger correctement les blessures. Il savait où passer le ruban pour ne pas créer de bosses qui, à leur tour, causeraient des ampoules.

Quinze minutes plus tard, sans qu'elle ait trouvé l'énergie nécessaire pour s'opposer, Mireille avait les pieds proprement bandés et les yeux pleins d'eau. Ce geste était empreint d'une telle compassion qu'elle ne trouva pas les mots pour exprimer sa gratitude. Elle murmura un simple merci en serrant la main qu'il lui tendait.

— De rien. Tu m'as enduré quand je ronflais hier soir, je pouvais bien mettre un Band-Aid sur tes pieds aujourd'hui.

Mireille le regarda attentivement.

— Hier soir ?

— Oui. Et j'ai fini le plat de salade sans te demander si tu en voulais parce que j'avais trop faim.

Comme elle le regardait toujours incrédule, il enleva son chapeau.

— Tu ne me reconnais pas ? J'ai mangé en face de toi. Et j'ai dormi dans le lit à côté du tien.

Il lui sourit, et elle reconnut l'homme au verre de contact de chat.

— Je te replace maintenant.

Il s'assit à côté d'elle sur le banc et avala une grande gorgée d'eau.

— C'est normal, les ampoules, avec c'te chaleur. Il doit faire encore quarante aujourd'hui.

— Je n'en doute pas.

— Je m'appelle Christian.

— Mireille.

— Tu viens du Québec ?

— Oui. Et toi ?

— De Moncton.

— D'où l'accent.

Il rit.

— Oui. D'où l'accent. Tu fais le Chemin toute seule ?

— Non. Ma sœur et mes amis sont allés voir la chapelle, en haut. Moi, j'avais trop mal aux pieds pour ajouter une côte de plus à ma journée.

— Tu as bien fait. Si j'étais toi, j'éviterais de remettre mes souliers. As-tu des sandales ?

Elle fit oui de la tête.

— À ta place, c'est ça que je mettrais. Mais fais attention. Jusqu'à Monistrol, ça descend. Et ça descend à pic. Faudra te servir de ton bâton si tu ne veux pas te fouler une cheville dans le ravin.

Il s'était déjà redressé et endossait maintenant son sac.

— On se reverra sûrement. En attendant, bon camino, Mireille.

— Bon camino, répéta-t-elle en le regardant s'en aller.

* * *

Si Saint-Privat-d'Allier était situé dans une cuvette, Monistrol-d'Allier, pour sa part, se trouvait au fond d'un gouffre. C'était en tout cas la conclusion à laquelle Mireille était arrivée. Ils avaient quitté la chapelle depuis moins d'une heure et n'avaient cessé de descendre. Et Dieu du ciel que ça descendait ! Une inclinaison souvent à quarante-cinq degrés, un sentier inexistant. Il fallait se frayer un passage sous les arbres, entre les souches et les rochers. Chaussée de sandales, Mireille faillit se fouler la cheville plus d'une fois. Et elle ne comptait plus les chutes évitées de justesse.

Droit devant, Tom ouvrait le chemin, plus solide et plus en forme que le reste du groupe. Derrière lui, Louise s'aggripait aux branches et enfonçait les crampons de ses bottes pour se maintenir en équilibre. Viviane la suivait pas à pas, et tout juste derrière elle, Karel titubait en jurant. Loin derrière lui, Mireille avançait lentement, un nœud dans la gorge. Il suffisait d'une mauvaise assise pour tomber. Les pierres étaient glissantes. Le sol était mou et entravé de branches, de racines, de rochers qui roulaient dès qu'on y posait le pied.

Jusqu'à cette dernière descente, personne n'avait prêté attention aux pieds bandés de Mireille. Personne n'avait non plus remarqué les espadrilles qui se balançaient sur son sac à dos, retenues par les lacets. Personne n'avait rien vu parce que chacun était absorbé dans sa petite histoire d'amour. C'est au moment de plonger dans le ravin que Louise s'était exclamée :

— Es-tu malade ? Tu vas te casser la gueule à descendre en sandales.

Mireille avait dû lui expliquer qu'elle avait été incapable de remettre ses espadrilles tellement ses pieds étaient blessés. Elle avait dû lui décrire les ampoules, lui parler de l'inconnu – comment s'appelait-il, déjà ? – qui lui avait fait des pansements pour lui permettre de reprendre la route. Louise en avait été consternée.

— Tu aurais dû dire que ça te faisait aussi mal. On aurait fait plus de pauses.

Mireille avait murmuré un mot d'excuse avant de plonger dans un mutisme aussi profond que ce ravin dans lequel ils descendaient. Deux kilomètres. Il avait fallu deux kilomètres après la pause de la chapelle pour que sa sœur réalise à quel point elle souffrait.

Un village venait d'apparaître, droit devant. Debout à côté du panneau indicateur, Karel avait jeté son sac dans le fossé.

— *Fuck me !* hurlait-il. *Fuck me !*

Tom regardait ailleurs. Il se retenait manifestement pour ne pas livrer le fond de sa pensée. Viviane essayait de calmer Karel en lui montrant le chemin sur la carte. Mireille se pressa pour rejoindre Louise qui paraissait fort embarrassée.

— Qu'est-ce qui se passe ? demanda-t-elle en déposant son sac.

— Karel est furieux parce qu'il était convaincu que le village qu'il voyait du haut de la pente était Monistrol. Quand il s'est rendu compte qu'il nous restait encore un kilomètre et demi, il a explosé.

En d'autres circonstances, Mireille aurait répondu qu'un kilomètre et demi, ce n'était rien du tout. Mais voilà, elle comprenait le désarroi de Karel. Elle avait ressenti la même chose en lisant le nom sur le panneau. Elle aussi avait espéré qu'ils étaient arrivés. Elle non plus n'en pouvait plus. Sauf qu'il fallait bien continuer si on voulait dormir au gîte.

Elle détailla la silhouette gigantesque de Karel. Comment expliquer qu'un homme aussi costaud souffre à ce point de transporter un sac à dos d'un poids comparable au sien ? Il aurait dû lui sembler plus léger, ce sac, avec tous ces muscles, toute cette force, toute cette taille !

Elle profita néanmoins de la crise de nerfs de Karel pour soulager ses talons en s'assoyant sur un muret. Elle s'aperçut, en regardant ses chaussettes, qu'une ampoule avait crevé. Le tissu était mouillé et lui collait au pied. Les bosses, toujours visibles, confirmaient que les autres ampoules étaient intactes. Douloureuses, mais intactes. C'était toujours ça de gagné.

— *Fuck me !* continuait de répéter Karel en frappant à coups de pied son sac à dos.

Viviane avait renoncé à le calmer et patientait. Elle avait imité Tom et s'était assise sur son sac, l'air un peu découragé. Mais Karel ne décolérait pas.

Elle lui donna encore un moment pour passer sa rage puis alla se planter droit devant lui.

— *Fuck me !* hurla-t-il encore en lui jetant un regard courroucé.

— C'est exactement ce que je vais faire, lui lança-t-elle sur le même ton agressif, mais avant, il faudrait descendre au fond de la vallée. Une fois rendus, je te promets qu'on se loue une chambre et que je te baise aussi souvent que tu le voudras.

Tout le monde en resta bouche bée, à commencer par Karel.

— Est-ce que tu ris de moi ? finit-il par dire, toujours incrédule.

— Non, je ne ris pas de toi. Mais je suis à bout de te voir crier. Viens-t'en qu'on passe à autre chose.

Sans l'attendre, elle retourna à son sac qu'elle hissa sur son dos et, après avoir brièvement consulté le guide, elle s'engagea sur la route sans jeter un regard en arrière.

Une minute plus tard, Karel marchait à ses côtés.

Tom et Louise les suivirent, mais pas de trop près.

Mireille ferma la marche, plus convaincue que jamais de ne pas avoir sa place dans ce groupe.

Monistrol-d'Allier

— Voyons, Mimi ! Qu'est-ce qui se passe ?

Elle avait appuyé le front sur le plastique dur du téléphone public et pleurait, le combiné sur l'oreille. Le bruit de ses sanglots traversait l'océan et, à l'autre bout du fil, Jocelyn essayait de l'apaiser.

— Tu prends ça trop à cœur, Mimi. Ce n'est pas si grave.

— Tu ne comprends pas. Elle m'ignore et passe son temps avec son Anglais. Et moi, j'ai tellement mal aux pieds que je n'arrive même plus à marcher. Je me traîne.

Elle exagérait à peine. En arrivant à Monistrol-d'Allier, le groupe s'était séparé. Tom avait déjà réservé un hôtel, il s'y était donc rendu, non sans avoir auparavant donné rendez-vous à Louise, de l'autre côté du village, dans deux heures. Viviane et Karel l'avaient suivi, en quête d'un hôtel eux aussi. Louise et Mireille s'étaient rendues au gîte communal où elles s'étaient lavées et avaient fait leur lessive. Mais quand Mireille avait parlé d'aller acheter de quoi cuisiner le souper, Louise lui avait dit qu'elle l'accompagnerait jusqu'à l'épicerie, mais qu'après, elle irait rejoindre Tom.

— Il y a un train qui passe dans le village, souffla encore Mireille en étouffant un sanglot. Je vais m'informer de l'horaire et de la destination et je vais rentrer chez nous. Je n'en peux plus d'avoir mal et de me faire niaiser. Je suis de trop dans ce voyage. C'est évident.

— Ben non, Mimi. Tu n'es pas de trop. Ta sœur est juste en amour. Ce n'est pas la fin du monde. Et qu'est-ce qui te dit que ça va durer ? Je parie que si tu attends un jour ou deux, ça va lui passer. Après tout, c'est un British, ce gars-là. Il n'a rien de commun avec elle. Qu'est-ce qu'il fait dans la vie ?

— Je ne le sais pas et je ne veux pas le savoir. Je suis juste à bout.

— Tu es fatiguée. Va donc te reposer, manger un peu et prendre une bonne nuit de sommeil. Demain, tu vas te sentir mieux.

— Ce serait difficile que je me sente mieux demain étant donné que j'ai les pieds en sang.

Ça, c'était l'autre mauvaise nouvelle. En retirant ses chaussettes, Mireille s'était aperçue que deux de ses ampoules s'étaient gorgées de sang. Les autres avaient grossi. Et celle qui avait crevé s'était infectée. La situation pouvait-elle être pire ?

Elle reniflait en décrivant son état à Jocelyn. Elle se mouchait, reprenait son récit, reniflait encore, et se mouchait encore. Et les larmes, elles, ne cessaient de couler.

— Tu vois bien, conclut-elle, que je ne peux plus continuer.

— Je vois surtout que tu n'as plus envie de continuer.

Cette remarque la blessa. Non, elle n'avait plus envie de continuer, mais elle n'aimait pas que Jocelyn lui dise la chose aussi crûment.

— Ce n'est pourtant pas ton genre d'abandonner aussi facilement, Mimi.

— Aussi faci…

Si Jocelyn avait été debout à côté d'elle, elle lui aurait dit sa façon de penser. Elle se calma. La vérité, c'était qu'elle n'était pas très fière d'elle-même. Elle se trouvait faible et découragée et avait juste envie de se cacher.

— Où est ta sœur, en ce moment ?

— Partie souper avec Tom au restaurant.

— Et tes deux autres amis ?

— Aucune idée. Je ne les ai pas revus depuis qu'ils sont partis se louer une chambre.

— Et toi, qu'est-ce que tu vas faire ?

— Je vais aller m'acheter de quoi manger, je suppose.

— Tu n'y es pas allée avec Louise ?

— Non. Quand elle m'a dit qu'elle me laissait souper seule pour aller rejoindre Tom, je me suis fâchée. Alors elle est partie.

Jocelyn ne dit rien pendant quelques secondes. Quand il reprit, sa voix avait quelque chose de rassurant et d'apaisant. Il comprenait la détresse de Mireille, probablement mieux qu'elle-même.

— Pourquoi tu ne t'achèterais pas quelque chose de bon pour souper ? Du genre baguette et foie gras.

— Ça coûte cher, le foie gras, même ici.

— Tu n'es pas pauvre, Mireille.

— Je sais…

Elle devait lui donner raison. Si le repas était bon, elle pardonnerait plus facilement à Louise sa désertion. Et il lui semblait aussi qu'elle serait de meilleure humeur le lendemain… quand elle prendrait le train.

— D'accord. Je vais aller voir ce qu'il y a à l'épicerie.

— C'est comme ça que je t'aime, Mimi. Combative et énergique.

— Va pour la combative, mais… Disons que l'énergique va devoir travailler fort dans la demi-heure qui vient. L'épicerie se trouve de l'autre côté du village.

— Ce n'est rien, deux ou trois cents mètres. Tu as marché quinze kilomètres dans ta journée.

— Justement. Quand on a marché autant, chaque pas qu'on ajoute devient une épreuve supplémentaire.

Il rit, convaincu qu'elle exagérait, mais elle, elle savait de quoi elle parlait. Elle préféra néanmoins changer de sujet.

Elle s'informa de la santé des garçons, de l'achalandage à l'épicerie, elle prit même des nouvelles de Marc-Antoine et de Marie-Ève qui semblaient, selon Jocelyn, travailler fort pour aménager leur appartement.

Quand elle raccrocha, Mireille se crut un moment énergisée par toutes ces nouvelles. Cela dura le temps que la réalité la rattrape. En effet, elle n'avait pas rejoint le chemin principal que ses pieds la torturaient de nouveau. Elle s'assit sur le trottoir. Sitôt que ses fesses touchèrent le ciment, elle sentit les larmes jaillir d'elles-mêmes.

Tout l'oppressait, sa situation autant que les lieux. Il faut dire que le soleil avait depuis longtemps disparu derrière les montagnes. Mireille ne s'était pas trompée quand elle avait imaginé Monistrol-d'Allier au fond d'un gouffre. Le village se trouvait dans une vallée profonde et étroite où l'Allier coulait tantôt tranquille, tantôt impétueuse. De chaque côté, les montagnes s'élevaient, abruptes, ce qui plongeait très tôt le village dans la pénombre. C'était ce jour prématurément raccourci qui écrasait Mireille. Certes, le ciel était encore bleu. Mais la lumière, la vraie, avait disparu, et avec elle, les quelques amis que Mireille s'était faits. On aurait dit qu'un vent frais montait de la rivière. Il faisait peut-être vingt degrés, peut-être un peu plus, mais par comparaison avec la touffeur du jour, on gelait.

Mireille zippa son polar jusqu'au cou et se secoua. Si elle voulait manger, il fallait se mettre en quête de nourriture. Elle essuya ses larmes et se releva. Quelqu'un l'interpella.

— Salut, Mireille ! As-tu soupé ?

Elle reconnut aussitôt l'accent acadien.

— Pas encore.

Christian portait toujours ses lunettes de soleil et son chapeau.

— D'après le responsable du gîte, il y a…

— Tu dors au gîte ?

On sentait un vif soulagement dans cette question. Comme si l'idée de connaître quelqu'un parmi la vingtaine de pèlerins qui passeraient la nuit au gîte communal était réconfortante.

— Oui. Toi aussi ?

Mireille retrouva le sourire.

— D'après le responsable, reprit Christian, il y a une pizzeria juste là.

Il désignait un édifice à une trentaine de mètres en contrebas, un peu passé la voie ferrée.

— As-tu envie qu'on partage une pizza ?

Mireille accepta sans hésiter. Et comme ils s'engageaient dans la petite rue menant au restaurant, une nouvelle réalité s'imposa dans son esprit. Elle n'était plus seule, elle n'était plus découragée et elle avait beaucoup moins mal, tout à coup.

Christian

Comme tout Acadien qui se respecte, Christian tutoyait d'emblée les gens. Il lui fallait quand même un moment pour se sentir à l'aise avec quelqu'un, mais lorsque c'était fait, il parlait abondamment.

Il n'avait retiré son chapeau et ses lunettes de soleil qu'une fois à l'intérieur du restaurant. Mireille n'avait pu s'empêcher de le questionner sur ce verre de contact qui imitait l'œil d'un chat. Il avait ri et expliqué qu'il souffrait d'une malformation qu'on appelait justement le syndrome des yeux de chat. Sa pupille était plus grande que la normale et de forme allongée, ce qui laissait trop de soleil pénétrer jusqu'à la rétine et risquait de le rendre aveugle s'il ne prenait pas de précautions. D'où les lunettes et le chapeau qu'il enfilait dès qu'il mettait le pied dehors.

Cet œil de chat avait quelque chose d'hypnotique. Mireille s'en était aperçue la veille, à Montbonnet, quand leurs regards s'étaient croisés à deux ou trois reprises. Mais ce soir, parce qu'ils discutaient face à face, l'œil de chat la troublait plus encore. Elle avait l'impression de toujours le fixer, comme incapable de regarder ailleurs.

— Qu'est-ce que tu es venue chercher sur la route de Compostelle ?

Cette question laissa Mireille interdite. Elle s'était attendue à ce qu'il l'interroge plutôt sur ce qu'elle faisait dans la vie ou sur sa famille. Elle répondit néanmoins :

— Je suis venue pour accompagner ma sœur.

— Ah, oui ? Elle est où, ta sœur ?

— Dans une chambre d'hôtel avec un Anglais.

Christian pouffa de rire.

— Ça arrive souvent, sur le Chemin, ces histoires-là.

— Peut-être, mais disons que si j'avais pu imaginer qu'elle me laisserait poireauter toute seule tous les soirs, je ne l'aurais jamais suivie.

— Tu poireautes toute seule, ce soir ?

Mireille rougit, prise en défaut.

— Euh, non. Ce n'est pas ce que je voulais dire.

— Et hier, tu étais seule ?

Elle ne répondit pas. Non, la veille non plus elle n'était pas vraiment seule, mais ça, Christian le savait déjà. Un peu offusquée qu'on la mette ainsi face à ses contradictions, Mireille changea de sujet.

— Tu m'as dit cet après-midi que ce n'était pas la première fois que tu faisais le Chemin.

— C'est la troisième. La première fois, je n'ai pas fait cent kilomètres. Arrivé à Aumont-Aubrac, j'étais tellement écœuré que j'ai sauté dans le premier train et je suis rentré à Moncton.

— Pourquoi être revenu, dans ce cas-là ?

— Parce qu'une fois rendu chez moi, j'ai réalisé que j'avais goûté à quelque chose ici.

— Ah, oui ? À quoi ?

— Au plaisir de marcher.

Mireille rit à son tour. Elle n'avait pas besoin de lui dire qu'elle n'éprouvait plus le moindre plaisir à marcher.

— Chaque fois qu'on fait le Chemin, on découvre quelque chose de nouveau. Ça peut être dans le paysage, ça peut aussi être chez les gens. Mais la plupart du temps, c'est en soi-même.

— Ah, pour ça, on peut dire que j'ai découvert que je faisais des ampoules facilement. C'est la première fois de ma vie que j'en ai autant.

Il approuva d'un sourire, et Mireille remplit leurs deux verres.

— Est-ce que ça descend encore demain ?

Il secoua la tête.

— Demain, ça monte. Quatre cents mètres dont un bon bout à même la falaise.

Voyant la mine déconfite de Mireille, il posa une main sur son bras.

— Inquiète-toi pas de même. Il y a une rampe en métal vissée dans la roche. Ça donne une chance.

Mireille pensa à ses pieds. Il lui faudrait chausser ses espadrilles pour affronter une telle pente. Puis elle se rappela qu'elle avait décidé de prendre le train pour rentrer chez elle, elle s'en faisait donc pour rien. Elle jugea préférable de taire son plan. Dire à Christian qu'elle partait le lendemain risquait de gâcher la soirée. Car elle s'amusait, il fallait bien l'admettre. Elle n'attendait plus Louise. Elle n'y pensait même pas. Elle était là, dans cette pizzeria sise au fond d'un gouffre, et se sentait étrangement bien. Et pour la première fois depuis deux jours, elle ne souffrait pas.

Elle vida son verre et le remplit à nouveau.

— À ta grande générosité ! lança-t-elle en frappant doucement son verre contre celui de Christian.

— Aux rencontres insolites !

Il lui fit un clin d'œil avec son œil de chat, et Mireille se dit qu'effectivement cette rencontre était réellement insolite. Autant par l'endroit où elle avait lieu qu'à cause de cet homme étrange avec qui elle mangeait et buvait avec une insouciance tellement nouvelle qu'elle en était grisante.

* * *

— Comment tu te sens ? Pas trop mal aux pieds ?

Christian lui posa cette question au moment où ils quittaient la pizzeria. Il ne remit ni ses lunettes ni son chapeau. Le ciel était bleu marine, on devinait que le soleil avait enfin touché l'horizon, là-bas, derrière les montagnes.

— Ça m'a fait du bien de rester assise pendant deux heures.

Christian approuva.

Mireille avait fini par se réchauffer et gardait même son manteau ouvert tandis qu'ils revenaient vers la grand-rue. Au lieu de monter jusqu'au trottoir, Christian l'entraîna sur la voie ferrée. Ils marchèrent un moment en silence. L'air sentait la terre et la vie, comme au Québec après une chaude journée d'été. Il semblait y avoir bien peu d'enfants dans ce village. Sur les balcons, des vieux regardaient les voitures passer. Plusieurs surveillaient ce couple qui marchait en équilibre sur les rails.

Le gîte faisait dos au chemin de fer, mais pour y accéder, il fallut grimper une pente herbeuse et fortement escarpée. Arrivée en haut, Mireille était hors d'haleine.

— J'espère que ma sœur est rentrée, murmura-t-elle au moment où ils franchissaient la porte.

Dans la chambre à six lits, celui qu'avait choisi Louise était toujours vide. Même son sac à dos avait disparu. Mireille en ressentit un abandon tel qu'un nœud se forma dans sa poitrine. Elle dissimula sa peine en ressortant chercher les vêtements qu'elle avait mis à sécher dans la cour. Quand elle revint, Christian lisait dans le lit précédemment choisi par Louise. Sur le coup, elle n'aima pas du tout cette idée, mais elle ne put le lui reprocher. Surtout quand il posa son livre pour s'expliquer.

— Je me suis dit que puisque tu ne connais personne, je viendrais te tenir compagnie. Ta sœur est-elle arrivée, finalement ?

Mireille secoua la tête, mais ne dit mot. Elle attrapa son pyjama et sa trousse de toilette et se rendit dans la salle de bain. Penchée au-dessus de l'évier, elle se brossa les dents, le cœur serré. Ce n'est qu'en relevant la tête pour se regarder dans le miroir qu'elle réalisa que la colère tendait ses traits. Elle ne donnerait pas cher de la peau de Louise demain matin. Même qu'elle l'attendrait patiemment au gîte, et quand elle arriverait, elle lui dirait tout de go qu'elle s'en allait, qu'elle en avait par-dessus la tête qu'on la prenne pour un bouche-trou. Elle avait fini d'être celle sur qui on peut compter, mais qu'on délaisse dès qu'il se trouve quelqu'un de plus intéressant dans les environs. Ce voyage, Louise pourrait se le mettre où elle pensait. Elle, elle rentrerait chez elle.

Mireille revint vers la chambre, se glissa dans son sac de couchage, attrapa son livre et s'y absorba complètement. Grenouille travaillait maintenant chez le parfumeur Baldini, où il s'initiait à la fabrication des parfums.

— C'est bon ce que tu lis. As-tu déjà vu le film ?

Mireille leva la tête. À côté d'elle, Christian l'observait de son œil étrange.

— Oui, mais je n'ai jamais lu le livre. J'ai visité le Musée des miniatures à Lyon et…

— Moi aussi. Les décors sont vraiment réussis.

Ils parlèrent du film pendant un moment. Puis les yeux de Mireille glissèrent sur le livre que Christian avait reposé à plat sur ses genoux. Elle le reconnut aussitôt.

— Tu lis un livre de Louise Labé ?

C'était plus un constat qu'une question.

— Oui. Tu la connais ?

Mireille rit.

— Non, mais c'est le nom de ma sœur, Louise Labbé.

— Celle-là est peut-être parente avec vous autres, mais disons que l'arbre généalogique sera difficile à remonter étant donné qu'elle a vécu à Lyon dans les années 1500.

Le souvenir refit surface brutalement, comme un éclair.

— J'ai vu quelqu'un qui lisait le même livre à Lyon, il y a…

Mireille dut compter les jours. Si aujourd'hui, on était vendredi, hier, à Montbonnet, c'était jeudi. Donc, mercredi, elle dormait au Puy-en-Velay et mardi, à Lyon, et lundi aussi.

— … au début de la semaine.

— J'étais à Lyon au début de la semaine. Je suis arrivé dimanche.

Mireille l'étudia avec intérêt, mais il n'y avait rien à faire. Elle n'arrivait pas à se souvenir de l'homme qui lisait. Elle se souvenait juste du livre.

— C'était dans une traboule, dit-elle, en attendant une confirmation.

— Dans ce cas, ça devait être moi parce que je ne peux pas lire en plein soleil avec mon œil. Je m'étais trouvé une petite cour intérieure où la lumière était belle. C'était juste parfait pour lire des poèmes.

Mireille grimaça ; elle n'aimait pas la poésie. Elle était néanmoins convaincue maintenant que c'était Christian que Louise et elle avaient aperçu dans la première traboule qu'elles avaient visitée.

— *Tu penses donq, ô Lionnoise Dame, pouvoir fuir par ce moyen ma flamme : Mais non feras, j'ai subjugé les Dieux, Es bas Enfers, en la Mer et ès Cieus. Et penses-tu que n'aye tel pouvoir sur les humains, de leur faire savoir qu'il n'y a rien qui de ma main echappe ? Plus fort se pense et plus tôt je frape.*

Christian lisait, et Mireille l'écoutait, vaguement ennuyée. Elle ne comprenait rien et priait pour qu'il ne vienne pas à l'esprit de Christian de lui expliquer le sens des vers.

— Tu ne trouves pas ça beau ?

Elle ne savait que répondre. Il lui semblait qu'elle risquait de le blesser en lui disant la vérité. Elle préféra le taquiner avec une question.

— C'est en quelle langue ?

— Ben voyons, c'est du fran…

Il s'interrompit en remarquant son sourire.

— Tu ris de moi, là ?

Elle jugea inutile de répondre. La raillerie était évidente.

— Tu n'aimes pas ça ?

— Je n'y comprends rien.

Il eut une moue dubitative, referma le livre qu'il déposa sur le sol avant de mettre la tête sur l'oreiller.

— Je suppose qu'il faut avoir étudié Louise Labé à l'université pour trouver ça beau.

— Je suppose, oui.

Les autres marcheurs étaient revenus, et tous les lits étaient maintenant occupés. Quelqu'un éteignit la lumière sans s'apercevoir que Mireille lisait toujours. Elle fouilla à l'aveugle dans son sac, en ressortit sa lampe frontale qu'elle ajusta de manière à ce que les rayons n'indisposent personne. Elle venait juste de retrouver Grenouille dans l'atelier de Baldini quand Christian murmura depuis son lit :

— C'était le fun, le souper.

Elle tourna la tête vers lui et le vit fermer vivement les yeux, comme si la lumière lui avait fait mal. Elle s'excusa, éteignit sa lampe frontale et se coucha à son tour. Elle repensa au poème qu'il lui avait lu. Elle osa une dernière question à voix si basse que lui seul pouvait l'entendre.

— Qui parlait, dans le poème ?

— Quoi ?

Il avait murmuré lui aussi, si bien qu'ils avaient l'air d'adolescents rebelles dans un camp de vacances.

— Dans l'extrait que tu m'as lu, qui est celui qui parle ? Dieu ?

Il eut un petit rire discret.

— Non. C'est Cupidon.

Mireille ferma les yeux à son tour. Elle réalisa qu'elle n'avait pas pensé à Louise depuis qu'elle s'était mise au lit. Elle avait même oublié sa colère. Une idée cependant revenait en boucle dans son esprit. Non, pas une idée, une phrase plutôt. Ou une voix. *Plus fort se pense, plus tôt je frappe.*

Monistrol-d'Allier (bis)

— Bon camino !

Le jour était levé depuis un moment déjà, et les pèlerins reprenaient la marche. Ils quittaient le gîte les uns après les autres, saluant Mireille au passage. Assise sur son sac à dos à côté de la porte principale, elle les saluait en retour, un sourire crispé sur les lèvres. Qui la connaissait aurait deviné que la colère était revenue. Le front plissé, les dents serrées, les épaules raides. Ça faisait deux heures qu'elle attendait et qu'elle ruminait. Deux heures qu'elle construisait dans son esprit le discours qu'elle tiendrait à Louise quand celle-ci viendrait enfin la rejoindre.

— Bon camino !

Bon Chemin, oui ! répondait-elle sur un ton poli, mais tendu. Bon Chemin, pour vous ! Moi, c'est le train que je vais prendre dans pas longtemps. Fini pour elle ce voyage horrible où elle se savait de trop. Terminée cette marche impossible qui lui blessait les pieds. Ras le bol d'être seule, de trouver son unique réconfort chez des étrangers. Avant de s'en aller ce matin, Christian lui avait dit de s'arrêter à l'épicerie parce qu'il n'y avait pas d'autre point de ravitaillement avant Saugues. Elle l'avait remercié, lui avait promis qu'elle en tiendrait compte. Mais quand il avait été parti, elle s'était mise à jurer intérieurement. Une épicerie, elle en possédait une, à des milliers de kilomètres de là. Un commerce qu'elle négligeait pour faire plaisir à Louise qui, elle, semblait bien embarrassée, maintenant, d'avoir sa sœur sur les talons. Dire qu'elle avait laissé Jocelyn s'occuper seul non seulement du magasin, mais aussi de la rentrée scolaire! Seul aussi pour veiller sur Marc-Antoine et Marie-Ève. Des complications étaient toujours possibles dans les premiers mois d'une grossesse. Qui serait là pour réconforter les jeunes dans l'éventualité d'une fausse couche? Pas elle. Elle, Mireille, traînait un sac à dos sur une route du bout du monde pour... Pour quoi, finalement? De toute évidence, Louise n'avait plus besoin d'elle. C'était décidé! Quand Louise arriverait, elle lui balancerait, avec toute sa hargne: «Fini! Arrange-toi toute seule avec ton Chemin, moi, je m'en vais!»

Oui, tout était fin prêt dans sa tête. Comme dans son sac d'ailleurs. En ramassant ses affaires, ce matin, elle avait tout rangé avec des gestes brusques. Elle n'en pouvait plus de porter jour après jour les mêmes vêtements, de faire sa lessive tous les soirs. Bientôt, elle s'en irait à la gare, achèterait un billet de train. *That's it!*

— Bon camino!

Le gîte devait être à peu près vide maintenant. Mireille n'avait pas compté le nombre de salutations, mais elle pensait bien avoir vu tout le monde. Elle sursauta donc quand la porte s'ouvrit de nouveau.

— Ça va?

Elle regarda avec étonnement la Française qui venait de s'enquérir de son état au lieu de passer son chemin. Elle devait bien avoir une cinquantaine d'années. Son mari vérifiait les sangles et refaisait les ajustements de son sac à dos.

— J'attends ma sœur.

— J'espère qu'elle viendra bientôt parce que, vous savez, il fera chaud aujourd'hui.

Mireille hocha la tête. Pas question de dire qu'elle abandonnait. Elle aurait l'air d'une perdante, d'une faible.

— Elle ne devrait plus tarder.

— Dans ce cas, bon camino, chère dame!

— Bon camino !

Cette fois, le souhait de Mireille avait été sincère. Elle regardait ce couple s'en aller. Ils avaient l'air heureux et habitués à ce genre de randonnées. Elle pensa à Jocelyn. Comme ce sera bon de le retrouver !

Elle suivait encore le couple des yeux quand Louise apparut au loin. Elle s'en venait seule, sans son sac à dos. Tom devait l'attendre à l'hôtel. Il avait sans doute rempli les gourdes, acheté des provisions pour la route. Pff! Mireille se leva et se dirigea vers sa sœur. Elle était encore à une vingtaine de pas quand elle remarqua sur son visage un air trop tendu pour être naturel. Louise avait beau essayer de se retenir, le sourire qui lui étirait les lèvres en permanence la rendait ridicule.

Mireille repensa à ces phrases répétées en boucle depuis le déjeuner et, quand Louise fut à portée de voix, elle sortit sa première flèche.

— C'était cruel de me laisser toute seule hier soir. Et c'était encore plus cruel de venir chercher ton sac à dos pendant que j'étais sortie souper. Comment penses-tu que je me suis sentie quand je suis revenue et que j'ai découvert que tu étais partie ? Je ne savais même pas où tu étais ! As-tu imaginé deux secondes l'inquiétude que tu me causais ?

Louise se laissa mitrailler. Mireille s'attendait à la voir s'opposer et répliquer, comme elle le faisait d'habitude. Quelle ne fut pas sa surprise de l'entendre soudain s'excuser !

— Je ne pouvais pas lui dire non, Mimi. Je l'aime, comprends-tu ? Et lui aussi m'aime.

— Alors je vais vous laisser en amoureux !

— C'est justement ce que je m'en venais te dire. On part. Tom est allé acheter deux billets de train ce matin.

La surprise fut telle que Mireille demeura un long moment la bouche ouverte, les épaules affaissées, les yeux écarquillés.

— Ben là !

Ce fut tout ce qu'elle eut le temps de dire. Louise devint soudain intarissable.

— Je n'ai jamais senti ça avant, Mimi. C'est tellement fort ! Tellement merveilleux ! J'ai l'impression que je pourrais grimper une montagne sans même me fatiguer.

De fait, Louise paraissait régénérée, alors que Mireille, elle, avait l'impression que tout le poids du monde venait de s'abattre sur elle.

— Je sais que tu es venue jusqu'ici pour moi et que tu vas être fâchée que je m'en aille, mais je ne peux juste pas lui dire non. Et puis je n'en ai pas envie. Je veux être avec lui. On va se rendre à Clermont-Ferrand et après, on va prendre l'avion pour Londres. Il m'amène chez lui, Mimi. Y penses-tu ? Un vrai Anglais qui est aussi amoureux de moi que je le suis de lui.

Mireille n'arrivait pas à le croire. Elle aurait aimé lui rappeler qu'elle était ici parce que Louise le lui avait demandé, mais Louise, justement, venait d'admettre qu'elle avait conscience de la décevoir, mais qu'elle n'y pouvait rien. Que restait-il à lui reprocher ? Elle pensa à lui souligner qu'elle ne pouvait pas l'abandonner ici en pays étranger, mais Louise venait justement de dire que c'était ce qu'elle allait faire. Elle s'en excusait d'avance, mais expliquait que c'était plus fort qu'elle. L'amour avait pris le dessus, le contrôle de sa vie, de son esprit, de son cerveau. Elle ne pensait plus, elle vivait. Et elle vivrait son grand amour sans Mireille et loin de cette route où, pourtant, elle avait rêvé de marcher pendant les six derniers mois.

— Bon. Il faut que je te laisse. Tom m'attend. Je te souhaite bon courage, Mimi. Tu es tellement bien organisée et préparée, tu n'auras pas de misère à continuer sans moi.

Elle la serra dans ses bras.

— Je suis tellement heureuse, Mimi. Si tu savais ! Bon camino, ma sœur ! Un très bon camino !

Sur ce, et sans laisser à Mireille le temps de réaliser ce qui lui arrivait, Louise tourna les talons.

Debout sur le trottoir, tellement ahurie qu'elle en avait encore le souffle coupé, Mireille la regarda s'éloigner d'un pas dansant. Elle sautillait presque, tellement elle transpirait le bonheur. Et au lieu de l'enrager comme ça aurait dû le faire, ce départ laissa Mireille songeuse. Démolie, mais songeuse. Et seule, encore une fois.

Le choc passé, elle lui emboîta le pas dans l'espoir de la rattraper. Elle constata bien vite que la distance entre elles grandissait de minute en minute. Alourdie par son sac et ralentie par ses douleurs aux pieds, Mireille marchait lentement. Devant, Louise ne semblait pas toucher le trottoir. Elle retournait vers son amoureux, le cœur léger, soulagée du poids que sa sœur faisait peser sur elle depuis le début du voyage. Mireille en avait conscience, et ça la bouleversait.

Elle la suivit sur le pont, puis à travers le village en faisant le maximum pour la rejoindre. Puis, quand Louise ne fut plus qu'à une dizaine de mètres, elle la héla.

— Louise, attends !

Louise s'arrêta net, surprise de trouver sa sœur si près derrière.

— Qu'est-ce qu'il y a ?

— Qu'est-ce qu'il y a !

Mireille lui récita tous les reproches qu'elle avait à lui faire depuis le départ et qu'elle avait appris par cœur depuis son réveil ce matin-là. Louise l'écouta, visiblement étonnée d'être la source de tant de fiel.

— Je sais que je te déçois et j'espère que tu me pardonneras, mais je m'en vais. Toi, tu peux continuer si tu veux ou rentrer si c'est ça que tu préfères. Je n'ai plus besoin de toi.

Je n'ai plus besoin de toi. Ces mots lui firent si mal que Mireille ne put faire le moindre geste quand Louise s'en alla de nouveau. Elle réalisa qu'il lui fallait s'asseoir pour digérer ce qui lui arrivait. Par chance, de l'autre côté de la rue, elle vit un homme retourner un panneau « Ouvert » sur la porte d'un bar. Mireille s'y engouffra.

Il n'y avait pas un client à l'intérieur. Évidemment ! Il n'était même pas encore 10 heures ! Mireille ôta son sac, qui semblait chargé de pierres, s'assit sur un tabouret et se commanda un petit café. Elle regarda sans le voir le serveur s'activer à sa machine à expresso. Le bruit du moteur lui sembla insupportable.

Elle but son café en ruminant. Elle avait le choix, comme l'avait si bien dit Louise. Elle pouvait rentrer au Québec ou continuer sur le Chemin. Continuer, ça voulait dire marcher seule. Marcher seule ! Ça ne ferait pas tellement changement du début du voyage ! Partir, ça voulait dire prendre le train… avec Louise et Tom. Non. Elle ne prendrait pas le train avec eux. Il y a des limites à s'humilier. Elle partirait demain plutôt. Oui, c'est cela. Elle se trouverait un hôtel pour ce soir et attendrait que sa sœur et sa nouvelle flamme soient loin avant de monter dans un train. Elle attrapa son guide de voyage et demanda au serveur la permission d'utiliser son téléphone.

— C'est pour appeler les hôtels du village, dit-elle pour qu'il ne pense pas qu'elle allait faire un interurbain. Je me cherche une chambre pour ce soir.

Il rit.

— Bonne chance, madame ! Il y a un mariage ce soir, au village. Toutes les chambres seront prises. Je pense bien que seuls les pèlerins qui ont fait une réservation auront une place. Les autres devront se contenter du camping.

Mireille ne se laissa pas décourager et signala le premier numéro. On lui répondit que l'hôtel était plein. Elle téléphona encore et reçut la même réponse. Un troisième et un quatrième coup de fil la convainquirent qu'elle perdait son temps. Elle reposa le combiné.

Elle paya le café, endossa son sac et sortit. Une odeur de pain frais l'enveloppa d'un coup. De l'autre côté de la rue, la boulangerie faisait également office d'épicerie. Elle repensa à Jocelyn. Il la comprendrait de rentrer après avoir été si cavalièrement abandonnée. Mais il serait peut-être aussi déçu d'elle. Et Joshua qui avait fouillé dans ses affaires pour lui trouver le cadeau de voyage idéal. Et Marc-Antoine qui l'avait comparée à Bilbo le Hobbit. Si elle rentrait au bout de quelques jours, après un premier écueil, ils la jugeraient faible, incapable de surmonter le moindre obstacle.

Pourtant, elle n'avait pas choisi ce voyage. Elle était venue pour faire plaisir à Louise, pour ne pas la laisser seule. C'était elle, maintenant, qui se retrouvait seule.

— Mireille, l'interpella soudain une voix qu'elle connaissait bien. Que je suis contente de te voir ! Je pensais que tout le monde serait parti.

Mireille pivota et se retrouva face à Viviane.

— Je m'en venais justement acheter quelques provisions. Le guide dit qu'il n'y a aucun autre point de ravitaillement jusqu'à Saugues.

— Je sais.

— Tu t'en allais là, toi aussi ? Ça tombe bien. Si tu veux, on pourrait s'acheter un beau morceau de fromage pour dîner. Avec une baguette aussi. Et je pense que j'ai vu des fraises hier soir, en passant. Et des mirabelles. Tu sais, les petites prunes jaunes…

Les images se superposèrent d'un coup. La rue piétonne au Puy-en-Velay, la patronne du café qui dénoyautait des prunes jaunes comme le faisait la jeune fille dans *Le parfum*. Et l'homme qui était apparu derrière elle pour lui demander où il pouvait en acheter. Cet homme, avec ses lunettes et son chapeau, c'était Christian.

Après s'être sentie ignorée par la planète tout entière, Mireille eut l'impression que quelqu'un, quelque part, veillait sur elle et avait mis sur son chemin Viviane et Christian. Monistrol-d'Allier lui parut moins lugubre, et sa situation, moins désespérée. Sa colère s'effaça d'un coup. Son indécision aussi.

Elle leur montrerait, à eux tous, de quoi elle était capable ! Après tout, si Viviane, qui aurait pu être sa fille, voyageait en solo, pourquoi pas elle ?

Elle offrit à Viviane un sourire qui en disait long. Tant qu'à être à l'autre bout du monde, aussi bien en profiter.

De Monistrol-d'Allier à Saugues

Il est difficile d'évaluer la hauteur d'une falaise tant qu'on n'en a pas atteint le sommet. Chose certaine, la paroi se dressait parfaitement à la verticale, au moins aussi imposante que les chutes du Niagara.

Tantôt de gravier, tantôt de pierres, tantôt de terre compactée retenue par des bouts de bois pour former des marches, un méchant petit chemin zigzaguait avec force virages en épingle. D'un côté, un garde-corps donnait l'illusion de vous protéger du vide. De l'autre, une main courante apparaissait, de temps en temps, vissée dans la paroi. Une main courante ! C'est dire combien la pente était raide ! Tout en bas, le village de Monistrol-d'Allier se déployait, avec ses toits de tuiles et ses maisons de pierre. Il étirait ses rues de part et d'autre de la rivière. Au-delà, la forêt se découpait sur le gris du jour. Mais Mireille ne regardait pas en bas. Le vertige la tenaillait, tant à cause de la hauteur qu'à cause de la pluie qui tombait depuis une quinzaine de minutes et qui rendait le sentier glissant. L'idée de perdre pied et de plonger pour s'écraser sur les rochers en contrebas la hantait au moins autant que la rancœur qu'elle ressassait sans relâche.

Elle s'accrochait aux mains courantes, les unes après les autres, et jurait entre ses dents quand la tige de métal disparaissait l'espace de quelques mètres. Dans ces moments-là, elle avançait penchée vers l'avant, non pas parce qu'elle se sentait écrasée sous le poids du sac, mais parce qu'il lui semblait plus sûr de rapprocher du sol son centre de gravité.

Elle suait comme rarement elle avait sué dans sa vie, même s'il pleuvait. L'eau qui lui coulait sur le front lui brûlait les yeux et lui dégoulinait en sillons sur les joues et jusqu'au menton. Elle y avait goûté du bout de la langue. C'était tiède et salé. Assurément pas de la pluie. Dans ses chaussures déjà humides, ses ampoules avaient recommencé à brûler.

Or, même si Mireille vivait physiquement l'enfer, toute son attention se portait sur la colère qui l'étranglait. Sa sœur l'avait abandonnée pour un *trip de cul*. C'était grossier de penser comme ça, de le penser en ces termes, surtout. Mais Mireille ne trouvait pas de mots plus sobres pour exprimer la chose. Et il n'y avait pas d'autre image dans son esprit.

Viviane et elle avaient traversé le village ensemble en jasant de tout et de rien. Mireille avait fait attention de ne pas mentionner le nom de sa sœur. De toute façon, Viviane avait passé une mauvaise nuit. Elle avait donc profité des silences de sa compagne pour se vider le cœur. Sa frustration à elle se portait sur Karel. Karel qui n'avait rien de charmant quand on s'y intéressait assez longtemps. Il se plaignait de tout, était pingre comme pas un et passait son temps à comparer ce qu'il voyait autour de lui avec ce qu'il avait laissé chez lui en Allemagne. Et, pire que tout, il considérait que Louise, Mireille et Viviane étaient des Américaines. Cette nouvelle avait fait sourire Mireille. Elles, Américaines ? Mieux valait en rire. Mais voilà, c'était exactement ce que s'était dit Viviane, qui n'avait donc pas jugé bon de rectifier la situation. Avaient-ils fait l'amour ? Mireille n'en sut jamais rien. Ce qu'elle apprit, en revanche, c'était que Karel avait passé la soirée à corriger l'anglais de Viviane.

— On ne dit pas *kiLOmeter*, mais *kiloMEter*.

À l'oreille de Viviane, comme à l'oreille de Mireille quelques heures plus tard, cette distinction ne changeait rien du tout. Ils auraient à parcourir treize kilomètres ce jour-là avec une très forte montée dès le départ. Qu'on accentue la deuxième ou la troisième syllabe du mot *kilometer* n'y changeait rien. Mais Karel avait insisté et y était revenu tellement souvent que Viviane, à bout de nerfs, l'avait planté là dans leur chambre d'hôtel en lui promettant que plus jamais elle ne l'attendrait.

— S'il ne s'est pas entraîné avant de partir, avait lancé Viviane alors que les deux femmes s'attaquaient à la falaise, c'est son problème. Il n'est plus question pour moi d'en avoir pitié ni d'endurer son chialage à longueur de journée. Il fera porter ses bagages jusqu'à Saugues ou bien rentrera en Allemagne. Moi, je m'en fiche. Je l'ai sorti de ma vie une fois pour toutes.

Les deux femmes avaient marché côte à côte pendant un moment, puis Viviane, jugeant que Mireille ne marchait pas assez vite à son goût, avait pris de l'avance.

— Tu comprends, je ne veux vraiment pas qu'il me rejoigne. J'en ai assez de lui.

À bout de souffle, Mireille l'avait laissée s'en aller et s'était arrêtée devant la chapelle troglodyte érigée à mi-paroi. Elle y serait peut-être encore si les événements de la veille et ceux du matin ne lui étaient revenus. Le fiel lui avait donné l'énergie nécessaire pour reprendre l'ascension.

Depuis le départ de Viviane, Mireille s'était souvent fait dépasser. Par des marcheurs plus jeunes, surtout. Chacune de ces rencontres lui servait une leçon d'humilité. Quand on peine à mettre un pied devant l'autre, quand on transpire au point d'en avoir de la sueur dans les yeux, quand le sac à dos qu'on trimballe depuis trois jours semble soudain peser cinq kilos de plus et quand on se dit qu'on aurait peut-être dû prendre le train et rentrer chez soi, alors qu'on avait décidé le contraire au pied de la pente, on est en droit de se poser des questions. Et de tirer des conclusions. Non, Mireille n'était pas en forme et elle n'avait plus vingt ans.

Elle fit une nouvelle pause dans ce qui semblait être, du moins l'espérait-elle, la dernière courbe en épingle. D'autres pèlerins venaient de faire leur apparition tout juste derrière elle. Ils la saluèrent sans s'arrêter. « Bon camino ! » par-ci, « Bon camino ! » par-là. Ils marchaient tellement vite que Mireille les perdit de vue au bout de quelques minutes à cause… d'un autre crochet dans le sentier ! Celui-là, était-ce le dernier ? Il semblait que oui. La falaise s'effaçait devant un ciel toujours gris et bas. Mireille crut voir l'ombre d'un bâtiment. Avait-elle enfin atteint le village d'Escluzels ? Elle l'espérait parce que, toute à sa mauvaise humeur, elle savait qu'il n'en faudrait pas beaucoup pour l'inciter à faire demi-tour. Un autre virage suffirait. Ou une autre paroi d'une trentaine de mètres.

Elle inspira, jeta de nouveau un regard vers le bas. De l'autre côté du pont de fer, Louise et Tom attendaient sans doute le train dans une gare déserte. Elle imagina le couple enlacé, et une autre conclusion jaillit dans son esprit. Une conclusion qui lui fit encore plus mal que celles qui concernaient son âge et sa forme physique. Elle se détourna brusquement et gravit à grandes enjambées ce qui restait du sentier. Pas question de pleurer une seconde de plus sur le lien que sa sœur venait de briser. Il fallait avoir des priorités dans la vie. Visiblement, Louise et elle n'avaient pas les mêmes.

* * *

Traverser Escluzels ne prit même pas cinq minutes tant le village était petit. Le soleil perça les nuages au moment où Mireille s'engageait sur un chemin rocailleux. C'est avec soulagement qu'elle aperçut un muret de pierres effritées. Elle s'y arrêta, retira son sac et s'assit sur la roche. Et étrangement, un sourire illumina son visage. Ce n'était pas un sourire de bonheur. Ah, ça non ! La colère sourdait encore, elle le sentait. Ce n'était pas non plus un sourire de bien-être. Ses pieds la torturaient et, le corps en nage, elle frissonnait dans la brise. Les courroies du sac à dos avaient laissé des marques douloureuses sur ses épaules. De plus, elle était épuisée et affamée. Il fallait donc chercher ailleurs la source du sourire énigmatique qu'elle n'arrivait pas à réprimer.

Elle fouilla dans son sac, en sortit une collation, un jus, un crayon et ce carnet acheté à Lyon et qu'elle n'avait pas encore ouvert. D'un geste machinal, comme guidée par une personne qu'elle ne voyait pas, mais qu'elle entendait dans sa tête, elle fit glisser son crayon sur le papier. Les mots « Enfin seule » se tracèrent d'eux-mêmes. Elle fut surprise de les voir apparaître noir sur blanc en haut de la page. Elle réalisa alors que ce qu'elle ressentait ressemblait à s'y méprendre à du soulagement. Du soulagement ? Était-ce possible ? Elle n'avait pas voulu venir ici. Elle avait fait tout ce qui était en son pouvoir pour résister à Louise, à ses arguments sournois, à la pitié qu'elle ressentait pour elle. Il lui avait fallu affronter la culpabilité qui la submergeait à l'idée d'abandonner Marc-Antoine avec sa paternité prochaine, Frédérick et sa délinquance latente, et Joshua, dont la santé vacillante l'avait depuis toujours gardée sur les nerfs. Il lui avait fallu planifier les paies un mois et demi à l'avance, confier aux gérants des tâches supplémentaires et exiger de Jocelyn un engagement plus grand que d'habitude. Elle avait fait tout ça pour sa sœur, mais voilà qu'elle réalisait qu'en laissant derrière ses responsabilités quotidiennes, elle s'était libérée, du moins temporairement, d'un poids qu'elle n'avait même jamais remarqué. Ce n'est qu'après avoir gravi cette damnée falaise qu'elle réalisait à quel point les préparatifs de ce voyage, de même que le départ de Louise, lui avaient permis de faire le ménage dans son esprit. Elle se sentait tout à coup légère. Aussi légère que cette brise qui asséchait la sueur versée pendant l'ascension.

Étrangement, ses pieds cessèrent de lui faire mal. Elle tendit le bras et souleva le sac. Il lui parut allégé.

Elle eut l'impression de commencer maintenant son voyage. Comme si tout ce qui avait précédé n'avait été que préambule, une sorte de long prologue qui devait la conduire là, sur ce mur poli par le vent, sous ce soleil soudainement si radieux qu'il exigeait un sourire. Au pied de la pente gravillonnée, le village nommé Escluzels prenait vie. D'autres pèlerins venaient de surgir devant l'église. La brise sentait bon l'herbe et l'air frais. De temps en temps, un nuage offrait un répit, permettant à Mireille d'ouvrir grand les yeux pour absorber tout ce que la nature avait à lui offrir. Parfait. Oui, on aurait dit que ce moment était parfait. Ici, elle n'était personne. Elle n'était nulle part, ni dans l'espace ni dans le temps. Elle n'était pas non plus joignable. Elle était simplement là, baignée dans la lumière de cette fin d'avant-midi, heureuse sans raison, alors que moins de trente minutes plus tôt, elle rageait. Gravir une paroi pouvait-il affecter quelqu'un à ce point ?

Mireille s'aperçut que sa respiration avait ralenti. Son souffle gonflait à plein sa cage thoracique. Que l'air sentait bon ! Que ce vent était doux ! Que ce soleil était beau ! Et que dire du paysage qui s'étendait à ses pieds ? Elle se trouvait sur un plateau qui dominait toute la vallée. Elle se dit que Bilbo n'aurait pas dédaigné marcher dans cette contrée. Cette idée lui rappela encore une fois ses fils. Ils lui manquèrent soudain, tous les trois, mais elle se rappela les dernières conversations qu'elle avait eues avec chacun d'eux. Ils étaient bien fiers d'elle. Ils la trouvaient courageuse de se lancer dans cette aventure. Ils l'enviaient, à leur façon. Et Jocelyn aussi.

Elle termina ses noix et son jus et, après un dernier regard vers le village et la vallée, elle se tourna vers l'ouest. Là, le sentier s'enfonçait dans les bois. Elle sortit son guide, examina le tracé sur la carte. La route montait en lacet, moins à pic que dans la falaise, mais plus longue. Ses yeux se posèrent sur le nom Monistrol-d'Allier, inscrit en noir au milieu des lignes altimétriques de la carte. Elle pouvait encore faire demi-tour si elle le voulait. Faire demi-tour ? Pas question ! C'est de l'avant qu'il fallait aller.

Elle enfouit ses déchets dans une poche, endossa son sac et remit un pied devant l'autre. Au loin, par-delà le bois se trouvait Montaure.

* * *

Elle marchait depuis une heure, la tête penchée vers l'avant. Le rebord de son chapeau formait un écran qui voilait ce qui se trouvait devant, mais ça ne la dérangeait pas. Inutile d'avoir le nez en l'air, c'est par terre qu'il faut regarder pour ne pas trébucher. Le gravier, instable et glissant, pouvait provoquer une foulure, on le lui avait bien expliqué lors de la rencontre préparatoire. Le sentier montait encore, sillonnant la forêt de gauche à droite en un zigzag souple.

L'euphorie qui l'habitait en haut de la falaise avait fait place à une sorte d'engourdissement. Mireille avançait, l'esprit au neutre. Elle pensait à tout et ne pensait à rien. À un certain moment, elle s'était dit qu'il faudrait au moins noter la date dans son carnet et avait réalisé qu'elle ne la savait pas. Il lui avait fallu recompter les jours depuis son départ en se basant sur le souvenir des nuits à l'hôtel pour conclure qu'on était samedi. Tu parles d'une étourdie ! Jamais de sa vie le temps ne lui avait paru aussi diffus que depuis qu'elle avait entrepris ce voyage. Déjà à Lyon, le temps lui avait semblé différent. Mais depuis ce matin, on aurait dit qu'elle possédait encore moins de points de repère que la veille. Comme si, en partant, Louise avait emporté avec elle l'horloge interne de Mireille, celle avec laquelle elle avait toujours gardé le compte des jours, des semaines et des mois pour le bien de sa famille, mais aussi pour le sien. Or, tandis que crissait maintenant le gravier sous ses pieds, les minutes s'égrenaient dans un flou si étrange qu'il lui donnait le vertige. Pour savoir depuis combien de temps elle marchait, il lui fallait absolument consulter sa montre.

Le soleil avait disparu depuis un moment déjà. Plongée dans la grisaille, la forêt retentit soudain du grésillement de la pluie. Mireille s'arrêta, allongea machinalement un bras vers une poche de son sac à dos pour sortir son poncho. Elle n'avait pas encore tiré sur le velcro quand elle aperçut, du coin de l'œil, un mouvement dans les fourrés. Levant la tête, elle se figea et eut, pendant une fraction de seconde, la certitude de rêver.

Ce grésillement qu'elle avait pris pour de la pluie n'avait, en réalité, rien à voir avec la météo. Car il ne pleuvait pas. Pas même une goutte. Ce qu'elle entendait, c'était le bruit que font les moutons qui broutent dans les buissons. Il y en avait une trentaine, peut-être même davantage, mais d'où elle se trouvait, Mireille ne les voyait pas tous. Elle les entendait cependant, et il y en avait partout, de chaque côté du sentier jusque loin dans le sous-bois. Ils étaient énormes et couverts d'une laine grise et épaisse. Et, chose surprenante, ils ne lui prêtaient pas la moindre attention.

Elle demeura un moment immobile à les regarder manger, à la fois incrédule et émerveillée. Elle était seule, en pleine forêt, entourée de moutons, comme dans un film… ou comme dans un rêve. Elle se dit qu'elle aurait dû avoir peur, à tout le moins s'inquiéter de se trouver, comme ça, dans la nature, encerclée par les animaux. Mais elle n'avait pas peur. L'émotion qui l'habitait n'avait pas non plus à voir avec ce qu'on ressentait au Québec en apercevant des vaches dans la campagne qui borde les autoroutes. Les vaches de la campagne québécoise faisaient partie du décor. On ne les approchait pas. On n'avait même pas idée de les approcher. Ici, Mireille n'avait qu'à tendre le bras pour toucher la toison du mouton le plus proche.

— Bonjour! lui lança tout à coup un homme âgé, sans doute le berger.

Elle ne l'avait pas vu arriver, alors il lui sembla être apparu comme un fantôme.

— Vous n'avez pas peur de voyager seule, ma petite dame?

Depuis le départ de Louise, Mireille n'avait pas encore eu le temps de réaliser ce qui lui arrivait. En fait, elle n'avait pas l'impression de voyager seule. Comme pour lui donner raison, une demi-douzaine de pèlerins apparurent derrière elle, après un détour du sentier.

— Mais je ne voyage pas seule, monsieur, lança-t-elle au berger. Mon amie est plus loin en avant.

Puis, comme si elle sentait le besoin de se justifier, elle ajouta:

— De toute façon, on n'est jamais seule sur la route de Compostelle.

De cela, elle avait la certitude parce qu'elle l'avait expérimenté à maintes reprises depuis son départ. Sur le Chemin, on ne goûtait à la solitude que si on la cherchait.

Les pèlerins les dépassèrent. Ils eurent pour elle le traditionnel «Bon camino!» et, pour le vieil homme, une salutation ordinaire. Mireille leur emboîta le pas.

— Soyez quand même prudente, madame.

Mireille rit.

— Promis, monsieur.

L'homme disparut comme il était venu.

Saugues

Les bulles d'euphorie qui avaient meublé la matinée disparurent quand le soleil surgit pour de bon. Quelques heures plus tard, Mireille atteignait Saugues en sueur et les pieds en sang. Elle ne s'attarda pas à la sculpture de la bête du Gévaudan qui trônait à l'entrée de la ville. Elle ne prêta pas non plus attention aux marcheurs qui la saluaient tandis qu'elle s'enfonçait dans les premières rues. Elle n'avait qu'une idée en tête : atteindre son hôtel au plus vite, se faire couler un bain pour s'y faire tremper jusqu'à oublier où elle était et ce qu'elle y faisait. Elle avait maintes fois béni le jour où on lui avait conseillé de réserver ses chambres d'hôtel. Elle marchait donc avec la confiance de celle qui sait que son calvaire achève.

Elle avait mal au dos, mal aux jambes, mal aux pieds. Ses cheveux lui collaient au crâne sous ce chapeau qui ne laissait pas passer l'air. Elle était de nouveau en colère contre Louise, contre elle-même et contre la terre entière. Ce sac à dos pesait une tonne, et, à cause de l'humidité dont étaient imprégnés ses vêtements, les courroies avaient eu amplement le temps de lui lacérer les épaules et les reins. Tout cela avait contribué, quelque part au milieu de l'après-midi, à lui faire prendre la grande décision. Mireille allait quitter cette route d'enfer. L'idée de ce retour imminent lui avait donné l'énergie nécessaire pour terminer l'étape jusqu'à Saugues. Ça, et la perspective d'un bain, évidemment. Elle en rêvait déjà, si bien que, lorsqu'elle reconnut le nom de l'hôtel sur une façade, elle accéléra, traversa la terrasse sans saluer personne et se planta devant le comptoir de la réception.

Comme il n'y avait personne, elle appuya sur la cloche. Le tintement retentit, et une voix de femme lui parvint depuis une pièce tout au fond.

— Ça va ! Ça va ! Je vous ai entendue !

Quand la femme apparut, manifestant son irritation par de bruyants soupirs, Mireille se dit que sonner la cloche avait finalement été une mauvaise idée.

— Qu'est-ce que vous voulez ?

Le ton était brusque, impatient. Mireille sortit la feuille sur laquelle était imprimée la confirmation de sa réservation.

— J'ai réservé une chambre depuis le Canada.

— Votre nom ?

Le ton était toujours aussi bourru. Mireille se présenta et s'efforça de rendre apparente l'autorité qu'elle avait l'habitude de dégager quand elle était au Québec. Elle se tint droite, les épaules reculées, et s'adressa à la patronne avec assurance.

— J'aimerais une chambre avec une baignoire, s'il vous plaît.

— Il n'y en a…

— Maman, les mariés sont arrivés !

Ce cri, lancé depuis une pièce adjacente, fit sursauter la patronne qui s'exclama, plus irritée encore :

— Ah, non ! Il est bien trop tôt !

Elle pivota et s'éloigna vers une porte qui donnait sur une grande salle. Mireille eut le temps d'apercevoir des tables où on avait dressé des couverts de réception, avec verres à vin et argenterie.

— Va t'occuper de la dame, s'écria encore la femme en poussant dans le dos d'un homme qui devait être son fils… ou son esclave.

Celui-ci attendit que la porte soit refermée avant de secouer la tête, l'air désolé. Puis il s'approcha de Mireille. Il était grand, mince et mignon. Mireille lui donnait la trentaine avancée.

— Bonjour, madame. Vous avez une réservation ?

Elle lui tendit la feuille.

— Bienvenue à Saugues, madame Labbé.

— Merci. Quand j'ai téléphoné du Canada, j'ai oublié de préciser que je voulais une baignoire et non une douche.

— Attendez…

Il feuilleta un carnet avant de relever la tête, triomphant.

— Il me reste justement une chambre avec baignoire, et le couple qui l'a réservée n'est pas encore arrivé. Comme ils n'ont rien demandé de particulier, j'en conclus que ça leur est égal.

Il tendit à Mireille la petite fiche qu'elle compléta avec le sourire aux lèvres pendant qu'il facturait la transaction sur sa carte de crédit. Il lui remit la clé, lui indiqua le chemin et lui souhaita une belle soirée.

Elle venait tout juste d'atteindre le palier quand la voix de la femme retentit au rez-de-chaussée.

— Mais qu'est-ce que tu as fait ?

L'homme raconta à sa mère la transaction qu'il venait d'effectuer. Elle le traita de tous les noms, et Mireille l'imagina lui assenant une tape derrière la tête comme si c'était encore un enfant.

— Mais à ce que je vois ici, elle est toute seule !

— Euh, oui, apparemment.

— Et tu lui as donné notre plus grande chambre alors qu'elle n'est même pas accompagnée ?

— Qu'est-ce que ça change ? Elle paie la même chose.

— Mais où diable as-tu appris le métier ? Ce n'est certainement pas moi qui te l'ai enseigné ! Pour ce prix, justement, tu aurais pu loger la dame dans la numéro quatre. Comme ça, on aurait pu louer la grande chambre à un couple. Maintenant, il nous faudra refuser les couples et attendre une personne seule.

— Elle voulait une baignoire.

— Elle voulait une baignoire ! Et puis quoi, encore ? On laisse des clients à la rue parce que *Madame* voulait une baignoire. Quel nigaud !

Mireille sentit poindre la culpabilité. Elle tourna la clé dans la serrure en se disant que c'était une bonne chose, finalement, que ce voyage se termine ici. Ce soir, elle annulerait toutes les réservations, et c'en serait terminé des admonestations de ce genre.

* * *

Il faisait encore chaud quand, reposée et rafraîchie, Mireille sortit de l'hôtel. Elle était toujours aussi déterminée à mettre un terme à ce voyage et, pour éviter d'avoir à s'expliquer devant d'autres pèlerins, elle avait décidé de souper dans sa chambre. Elle partit donc en quête d'une épicerie… qu'elle découvrit un coin de rue plus loin. Les portes étaient grandes ouvertes, et un présentoir offrait à la vue des passants des fruits et des légumes frais. Mireille se choisit des prunes, des fraises, et, une fois à l'intérieur, demanda à ce qu'on lui coupe un morceau de fromage. Avec la baguette qu'elle achèterait chez le boulanger avant de rentrer, cela lui ferait un souper à son goût. Elle avait payé et venait tout juste de sortir lorsqu'elle reconnut un client occupé à se choisir des prunes. Il portait un grand chapeau et une paire de lunettes de soleil et ne l'avait pas encore remarquée. Elle pressa le pas, en vain.

— Bonjour, Mireille. Comment s'est passée ta journée ? As-tu fini par retrouver ta sœur ?

Il était maintenant impossible de se sauver comme si elle ne l'avait pas vu. Elle s'arrêta, se tourna vers l'Acadien avec lequel elle avait soupé la veille et réalisa que sa mémoire lui faisait défaut. Elle n'arrivait plus à se souvenir de son nom. Devinant son trouble, l'autre éclata de rire.

— C'est Christian. Inquiète-toi pas. Ça arrive souvent sur le Chemin parce qu'on rencontre beaucoup de monde.

— Toi, pourtant, tu n'as pas oublié mon nom.

— Moi, c'est différent.

— Ah, oui ? Pourquoi ?

Elle s'était approchée. Tant qu'à ne plus pouvoir fuir, aussi bien profiter de la bonne compagnie. Et Christian, comme elle l'avait découvert la veille, était vraiment de bonne compagnie.

— Tu ressembles un peu à ma sœur.

Elle rit, et il rit avec elle. Il désigna les sandales qu'elle avait aux pieds et l'interrogea sur le type de bandages qu'elle avait refait. Mireille rougit. Elle ne s'habituait pas à l'idée de porter des chaussettes dans ses sandales. C'était tellement peu élégant ! Quant aux bandages, il lui avait fallu quarante-cinq minutes pour nettoyer les plaies et refaire les pansements.

— Tu sais, si tu fais autant d'ampoules, c'est parce que tu transpires trop dans tes espadrilles.

Elle leva un pied pour lui montrer ses sandales.

— Tu penses bien que je ne peux pas marcher toute la journée avec des sandales comme celles-là. J'ai failli me fouler une cheville dans la dernière descente avant Monistrol.

— Il y a un magasin de chaussures, pas très loin de l'église. Je le sais, j'y ai acheté des espadrilles la première fois que j'ai fait le Chemin. Chez nous, on m'avait vendu des bottes. Mauvais calcul. Elles étaient trop lourdes, et mes pieds ne respiraient pas. Je me souviens qu'il y avait des sandales de marche. Des vraies, je veux dire. Pas comme celles que tu portes. Peut-être que tu devrais aller y faire un tour… si tu as assez d'argent, naturellement, parce que cette boutique-là n'est pas apparue à Saugues par accident… Si tu vois ce que je veux dire.

Mireille voyait très bien. Saugues, c'était la troisième étape. Le marcheur mal chaussé avait compris, à ce point-ci de son voyage, s'il portait ou non les bonnes chaussures. Si ce n'était pas le cas, il lui en fallait d'autres. Les gens de Saugues le savaient et l'attendaient.

Mais comme Mireille n'avait pas l'intention de continuer la route, elle dit seulement qu'elle y penserait.

— C'était toute une côte qu'on a eue à monter pour sortir de Monistrol ! Ça n'a pas dû aider tes pieds.

— Pas vraiment, non.

— Tu manges où ?

Il lui avait posé la question sur le même ton que la veille, mais cette fois, Mireille ne pouvait accepter de le suivre. Si c'était facile d'éviter de parler de son départ imminent en jasant cinq minutes sur le coin d'une rue, la chose s'avérerait beaucoup plus difficile devant une bouteille de vin.

— Je mange dans ma chambre, dit-elle en montrant son sac. Je suis crevée.

— Dans ce cas, je te souhaite une belle soirée. Et une bonne nuit. Et surtout, rassure-toi, demain sera pas mal plus facile qu'aujourd'hui.

Il la salua et disparut dans l'antre sombre de l'épicerie.

* * *

L'air était tiède, le soleil avait baissé et teintait l'horizon de rose. Partie en quête d'une boulangerie, Mireille croisa des gens rencontrés plus tôt ce jour-là ou la veille. Elle ne connaissait pas leur nom, mais reconnaissait leur visage. Tous, à part elle, semblaient heureux d'être là. Ce détail l'attrista sans qu'elle sache pourquoi et, oubliant son pain, elle s'engouffra dans le premier bar qu'elle trouva. Assise sur une banquette, elle se commanda une bière, observa les allées et venues des gens dans la rue et écouta les conversations des clients qui buvaient, debout, appuyés au comptoir. Un calme étrange l'habitait, une sensation qui n'y était pas une demi-heure plus tôt. On aurait dit que l'urgence de s'en aller avait disparu. On aurait dit que même ses pieds avaient cessé de la torturer. En fait, on aurait dit qu'un poids énorme avait été retiré de ses épaules. Ce devait être le sac.

Elle laissa ses idées vagabonder un moment puis sortit son carnet pour écrire ce qui lui traversait l'esprit. Elle décrivit sa journée, les paysages traversés, le village où elle avait pris une collation. Elle essaya de décrire aussi comment elle se sentait et s'aperçut que sa mauvaise humeur s'était dissipée. Il ne restait en elle qu'un vide insaisissable, quelque chose qui n'avait pas de nom ni de densité, mais qui ressemblait à s'y méprendre à la liberté. Elle respirait plus lentement qu'à son arrivée à Saugues, de cela, elle avait la certitude. Elle remarquait les différentes odeurs que portait la brise et réalisa qu'elle goûtait l'air sans doute comme on goûtait l'eau après une virée dans le désert. Elle était seule, sans responsabilités, sans comptes à rendre. Elle avait une chambre où elle pourrait rentrer quand bon lui semblerait. Elle avait avec elle de quoi faire un festin. Ne manquaient que la baguette et le vin qu'elle avait oublié d'acheter avant de quitter l'épicerie.

Son regard fut attiré par un chien qui traversa la rue et entra dans le bar. Il commença par quémander des caresses aux clients debout près du comptoir, puis s'occupa de ceux installés aux tables. En le voyant s'approcher, Mireille eut un mouvement de recul. L'animal avait peut-être des puces, peut-être même des maladies. Il se frotta contre sa jambe jusqu'à ce qu'elle daigne enfin lui gratter les oreilles. Il resta là un moment avant de sortir comme il était venu et entrer dans le restaurant adjacent.

Tout était différent ici. Les accents, les gens, les odeurs, le goût de la bière, celui du pain. Elle-même se sentait différente. Cette idée la troublait un peu. Qu'est-ce qui se passait ? Était-elle déjà ivre ?

Elle finit sa bière et quitta le bar, trouva enfin la boulangerie et retourna à l'hôtel. En s'approchant, elle reconnut les clients assis à la terrasse.

— Tiens ! Quand on parle du loup !

Viviane leva son verre dans sa direction.

— Viens donc prendre l'apéro avec nous.

Nous, c'était aussi un homme d'une trentaine d'années qui parlait anglais, un couple de Français que Viviane lui présenta. Et Christian.

— Caroline et Roland viennent de Grenoble.

Mireille les salua, déposa ses sacs et s'assit sur la chaise que Christian poussa vers elle. Deux pichets de vin rosé trônaient sur la table. Deux verres étaient encore vides. L'anglophone en prit un et le remplit avant de le tendre à Mireille.

— *Hi ! I'm Bobby. I'm from America.*

Mireille se présenta. Elle eut envie de préciser que le Canada était aussi en Amérique et que cela ne faisait pas d'elle une Américaine, mais elle se retint. Christian souriait, et elle sentait son regard peser sur elle malgré les verres fumés.

— Comme ça, vous venez aussi du Québec ? demanda Roland.

— Oui. Je vis à Lennoxville, près de la frontière américaine.

— Et vous aimez la France ?

Mireille hésita à répondre. Si on lui avait posé la question ce matin, elle aurait hurlé que non, elle détestait cet endroit. En cette fin d'après-midi, cependant, elle ne savait plus trop ce qu'elle en pensait. Elle jugea les louanges quand même plus prudentes.

— Es-tu allée voir les sandales ? s'enquit Christian.

Mireille bredouilla un oui évasif et fut soulagée quand Karel apparut au coin de la rue.

— Tiens, dit-elle à l'intention de Viviane. V'là ton Allemand.

Viviane se redressa d'un coup et suivit des yeux Karel tandis qu'il s'approchait de l'hôtel. Il l'avait sans doute aperçue, mais il ne lui jeta pas un regard.

— Misère! souffla-t-elle en partant à sa suite.

Mireille n'entendit pas ce qu'ils se dirent, une vingtaine de mètres plus loin, mais quand Viviane revient, son visage s'était assombri.

— Il est fâché, dit-elle simplement en se versant à boire. Je pense qu'il ne me pardonne pas de l'avoir laissé marcher seul aujourd'hui. Mais j'étais tellement tannée de l'entendre se plaindre...

— Je ne vois pas de quoi il pouvait bien se plaindre, lança Caroline. Il a fait porter ses bagages.

Le regard de Viviane croisa celui de Mireille. Évidemment! Elles auraient dû y penser. Laissé à lui-même, leur compagnon allemand s'était tourné vers une des agences qui s'annonçaient un peu partout. Et maintenant qu'il voyageait léger, il n'avait que faire de celles qui l'avaient enduré pendant deux jours.

— Je pensais que tu ne voulais plus le voir, glissa Mireille à l'oreille de Viviane.

Celle-ci répondit de sa voix normale.

— Dans le fond, il me plaît bien, ce gars-là, mais j'avais besoin de distance.

Mireille ne jugea pas nécessaire de lui rappeler la pingrerie de Karel. Son amie ne pouvait l'avoir si vite oubliée. Roland commanda un nouveau pichet.

— Alors, dit-il en se tournant vers Viviane, avant l'arrivée de Mireille, vous nous racontiez comment vous vous étiez départie de tous vos biens pour venir faire le Chemin.

— Oui. C'est vrai, c'est là qu'on était rendus. Comme je le disais, j'ai vendu mes meubles et mon auto, j'ai résilié mon bail, donné tous les vêtements dont je n'avais pas besoin pour ce voyage à une œuvre de charité et je suis partie.

— Tu as tout laissé derrière toi ? l'interrogea Mireille, incrédule.

— Tu veux dire qu'elle n'a rien laissé derrière elle, la corrigea Christian.

Mireille lui donna raison, et Viviane éclata de rire.

— Ce n'était pas la fin du monde parce que je n'avais quasiment rien. Je venais de faire faillite et je conduisais une minoune. Et comme depuis cinq ans, j'achète mon linge dans un comptoir familial, on peut dire que je l'ai simplement retourné d'où il venait.

— Est-ce que ça veut dire que vous n'avez pas l'intention de rentrer ? s'enquit Caroline.

C'était une femme d'une quarantaine d'années. On devinait, à son attitude et à ses vêtements de sport griffés, qu'elle avait l'habitude du luxe. Ce trait était moins apparent chez son mari.

— J'ai l'intention de me rendre jusqu'à Saint-Jacques. Après, je verrai bien.

Roland approuva et s'empressa de remplir tous les verres.

— À votre voyage, chère Viviane, et à ce qui se trouvera après sur votre route !

Ils trinquèrent en chœur, et Mireille se dit que c'était une bonne chose qu'autant d'attention soit portée à son amie. Ça lui donnait moins d'occasions de se trahir. Elle n'avait aucune peine à imaginer les questions qu'on lui poserait si elle leur annonçait qu'elle s'en retournait chez elle. C'était pourtant ce qu'elle avait l'intention de faire dès le lendemain.

* * *

— Voyons, Mimi. Ta sœur est partie, *so what* ? Tu n'es pas obligée de revenir pour autant. La preuve, tu as marché seule aujourd'hui. À ce que j'entends, tu ne t'en es pas trop mal sortie.

Mireille faillit laisser choir le combiné tellement les mots de Jocelyn la secouaient. Elle lui avait raconté comment Louise l'avait larguée au matin, elle qui avait tant insisté pour que Mireille l'accompagne. Elle avait ensuite parlé du chemin entre Monistrol-d'Allier et Saugues, de la montée dans la falaise, des moutons dans la forêt, des chiens qui fréquentaient les bars et de l'accueil froid que lui avait réservé la patronne de l'hôtel. Presque toutes les chambres étaient réservées à cause du mariage, avait-elle précisé pour expliquer la musique qui montait depuis la cour et qui l'empêcherait certainement de dormir cette nuit. Elle avait enchaîné en lui décrivant l'état de ses pieds, le poids du sac, la fatigue, le découragement. Et tout ce que Jocelyn trouvait à lui dire, c'était « Continue ! ». Elle eut envie de l'écorcher vif.

— Tu ne comprends pas. Je suis tannée. Si j'avais du fun, je resterais, crois-moi. Mais je ne m'amuse pas du tout. Et je ne vois pas l'intérêt de suivre un chemin de gravier pendant encore sept cent cinquante kilomètres. Tu sais, on marche tous dans la même direction. Ça me met mal à l'aise de voir les autres en avant et de sentir ceux qui arrivent en arrière. Je me sens suivie.

Jocelyn rit.

— C'est normal que vous marchiez tous dans le même sens, Mimi, vous vous en allez tous à la même place. On appelle ça un pèlerinage. As-tu rencontré du monde, au moins ?

Mireille lui parla de Viviane, de Bobby et de ce couple de Français, Caroline et Roland. Sans comprendre pour quelle raison, elle passa sous silence la présence de Christian.

— C'est une originale, la p'tite jeune.

— Mets-en. Elle est ici sans billet de retour. Imagine ! Il n'y a rien qui l'attend au Québec, et elle ne sait pas vers quoi elle s'en va. Tu parles d'une inconsciente.

Jocelyn ne répondit pas. Il raconta plutôt ses journées à l'épicerie. Puis il enchaîna avec celles des garçons.

— Comme tu peux le voir, on se débrouille très bien.

— C'est rassurant.

Mais la voix de Mireille montrait qu'elle n'était en rien rassurée. Elle se sentait... Comment dire? Non essentielle. Accessoire. Peut-être même rejetée. Et Jocelyn, sans le savoir, enfonça le clou.

— Pourquoi tu ne continuerais pas? Tu nous as tous organisés avant de partir, aussi bien en profiter.

Mireille s'étrangla.

— Es-tu malade? Je viens juste de te dire que je m'en reviens à la maison.

— Et moi, je te dis que tu devrais continuer.

Il y eut un moment de silence pendant lequel on entendit le garçon d'honneur faire l'éloge du couple de nouveaux mariés. En bas, on riait, mais dans la chambre, Mireille avait juste envie de pleurer.

— Coudonc! Essaies-tu de te débarrasser de moi?

Sa voix était suppliante, ce qui ne lui ressemblait pas. Jocelyn aurait pu sentir sa détresse s'il y avait prêté davantage attention, mais, dans la cuisine, Joshua et Frédérick se chamaillaient.

— Je ne vois pas pourquoi tu me dis ça.

— J'ai l'impression que tu ne veux pas me revoir.

— C'est sûr que je veux te revoir, voyons! Tu es ma blonde, et je te garde ta place.

Il rit de sa blague, mais Mireille, elle, ne riait toujours pas.

— Je pense simplement que ces vacances te feraient du bien et il me semble que, tant qu'à être rendue jusque-là, tu devrais continuer. C'est tout. De toute façon, tu penses bien que je ne me plaindrai pas si tu reviens. On mange du macaroni au fromage tous les soirs depuis que tu es partie.

Mireille ne rit pas de cette blague-ci non plus. En fait, elle parla peu et quand elle raccrocha, quelques minutes plus tard, elle enfouit son visage dans l'oreiller. Elle avait un nœud dans la gorge. Elle eut beau se sermonner, se répéter que Jocelyn blaguait, qu'il l'aimait, qu'il l'attendait, rien n'y fit. Et soudain, les émotions qu'elle avait passé la journée à refouler sortirent d'un coup. Des larmes jaillirent, et elle pleura jusqu'à ce qu'il ne lui reste plus d'énergie. Quand elle s'endormit enfin, la musique faisait danser les mariés dans la cour.

De Saugues à Chanaleilles

Le sentier se déroulait dans une campagne semblable à celle de la veille. Même type de maisons, mêmes champs ondulés, mêmes vaches sympathiques, mêmes pèlerins qui la dépassaient en la saluant puis disparaissaient dans un détour du chemin. Les pentes étaient plus douces, cependant, et il faisait un temps magnifique. Voilà qui expliquait en partie la décision de continuer.

Mireille s'était levée étrangement ragaillardie. Les rayons du soleil qui plongeaient dans sa chambre caressaient les murs, les meubles et les couvertures d'une lumière étrange, presque surnaturelle. Même le sac à dos semblait invitant! Elle s'était lavée, habillée et était descendue déjeuner dans le bar. À la table voisine de la sienne, Caroline et Roland terminaient leurs cafés, aussi énergiques et bien mis que la veille. Ils avaient discuté à trois pendant quelques minutes, puis le couple s'en était allé en lui souhaitant un bon Chemin.

Après leur départ, Mireille avait évité de penser. Selon elle, garder son esprit dans la brume était la meilleure façon de repousser la décision. Le déjeuner français n'ayant absolument rien en commun avec le déjeuner nord-américain, il avait été avalé en quelques minutes. Au lieu de retourner à sa chambre, elle était sortie prendre l'air. Le temps de le dire, la rue s'était remplie de marcheurs qui s'en allaient vers l'ouest. Ils sortaient de tous les hôtels, chargés, frais et dispos, prêts à affronter une autre journée de marche. Mireille avait aperçu Viviane de loin, mais, pour éviter de se faire remarquer, elle avait poussé la porte de la première boutique qu'elle avait trouvée. Elle était restée un moment sur le seuil, sidérée, incapable de prononcer la moindre parole. Et pour cause ! Le hasard l'avait conduite dans la boutique de chaussures dont lui avait parlé Christian. Et les sandales qu'il lui avait vantées se trouvaient à gauche sur un présentoir près de la vitrine. Impossible de les manquer. Mireille s'en était approchée.

C'étaient de grosses sandales, loin de celles qu'on porte à un mariage. Pourvues de lanières robustes en cuir épais, elles offraient une adhérence maximale grâce aux crampons des semelles. Mireille les avait examinées.

Elle avait souffert le martyre ce matin-là en enfilant ses espadrilles. Les ampoules des talons avaient à peine diminué de taille pendant la nuit. Une fois chaussée, cependant, elle les avait presque oubliées. Mais en étudiant avec intérêt ces sandales de marche, elle s'était dit qu'elle aurait dû mieux s'équiper. Christian avait raison quand il lui disait qu'elle transpirait trop. Avec des sandales, la route serait peut-être plus facile…

Les mots de Jocelyn lui revinrent en mémoire, et elle pivota pour sortir. Le nœud qui, la veille, lui avait écrasé la poitrine, était revenu. Elle ne savait plus quoi faire. Continuer ou retourner chez elle ? De l'autre côté de la rue, on installait des tourniquets pleins à craquer de cartes postales. Mireille s'était approchée et avait regardé les images de la région. Il n'y a pas à dire, ce coin de pays était beau sur papier. Elle en avait acheté quatre qu'elle avait remplies, assise à la terrasse d'un bar en buvant un café. Elle ne se souciait plus qu'on la voie, maintenant que tous ceux qu'elle connaissait avaient pris la route.

Elle avait écrit aux garçons en faisant mine de ne pas avoir encore pris sa décision, ce qui était le cas. Si sa main traçait des mots frivoles, son esprit, lui, était sérieux. Avait-elle fait tout ce chemin pour rien ? Devait-elle continuer même si elle en avait marre ? En fait, elle avait dû admettre qu'elle n'en avait justement pas marre. Les émotions de la veille avaient fait place à une curiosité nouvelle. Et à une absence de pression liée à une absence d'obligation. Elle pouvait choisir de continuer ou de repartir. Elle n'avait personne à consulter et ne devait tenir compte d'aucune autre opinion que la sienne propre. C'était la première fois de sa vie qu'elle ressentait la liberté comme un fardeau. Ce ne serait pas mentir de dire qu'elle aurait cent fois mieux aimé qu'on lui ordonne quoi faire.

Les cartes postales dûment adressées, Mireille était restée là à boire son café et à fixer le néant. Puis, comme mue par une volonté qu'elle ne se connaissait pas, elle s'était levée d'un bond, avait retraversé la rue et s'était engouffrée de nouveau dans l'antre sombre du marchand de souliers. Une heure plus tard, elle reprenait la route avec, aux pieds, des sandales flambant neuves. Entre les lanières, on apercevait les couleurs criardes de ses chaussettes.

* * *

Elle marchait depuis plusieurs heures quand, décidant de faire une pause, elle s'engagea dans la cour d'une ferme du Falzet. Avant de quitter Saugues, elle s'était procuré un guide supplémentaire, le *Miam miam, dodo*, qui répertoriait les endroits où on pouvait se restaurer et/ou dormir le long du trajet. Le *Miam miam, dodo* indiquait que la fermière servait ici du chocolat chaud fait avec le lait de ses vaches. Tant qu'à traverser la campagne, aussi bien en profiter pour goûter aux produits locaux !

Mireille laissa tomber son sac à côté d'une des deux tables à pique-nique installées au centre de la cour à l'attention des pèlerins assoiffés. Sur le banc de l'autre table, un homme dormait. Mireille ne voyait que ses pieds qui dépassaient au bout, aussi immobiles que si leur propriétaire était mort.

La fermière prit son temps pour venir la voir. C'était une belle grosse femme, comme on en voit dans les films français. Elle avait les cheveux courts, une robe à fleurs et un sourire avenant. Mireille commanda un chocolat chaud et demanda la permission de manger son lunch sur place.

— Faites comme il vous plaira, madame. Le monsieur, juste là, il a mangé et maintenant, il fait la sieste. Vous pouvez rester aussi longtemps que vous voulez… tant que personne d'autre ne vient.

Mireille la remercia, fouilla dans son sac, en sortit son dîner en plus d'un crayon et de son carnet. Elle dut encore une fois compter les jours avant d'indiquer la date. Et il lui fallut consulter sa montre pour constater, avec stupéfaction, qu'il était 13 heures. Elle sortit son guide et compta qu'elle avait bel et bien parcouru dix kilomètres depuis le matin. Et elle n'avait même pas mal aux pieds !

La fermière revint avec une tasse fumante et un sachet de sucre supplémentaire avant de s'en retourner. Mireille reprit son crayon et décrivit l'endroit. La cour formait un U. Deux maisons de pierre se dressaient face à face et étaient reliées entre elles par l'étable où la fermière venait de disparaître. Des poules allaient et venaient à leur guise, un chien les surveillait pour les empêcher de courir dans la rue. À part les animaux, on n'entendait que la respiration de l'homme qui dormait toujours. Mireille eut un moment envie de l'imiter, mais se ravisa à l'idée qu'on lui pique son sac pendant son sommeil. Elle se permit quand même de s'allonger, les yeux fermés, histoire de donner la chance aux muscles de son dos de se détendre. Malgré toute sa bonne volonté, malgré ses craintes et malgré son bon jugement, elle s'endormit.

* * *

C'est une voix d'homme qui la réveilla. Il jasait avec la fermière du mauvais temps qu'on annonçait pour le lendemain. En reconnaissant l'accent, Mireille ouvrit les yeux.

Christian était assis sur le banc de la table voisine. Comme le sac à dos qui traînait au bout était le même que précédemment, Mireille conclut que c'était lui, l'inconnu assoupi à son arrivée et dont elle n'avait aperçu que les pieds pendus dans le vide. Maintenant qu'elle le voyait en entier, il lui semblait qu'elle aurait dû au moins reconnaître son sac. Son chapeau, peut-être aussi. Mais la vérité, c'est qu'elle l'avait bien peu regardé, concentrée qu'elle était sur ses états d'âme.

Elle attendit que la fermière s'éloigne pour attirer son attention.

— Comme ça, il va pleuvoir demain.

Christian se tourna vers elle.

— Quelle belle surprise, Mireille ! J'étais certain que tu étais retournée au Québec.

— Ah, oui ? Pourquoi tu pensais ça ?

Il baissa la tête, retira ses lunettes de soleil pour les essuyer et lui fit un clin d'œil.

— J'ai déjà eu très mal aux pieds en arrivant à Saugues.

Mireille fixa encore une fois cet œil mystérieux. Elle était à ce point fascinée qu'elle continua de le fixer même quand il eut disparu derrière les verres fumés.

— As-tu revu les autres ?

— Quels autres ?

— Ceux avec qui on a pris l'apéro hier soir.

Mireille afficha une moue exaspérée.

— J'ai marché un bout avec Bobby, mais comme il allait pas mal plus vite que moi, je lui ai souhaité un bon Chemin.

Elle hésita à poursuivre, mais puisque Christian semblait attendre la suite, elle ajouta :

— Des Américains comme lui, ça me tape sur les nerfs. Il n'arrêtait pas de se plaindre que personne, ici, ne parle anglais.

Christian rit un peu trop fort.

— Une chance qu'ils ne sont pas tous comme ça.

— Une chance, oui. Je lui ai répondu que moi, depuis mon arrivée, j'avais passé mon temps à parler anglais, au point de quasiment oublier que je suis en train de traverser la France.

Il sembla surpris.

— Sais-tu que tu as raison, toi ! Je ne l'avais même pas remarqué. Peut-être parce que j'ai l'habitude de passer du français à l'anglais chez nous.

Il se leva, s'étira et regarda sa montre.

— Faudrait bien que j'y aille. Si tu es prête, as-tu envie de faire un bout avec moi ?

Mireille trouva cette idée géniale et, en moins de deux, elle avait nettoyé la table, rangé ses affaires et hissé sur son dos le sac, qui lui parut plus léger qu'au matin. Ils payèrent la fermière et s'en allèrent au moment où d'autres pèlerins entraient dans la cour. Ils leur recommandèrent le chocolat chaud et, après les salutations d'usage, chacun poursuivit son chemin.

Il faisait chaud maintenant. Mireille ne portait plus que son t-shirt, mais la sueur lui coulait dans le dos. Elle dégoulinait aussi le long de son visage et dans son cou. Un coup d'œil à sa droite lui confirma qu'elle n'était pas la seule à souffrir de la chaleur. Christian entrecoupait ses phrases de pauses pendant lesquelles il buvait abondamment.

Elle était si absorbée par les histoires qu'il lui racontait qu'elle traversa Le Villeret d'Apchier sans voir le village. Christian en était maintenant à lui décrire la partie espagnole.

— Une fois, il a plu tous les jours pendant un mois.

— Tu exagères !

— Pas du tout. C'était en novembre.

— Ça ne t'a pas découragé ?

Il secoua la tête.

— La pluie, ça fait partie de la vie.

— Peut-être, mais quand même ! Tous les jours ?

Il rit, et Mireille se dit qu'elle aimait l'entendre rire. Il y avait chez lui une candeur qu'on ne soupçonnait pas aux premiers abords. On aurait dit qu'il acceptait la chance et la malchance avec le même bonheur, comme avec philosophie.

— Une fois, j'ai marché avec un couple de Français. On a parlé de la Résistance pendant cinquante kilomètres.

— Cinquante kilomètres ? Wow ! Tu devais être tanné à la fin.

— Pas du tout. On s'est laissés parce qu'ils rentraient chez eux, en Normandie, alors que moi, cette fois-là, je me rendais à la frontière.

Mireille s'arrêta net. Elle venait de réaliser ce que tous ces récits impliquaient.

— Es-tu en train de me dire que tu as fait ce chemin plusieurs fois ?

— Euh, oui. Je pensais que je te l'avais dit.

— Tu m'as dit que c'était la troisième fois, mais...

— Ah, c'est parce que je n'ai pas fait le Chemin au complet d'un coup. J'en suis à mon...

Il compta mentalement et s'interrompit.

— ... dixième ou douzième voyage, je ne me rappelle plus. J'y vais par petits bouts.

Mireille secoua la tête et reprit la route. Elle ne comprenait pas l'intérêt qu'on pouvait trouver à marcher toujours à la même place.

— Tu vois toujours les mêmes choses, les mêmes paysages.

— Ce n'est pas tout à fait vrai. Je change de saison. Et les gens, eux, ne sont jamais les mêmes.

Il se tint coi pendant un moment. Ils avaient traversé un pont et, après une montée en pente douce, le GR piquait à droite. Mireille ne regardait plus le guide. Elle se fiait entièrement à l'expérience de Christian qui, lui, avait l'air de savoir par où il fallait passer. Repérait-il facilement les marquages ou bien y allait-il de mémoire ? Mireille n'osait l'interroger. Elle avait peur de l'insulter en mettant sa parole en doute.

— Je pense que ça remplace un condo en Floride.

— Comment ?

— Je viens une ou deux fois par année, je reste un bout et je m'en retourne à Moncton.

— Ça me semble pas mal plus fatigant qu'un condo en Floride, si tu veux mon avis.

— C'est pas mal meilleur pour la forme physique.

De fait, Mireille dut admettre qu'il avait l'air en forme. Elle remarqua, cependant, qu'il ne marchait pas plus vite qu'elle. Elle mit ça sur le compte du besoin de compagnie et s'abstint de lui en faire la remarque.

— Tu n'as pas envie, des fois, de prendre un autre chemin ?

— Ça m'arrive, oui, quand c'est la haute saison pour le GR 65.

— Et là, on n'est pas en haute saison ?

— En ce moment, on est dans un creux. D'ici deux semaines, les Français devraient arriver en grand nombre, tous les lits seront pris. Mais, moi, je serai déjà loin.

Le sentier longeait maintenant le flanc d'une colline. Tout en bas, une rivière coulait doucement. On se serait cru dans *Jean de Florette*, même si on n'était pas dans la bonne région. Malgré l'heure avancée, le soleil tapait fort, et Mireille accueillit avec plaisir l'ombre que lui offraient les grands arbres dans la cour d'une ferme. En apercevant un panneau indicateur, elle se figea, étonnée. Était-elle déjà rendue à destination ?

— J'ai réservé une chambre à Chanaleilles, dit-elle.

— Dans ce cas, nos routes se séparent ici. Chanaleilles, c'est juste là.

Il montrait un village qui se dressait de l'autre côté de la rivière.

— Tu en as pour dix minutes maximum.

— Et toi ?

— Moi ? Je pense bien dormir au Sauvage, s'il reste de la place.

— Il en restera, tu penses ?

— Je verrai bien.

Il lui sourit et la remercia pour la compagnie. Elle aurait voulu lui dire à quel point elle avait aimé marcher avec lui, mais ne trouva pas les mots.

Elle s'engagea sur la pente qui descendait jusqu'à la rivière. Une fois sur le pont, elle se retourna juste à temps pour voir Christian quitter la ferme en sifflant. Elle l'aurait entendu chanter la chanson de Bilbo qu'elle n'en aurait pas été surprise. Les paroles lui revinrent en mémoire, et ça l'amusa.

The Road goes ever on and on
Down from the door where it began.
Now far ahead the Road has gone,
*And I must follow, if I can**.

Elle se rendit compte qu'elle n'avait pas pensé à ses fils de toute la journée. Mais une sensation bien pire l'étrangla quand elle réalisa qu'elle n'avait pas pensé à Jocelyn non plus.

---

* La route se poursuit sans fin
À partir de la porte où elle a commencé.
Maintenant, loin devant, la route s'étire
Et je dois la suivre, si je le peux.
Tiré du film *La communauté de l'anneau (Le seigneur des anneaux)*

Chanaleilles

— J'ai oublié d'appeler pour vous dire que j'arriverais seule.

Mireille suivait la propriétaire qui lui faisait visiter le gîte privé que son mari avait érigé derrière leur maison.

— Pas de problème, madame. Il y a beaucoup de place ce soir. Le rez-de-chaussée offrait une cuisine meublée d'une table qui pouvait facilement accueillir dix personnes. Tout au fond, deux salles de bain étaient mises à la disposition des pèlerins. La porte de l'une d'elles s'ouvrit devant Mireille, qui reconnut aussitôt Caroline.

— Quel bonheur ! s'exclama celle-ci, le corps enroulé dans une grande serviette. C'est Roland qui va être content de vous revoir. Il regrettait que vous soyez partie si tôt, hier soir.

Elle se joignit aux deux femmes qui montaient l'escalier pour la visite de l'étage.

— Je vous ai gardé cette chambre-ci, dit la propriétaire en indiquant une pièce dont la fenêtre ouverte offrait une vue sur la rivière.

Même si les pèlerins ne restaient qu'une nuit, la chambre qu'on leur offrait était douillette. Un lit double, une commode, une table de chevet et une chaise formaient un ameublement de loin supérieur à ce que Mireille avait connu jusque-là. Avant de l'abandonner sur le palier, la dame lui annonça que le repas serait servi à 7 heures.

— Roland ! s'écria Caroline en frappant à la porte de sa chambre. Devine avec qui nous partageons le gîte, ce soir !

Roland apparut, la mine d'abord irritée. Son visage s'égaya quand il reconnut Mireille.

— Tiens donc ! La Canadienne ! Tu parles d'une belle surprise.

Il échangea quelques mots avec Mireille, embrassa sa femme sur la joue et s'excusa. C'était l'heure de la douche.

Mireille entra dans sa chambre, referma derrière elle et, après avoir abandonné son sac sur le plancher, s'allongea sur le lit, étrangement lasse.

Elle dut somnoler parce qu'elle se réveilla en entendant une femme chanter. Elle se leva et s'approcha de la fenêtre. Tout en bas, Caroline mettait son linge à sécher sur le treillis de métal qui servait de corde à linge. Mireille se dit qu'il fallait profiter de ce qu'il restait de soleil. Après avoir attrapé des vêtements de rechange et sa trousse de toilette, elle descendit au rez-de-chaussée.

La douche lui fit grand bien et lui permit de constater que ses pieds étaient en meilleur état que la veille, malgré la marche de quatorze kilomètres effectuée en pleine chaleur. Une fois les plaies de ses pieds nettoyées et les bandages refaits, elle lava ses vêtements dans l'évier et, quand sa routine quotidienne fut terminée, elle sortit visiter le village.

* * *

Il régnait dans le bar un silence inquiétant. Trois clients se tenaient debout, un coude appuyé au comptoir, les yeux rivés sur un écran de télévision muet où l'on diffusait les nouvelles.

Contrairement à la veille – et aux nuits précédentes –, les pèlerins se faisaient rares. Leur absence tenait au fait que Chanaleilles se trouvait un peu en retrait du GR.

Mireille se commanda une bière et sortit sur la terrasse, où le seul autre client était un cycliste qui buvait en silence. Un chien allait et venait sans que personne ne lui prête attention. Mireille avait l'impression que les heures s'étiraient.

Quand une voiture remonta la départementale, la serveuse sortit pour vérifier si on virait dans l'entrée. Elle rentra, déçue, quand la voiture passa tout droit.

Mireille avait pris le temps, tout à l'heure, de téléphoner à tous les hôtels où elle avait une réservation afin de les avertir qu'elle arriverait seule. On l'en avait chaleureusement remerciée. Elle avait ensuite fait le tour du village avant d'échouer au bar, où elle regardait maintenant le soleil descendre, lentement.

La soirée était douce, et le ciel se teintait de couleurs qu'on voyait rarement au Québec. Après un moment de silence, le cycliste engagea la conversation en allemand, puis, voyant que Mireille ne comprenait pas, passa au français. C'était un Suisse qui élevait des abeilles. Il s'appelait Tristan, était professeur à l'université et comptait faire la route à vélo jusqu'à Saint-Jacques. Mireille l'interrogea sur les Pyrénées qu'il faudrait traverser. Ça ne semblait pas l'inquiéter. Il était en forme, et ça se voyait. Ils échangèrent sur la météo et sur la mauvaise humeur des aubergistes et des serveurs qui rabrouaient les clients pour un oui et pour un non. Au bout d'une demiheure, il paya son verre ainsi que celui de Mireille, enfourcha son vélo et s'élança sur la départementale. Le regard de Mireille se posa sur la ferme qu'on distinguait au loin, de l'autre côté de Chanaleilles et de l'autre côté la rivière, là où elle avait perdu de vue Christian. Marchait-il encore, à cette heure-ci, ou bien était-il confortablement installé au Sauvage ? À cette idée, elle regarda sa montre. Il restait une quinzaine de minutes avant le souper.

Elle avala ce qui lui restait de bière, se rendit derrière le bar, dans un réduit qui servait d'épicerie de village. Il lui fallait de quoi dîner le lendemain, de même que quelques collations.

De Chanaleilles à la chapelle Saint-Roch

Un épais brouillard recouvrait la région. Maisons, animaux, rivière et route disparaissaient derrière ce voile blanc et humide. Mireille avançait à l'instinct, car on ne voyait pas à dix mètres. Une bruine désagréable la faisait frissonner jusqu'aux os et lui rappelait qu'elle n'aurait jamais dû se plaindre de la chaleur de la veille. À cause de la pluie, elle avait choisi ce matin d'enfiler ses espadrilles. Elle le regrettait un peu en voyant la rapidité avec laquelle elles absorbaient l'eau. Mais, d'un autre côté, les sandales n'auraient pas fait mieux et auraient été plus dangereuses dans la boue et sur les rochers glissants. Pour la première fois, Mireille se disait qu'elle aurait peut-être dû acheter des bottes. Il lui semblait que la route aurait été plus facile. Aujourd'hui, en tout cas. Par beau temps, cependant, les bottes auraient été bien trop chaudes… et bien trop lourdes, que ce soit dans ses pieds ou suspendues à son sac.

Elle avait quitté le gîte très tôt et sans faire de bruit. Elle avait enfilé son poncho moins d'un quart d'heure plus tard et s'en félicitait maintenant qu'elle approchait des premières barrières à bétail mentionnées dans le guide. La pluie tombait, fine, mais menaçait de s'aggraver.

Le champ était désert. Elle avançait lentement, en regardant avec attention où elle mettait les pieds. Il y avait ici de la bouse de vache, là de la mousse traîtresse qui, parfois, cachait un trou où elle risquait de se fouler une cheville. Et devant… Devant, il n'y avait que du blanc. Elle devait donc repérer les endroits où le foin avait été foulé, seule trace du sentier. Elle marchait tendue, s'attendant presque à voir surgir du néant un loup… ou la bête du Gévaudan dont parlait le guide, celle dont la statue trônait à Saugues, celle qui avait donné naissance à maintes légendes. Les maisons isolées, la brume dense, la pluie, la forêt inquiétante, tout cela lui rappelait le film français *Le pacte des loups*, qu'elle avait vu avec son aîné des années plus tôt. Elle sourit. Marc-Antoine aurait bien aimé être à sa place, dans cette lande digne d'héberger un loup-garou. L'endroit l'aurait fait frissonner de peur et de plaisir. Et puis peut-être pas. Marc-Antoine n'était plus l'adolescent qui aimait les films d'horreur. C'était maintenant un homme qui serait bientôt un père. Mireille tressaillit. Elle n'y avait pas pensé depuis des jours, mais la chose lui parut aussi terrible qu'avant.

Penser à Marc-Antoine lui fit penser à Frédérick. Il commencerait à fréquenter sa nouvelle école d'ici quelques jours. Et Jocelyn…

Mireille sentit une vague culpabilité l'envahir. Elle n'avait pas pensé à l'appeler depuis Saugues, depuis qu'il avait insisté pour qu'elle continue, depuis qu'elle avait compris, ou cru comprendre, qu'il ne voulait pas la revoir tout de suite. Cette idée la bouleversait moins ce matin. Au fond, Jocelyn avait eu raison de la pousser dans le dos, même si ses paroles l'avaient blessée sur le coup. Elle avait été fatiguée, découragée, et elle s'était sentie abandonnée par sa sœur, puis par son conjoint. Mais maintenant, malgré la pluie, il lui semblait qu'elle avait retrouvé sa vigueur, son courage et sa détermination. Et puis, elle devait admettre qu'elle aimait bien ce voyage. Elle se sentait loin de sa vie, mais proche de quelque chose qu'elle n'arrivait pas à définir. Elle était hors du temps, incapable de le mesurer sans montre, incapable même d'estimer l'heure à la lumière du jour. Comme en ce moment, tandis qu'elle avançait dans la grisaille et que venait d'apparaître une construction médiévale trapue. Le Sauvage, pensa-t-elle en le contournant par le sentier. Parce que l'endroit paraissait désert, elle poursuivit sa route.

Après avoir traversé la lande brumeuse, le Chemin s'engageait dans un boisé aussi sombre qu'inquiétant. Avant d'y pénétrer, Mireille jeta un œil derrière elle et réalisa qu'elle était complètement seule. Une peur animale lui noua les tripes. Elle marchait sous le couvert des arbres depuis une quinzaine de minutes quand un puissant coup de tonnerre la fit sursauter. Un deuxième la pétrifia. Les grondements entrecoupés d'éclairs se succédèrent, et la pluie redoubla d'ardeur. Mireille aurait voulu enfiler un chandail supplémentaire, mais il n'était plus question de s'arrêter. Elle sortit le guide qu'elle avait mis à l'abri ce matin-là dans le sac de plastique transparent. Elle chercha des yeux le prochain abri sur la carte. Elle ne trouva que la chapelle Saint-Roch, érigée sur la départementale. Elle pria pour que le lieu ne soit pas verrouillé. À vue de nez, elle y serait dans une demi-heure si elle pressait le pas. Mais presser le pas, dans ce déluge, pouvait s'avérer dangereux. Elle continua donc au même rythme en espérant que le temps se calme un peu.

Jamais de sa vie elle n'avait été aussi heureuse de voir apparaître une route asphaltée. Elle prit à gauche. La chapelle se trouvait à quelques centaines de mètres. La porte étant ouverte, Mireille s'y engouffra au moment où un nouveau coup de tonnerre fit trembler le sol. Elle se figea sur le seuil. Assis de l'autre côté d'une table de bois, les yeux rivés sur une carte, Christian déjeunait.

La chapelle Saint-Roch

— As-tu déjà lu *Le pèlerin de Compostelle*, de Paulo Coelho ? Une bougie éclairait l'intérieur de la chapelle. L'endroit sentait l'humidité. Normal, la pluie tombait tellement fort que la départementale avait l'allure d'un torrent. Christian avait fait du thé et servi des tranches de pain tartinées de miel, cadeau d'un cycliste qui s'était arrêté pour souper la veille au soir.

— De Coelho, j'ai juste lu *L'alchimiste*. Est-ce que je devrais lire celui-là aussi ?

— Pas nécessairement. Je te demandais ça parce que la plupart des francophones qui marchent le Chemin l'ont lu. J'étais juste curieux.

— C'est à cause de ce livre-là que tu es ici, toi aussi ? Que tu marches année après année sur le même chemin que Coelho ?

— Coelho a juste fait la partie espagnole.

Il était conscient qu'il ne répondait pas à la question, ça se voyait sur son visage. Dehors, le vent s'était levé et donnait l'impression de vouloir déraciner les arbres, mais dans la chapelle de pierre, on se sentait à l'abri. C'est ici que Christian avait passé la nuit, le Sauvage étant déjà plein à son arrivée. Il avait déroulé son sac de couchage sur la table de bois et s'était servi du sac à dos comme oreiller. Heureusement qu'il avait fait de bonnes provisions avant de partir de Saugues. Heureusement aussi qu'il transportait avec lui un poêle à un rond fonctionnant au propane. C'était un peu lourd, sans doute, mais fort pratique les matins d'orage.

— Mais tu as raison, c'est à cause de lui si je suis ici.

— Qu'est-ce que tu cherches ?

— La même chose que lui. Je veux comprendre le sens de la vie.

Mireille fut mal à l'aise. Ce genre de confidences, on les faisait d'habitude à des proches, parfois même à une seule personne. Elle étudia ce visage qu'éclairait une flamme fragile et malmenée. Il ne portait pas ses lunettes. La pupille de son œil de chat était grande ouverte, ce qui ajoutait sans doute au malaise. Parce que ses nombreux cheveux blancs attiraient la lumière, il paraissait plus blond que châtain, et ses boucles rebelles s'en allaient dans tous les sens, frisées par l'humidité.

— Selon moi, dit-elle, la vie n'est qu'une série de combats dont on doit sortir gagnant.

Elle avait parlé sans réfléchir, pour se forcer à penser à autre chose qu'à cet œil étrange, mais elle avait quand même livré le fond de sa pensée. Il en avait toujours été ainsi dans sa vie, dans chacune de ses relations, dans chacun de ses emplois. Personne ne pouvait passer à côté de ces luttes quotidiennes. Même les patrons y étaient confrontés. Elle en savait quelque chose !

Ce voyage aussi n'était qu'une série de combats. Chaque jour, il fallait affronter la douleur, le froid, la fatigue, le poids du sac qui semblait de plus en plus lourd. On affrontait autant les aubergistes peu avenants que les pèlerins importuns. Elle s'affronterait elle-même, à un moment donné, elle le pressentait.

Malgré le ton sérieux de la conversation, Christian souriait. Mireille se dit qu'il souriait autant avec les yeux qu'avec la bouche.

— Je ne suis pas d'accord. La vie n'est pas un simple combat.

— Parce que tu trouves ça simple ?

Il rit exagérément.

— Non. Ce n'est pas ce que je veux dire. Je veux dire…

Il chercha ses mots, regarda dehors et revint à Mireille.

— Quand j'étais jeune, ces questions-là me hantaient tellement qu'un jour, j'ai essayé les champignons magiques. Je pensais que ça me donnerait des réponses… comme à Castaneda.

— C'est qui, celui-là ?

— Un autre écrivain.

— Tu as de drôles de lectures.

— Je vais prendre ça comme un compliment.

Elle ne sut si elle devait rire ou non.

— Et puis ?

— Et puis quoi ?

— Les champignons…

— Ça ne marche pas.

Cette fois, elle rit franchement, et lui, il lui souriait, avec tout son visage. Puis, comme plus tôt, son regard se perdit loin au-delà de la porte. Elle profita de ces secondes de distraction pour l'observer encore. Sans l'œil de chat posé sur elle, elle se sentait moins nue, plus sûre d'elle. Elle osait donc s'attarder sur ces tempes que la vie dégarnissait peu à peu, sur ces pattes-d'oie aux coins des yeux, sur ces lèvres où il passait souvent la langue et sur ce cou solide. Quand il détourna la tête et croisa de nouveau son regard, elle baissa les yeux. Elle ne voulait pas qu'il s'aperçoive qu'elle le trouvait beau. Une fois l'émotion passée, elle revint à lui, et il y eut un moment de silence pendant lequel ils se dévisagèrent sans parler.

C'est alors que quelqu'un arriva en courant et s'engouffra dans la chapelle en faisant grand bruit, le poncho dégoulinant, les pieds couverts de boue.

— Tu parles d'une température !

Le capuchon fut rabattu d'un geste vif, dévoilant le sourire radieux et la longue chevelure blonde de Viviane.

— C'est vous autres ! s'exclama-t-elle, visiblement ravie.

Puis, apercevant les tasses à demi-pleines, elle ajouta :

— Yes ! Vous avez fait du thé. Ça ne vous dérange pas que je m'assoie à votre table le temps que l'orage passe ?

Ils l'accueillirent avec un soulagement partagé. Mireille glissa au bout du banc pour lui faire de la place. Elle était aussi gênée que si on l'avait prise la main dans le sac. Elle n'avait pourtant rien fait. Rien fait d'autre que de discuter avec un Acadien dont la personnalité, à la fois mystique et mystérieuse, était à des années-lumière de ce qu'elle connaissait des hommes.

De la chapelle Saint-Roch à Saint-Alban-sur-Limagnole

Les trous d'eau se multipliaient à l'infini de chaque côté de la route et au centre. Mireille avait renoncé à les contourner. Elle marchait dedans comme le font les enfants les lendemains d'orage. Christian et Viviane l'imitaient, conscients eux aussi que c'était peine perdue d'essayer de les éviter. Leurs pas produisaient des bruits de succion qui se fondaient dans celui de l'averse. Il était presque midi, et les deux femmes marchaient légèrement derrière Christian.

— C'est vrai que tu n'as rien laissé à Montréal ?

Mireille était intriguée par le style de vie de Viviane. Celle-ci, pour toute réponse, hocha la tête sous le capuchon de son poncho.

— Tu devais bien avoir des meubles ?

— J'en avais, mais je les ai vendus. De toute façon, je les avais achetés dans un marché aux puces, alors ils ne valaient pas grand-chose.

— Et ton matelas ? Tu n'as quand même pas acheté un matelas au marché aux puces.

Viviane tourna la tête pour qu'elle voie son sourire. Mireille n'en revenait pas.

— Tu as résilié ton bail pour faire un voyage ?

— Je louais un appartement au mois, alors ça n'a pas été bien difficile.

— Je ne comprends pas comment tu fais. Il me semble que ta vie ne doit pas être très confortable.

— Ma vie est un peu comme ce pèlerinage. J'aime ça quand tout ce que je possède entre dans un sac à dos. Je me sens… légère. Faut croire que je préfère la liberté au confort.

— Avec une attitude comme celle-là, tu n'iras pas loin dans la vie.

— J'ai traversé la Sibérie en train, j'ai visité l'Amérique du Sud au complet et là, je suis en train de traverser la France à pied. Il y a pire.

Mireille dut lui donner raison. Il y avait pire, effectivement… mais pas de beaucoup.

Ils avaient quitté la route goudronnée depuis un moment déjà et s'enfonçaient maintenant dans une pinède. Les trous d'eau y étaient plus profonds, mais la pluie, elle, moins intense. La route s'avérait plus facile que la veille, peut-être parce qu'elle n'avait cessé de descendre tout doucement depuis la chapelle.

Elles marchèrent un long moment en silence. Puis, toujours rongée par la curiosité, Mireille recommença à questionner Viviane.

— Quel âge as-tu ?

— *Quel âge me donnez-vous ?*

Malgré un coup de tonnerre, Mireille reconnut la réplique tirée d'une vieille pub de produit de beauté. Elle s'amusa de voir la grimace espiègle de Viviane.

— Ma mère disait que c'était impoli de demander son âge à une femme.

Mireille approuva et s'excusa. Elle-même aurait été insultée si Viviane l'avait interrogée de la sorte. Viviane rabaissa tout à coup son capuchon.

— Mais ce n'est pas impoli de le demander à un homme. Quel âge penses-tu qu'il a, notre pèlerin ?

Elle désigna Christian qui marchait désormais juste assez loin pour ne pas les entendre.

— Je ne sais pas. Cinquante.

— Tu penses ? Moi, je lui en donnais trente-cinq.
Mireille pouffa de rire.
— N'exagère pas ! Il a les cheveux gris.
— Ils ne sont pas tous gris. Et ça ne veut rien dire. J'ai une amie qui a les cheveux gris et elle a vingt-cinq ans.
— Il est quand même trop ridé pour trente-cinq.
Mireille vit avec horreur Viviane mettre ses mains en porte-voix.
— Heille, Christian ! Tu as quel âge ?
Il s'arrêta, se retourna et imita une voix de femme.
— *Quel âge me donnez-vous ?*
Elles rirent comme des gamines.
— Mireille pense que tu as cinquante. Moi, je dis trente-cinq.
— Mireille est sévère, dit-il alors qu'elles le rejoignaient. Et toi, tu es indulgente.
— Ça veut dire quoi, ça ?
— Ça veut dire que je suis au milieu.
— Quarante-deux ?
Il leva le pouce pour lui donner raison et reprit la route avec elles.
— As-tu des enfants ?
Mireille leva les yeux au ciel. Tant d'indiscrétion de la part de Viviane la mettait mal à l'aise. Il fallait admettre, cependant, qu'elle-même s'était montrée indiscrète un peu plus tôt. Au fond, elle était aussi curieuse et reçut la réponse de Christian avec autant de plaisir que son amie.
— J'ai une fille de dix ans et – avant que tu me poses la question – elle vit à Fredericton avec sa mère.
— Comme ça, tu es célibataire.
— Oui. Et toi ?
— Moi aussi, mais Mireille, elle, ne l'est pas.
Mireille s'arrêta net.
— Comment tu sais ça, toi ?

— Ta sœur m'a parlé de tes trois gars. Et de ton chum, aussi.

Christian éclata de rire.

— Je pense, Viviane, qu'à partir d'aujourd'hui, je vais t'appeler l'inquisitrice.

— Pff! L'Inquisition forçait les gens à parler sous peine de torture. Moi, je ne force personne.

— C'est vrai. Mais tu poses beaucoup de questions.

— Vous n'êtes pas obligés de répondre. Regarde, moi : tantôt, Mireille m'a posé une question, et je n'ai pas répondu.

Le silence revint encore pendant quelques centaines de mètres. Viviane avait pris les devants maintenant, laissant Christian et Mireille en tête à tête.

— Ils ont quel âge, tes fils ?

Il avait posé la question soudainement, comme pour briser le silence. Sentait-il cette tension nouvelle entre eux ? Mireille s'efforça de paraître détendue.

— Dix-sept, seize et quatorze.

Elle se tut, puis secoua la tête.

— Non, attends. Quel jour on est aujourd'hui ?

— Lundi, je dirais. Le 30.

— Dans ce cas, Marc-Antoine, mon plus vieux, a eu dix-huit hier et…

Elle s'interrompit. La veille, c'était l'anniversaire de son aîné, et elle ne l'avait pas appelé. Pire, elle n'avait même pas pensé à l'appeler. La culpabilité l'envahit, et elle se jura de téléphoner en arrivant à Saint-Alban. Quand même ! Quelle sorte de mère oublierait l'anniversaire de son fils ? Il fallait bien qu'elle soit sur cette route au bout du monde pour perdre à ce point la notion du temps ! Elle pria pour que Jocelyn, lui, n'ait pas oublié. Et pour que la journée de Marc-Antoine ait été à ce point occupée qu'il n'ait pas remarqué la négligence de sa mère. Elle l'imagina en train de fêter avec ses copains… Voyons donc ! Il n'avait certainement pas célébré son anniversaire comme par le passé parce qu'il économisait son argent pour préparer l'arrivée du bébé. À quoi donc pensait-elle ? Avait-elle oublié jusqu'au fait qu'elle serait bientôt grand-mère ?

Mireille regarda le poncho de Viviane se balancer avec insouciance à une centaine de mètres devant. Elle se sentit vieille tout à coup. Il lui semblait qu'il n'y avait pas si longtemps, elle aussi vivait dans l'insouciance. Pour elle aussi, tous les espoirs avaient été permis. Maintenant, sa vie était bien tracée. Puisqu'elle l'avait choisie, elle ne s'en plaignait pas. Même qu'elle l'aimait, cette vie. Elle aimait Jocelyn, les garçons, leur maison, le commerce. Mais tout cela lui semblait loin en ce moment. En vérité, quand elle pensait à sa vraie vie, elle avait l'impression de se référer à la vie d'une autre personne. Ou à la vie d'une autre version d'elle-même. Rien de tout cela n'existait ici. Ni Jocelyn, ni les garçons, ni la maison, ni l'épicerie. Ici, elle était une marcheuse comme les autres ou à peu près. Ici, il n'y avait que peu de différence entre elle et Viviane. Et entre elle et Christian.

Elle regarda aux alentours. Ils venaient de quitter la pinède. La campagne était sombre, presque hostile. Les maisons paraissaient plus basses que la veille. Sur les toits, les tuiles rouges avaient été remplacées par des fragments de roches minces, plates et grises. Les murs de pierre semblaient plus épais. L'ensemble donnait une impression de Moyen-Âge, de vie rustique, difficile et peu confortable.

Mireille frissonna, malgré toutes les couches de vêtements qu'elle portait, et la fatigue la gagna d'un coup. La faim aussi. N'eût été l'averse, elle aurait déployé son poncho sur le sol et se serait allongée pour faire la sieste. Mais l'orage grondait toujours. Et il n'y avait nulle part où s'asseoir. Elle observa ses compagnons, dont le pas était toujours aussi alerte. Elle était partie de plus loin qu'eux ce matin, elle avait donc davantage de kilomètres dans le corps. Pas surprenant qu'elle soit plus fatiguée. Si, au moins, ils avaient pu s'arrêter quelque part, boire un café, manger un peu. Elle avait en vain cherché un restaurant. Le seul village qu'ils traverseraient aujourd'hui, le Rouget, se dressait devant eux, et le guide n'y annonçait aucun point de ravitaillement. Pas même un bar !

— Faites comme vous voulez, lança-t-elle assez fort pour être entendue malgré la pluie, mais moi, je m'arrête ici pour dîner.

Elle se mit un peu à l'écart et, détachant son sac à dos pour le faire basculer tout en le gardant à l'abri du poncho, elle sortit un morceau de fromage et le reste de sa baguette. Christian, qui l'avait suivie, l'imita, et Viviane revint sur ses pas pour se joindre à eux. Un moment plus tard, ils dînaient tranquillement tous les trois, debout en retrait d'une route déserte, le visage fouetté par la pluie. La nourriture passait de leur main à leur bouche sans jamais être exposée, si bien qu'un inconnu qui les aurait vus plantés là se serait demandé ce qu'ils faisaient.

— Si l'éternité existe, souffla Viviane, c'est à ça qu'elle ressemble.

Ni Mireille ni Christian ne répondirent. Eux aussi vivaient leur journée la plus longue depuis le départ du Puy.

Saint-Alban-sur-Limagnole

C'est avec soulagement que Mireille vit surgir Saint-Alban-sur-Limagnole, deux kilomètres plus loin. On entrait dans la ville par le haut, et il fallait serpenter un moment dans ses rues étroites pour descendre jusqu'au gîte, tout près de l'église. À cause de la pluie, les pèlerins étaient nombreux à s'arrêter plus tôt. Mireille, qui avait réservé, obtint le dernier lit. Viviane et Christian partirent donc en quête d'un hôtel ou d'un camping.

Après leur avoir souhaité bonne chance, Mireille monta à l'étage, trouva sa chambre et frappa avant d'entrer. Une femme était allongée sur un des deux lits. Ses affaires étaient suspendues partout où c'était possible de suspendre quelque chose. La fenêtre était ouverte, et un vent froid s'engouffrait à l'intérieur. Mireille devina que ce courant d'air devait accélérer le séchage des vêtements.

—Je m'appelle Annette, dit l'inconnue en se levant pour lui serrer la main.

Elle avait un fort accent allemand, une silhouette frêle et le teint tellement blême que Mireille la crut au bord de l'évanouissement. Elle se présenta à son tour, accepta la tasse de thé qu'Annette lui tendit et, n'osant s'asseoir sur le lit tant elle était sale et mouillée, elle se laissa choir sur le sol le temps de boire. Annette s'était allongée de nouveau, et, comme elle ne parlait pas, Mireille se tint coite. Une fois la tasse vide, elle sortit de son sac sa trousse de toilette, ses vêtements de rechange et sa serviette puis elle partit en quête de la salle de bain.

* * *

Il s'agissait d'une grande pièce avec, d'un côté, une toilette, de l'autre, un grand carré de céramique au centre duquel se trouvait un trou de quinze centimètres. Juste au-dessus, la douche descendait du plafond. Il n'y avait ni rideau ni mur, alors il fallait s'assurer de mettre ses affaires à bonne distance avant d'ouvrir les robinets.

Pour une fois, la douche ne servit pas à se rafraîchir, mais plutôt à se réchauffer. Mireille laissa l'eau très chaude lui couler d'abord dans le dos, puis sur la tête. Elle fit durer le plaisir longtemps, en savourant chaque seconde. Ses muscles se détendaient un à un et tressautaient. Quand elle quitta enfin la salle de bain, elle se demanda si elle n'avait pas vidé le réservoir d'eau chaude. Tant pis ! Il y en aura d'autre ! Et puis un gîte aussi gros devait être bien équipé.

Après avoir fait sa lessive dans l'évier du couloir, elle revint dans la chambre et trouva Annette endormie. Elle suspendit ses vêtements là où c'était encore possible. Si elle savait que son pantalon et son t-shirt seraient secs le lendemain matin, il en allait autrement de ses espadrilles. Elle se questionnait encore quand elle avisa les chaussures de sa compagne de chambre, bourrées de papier journal. Quelle bonne idée !

Elle attrapa son portefeuille et quitta la pièce sans faire de bruit.

Il y avait une épicerie en bas de la rue. Elle en revint les bras chargés de journaux et de victuailles pour son dîner du lendemain. Annette l'accueillit.

— Quand on a marché toute la journée, ça fait du bien d'enlever du poids de sur nos pieds, tu ne trouves pas ?

Mireille acquiesça. Elle avait marché dix-huit kilomètres et demi ce jour-là. Dix-huit kilomètres et demi sous la pluie et même souvent sous l'orage. Elle était crevée, avait toujours froid, mais hésitait à s'allonger. Elle sentait qu'une énergie étrange l'habitait, quelque chose qui la poussait à bouger, à rejoindre les autres marcheurs, à continuer sa journée malgré l'épuisement qui faisait encore tressauter les muscles de ses jambes. Cette énergie lui interdisait le sommeil. Pour le moment du moins. D'ailleurs, le soleil se montrait enfin, et ses rayons chauffaient la place publique qu'on apercevait par la fenêtre, juste devant l'église.

Annette, qui avait suivi son regard, enfila ses sandales.

— As-tu envie d'une bière ? Je dois retrouver une amie devant le bar.

Décidément, les Européens possédaient un art de vivre exemplaire.

* * *

Catherine était une femme de cinquante ans bien en chair dont les éclats de rire étaient contagieux. Elle les attendait à la terrasse d'un bar adjacent au gîte et n'en était pas à sa première bière quand Mireille et Annette l'y rejoignirent. Elle voyageait seule, comme beaucoup de femmes sur le Chemin. Après les présentations, on commanda un pichet de vin rosé et trois verres. Et quand Viviane vint se joindre à elles, le serveur leur apporta un verre supplémentaire, ainsi qu'un autre pichet. La chaleur était revenue, la bonne humeur aussi. Et, l'ivresse aidant, chacune raconta son histoire.

Mireille resta évasive sur la sienne. Elle était arrivée avec sa sœur et celle-ci était repartie avec l'homme de sa vie au bout de deux jours. Viviane raconta l'histoire de ses aventures dans le commerce de l'huile d'olive, de sa faillite et des enseignements qu'elle en avait tirés. Les trois autres l'écoutaient, et Mireille, toujours aussi fascinée, essayait de combler les blancs laissés dans les versions précédentes. Quand Viviane décrivit le désespoir dans lequel l'avaient plongée les lettres de ses créanciers, la visite de l'huissier, les refus répétés des banques, Mireille lui trouva une maturité qu'elle ne lui soupçonnait pas. Au fond, malgré des visions du monde à l'opposé, elles avaient plusieurs points en commun. Un goût prononcé pour le commerce, un sens des affaires inné. Mireille se dit que si elle avait dû partir à zéro pour établir son épicerie, elle aurait probablement commis les mêmes erreurs que Viviane. Si elle les avait évitées, c'était uniquement parce que Jocelyn lui avait ouvert la voie et avait construit les assises sur lesquelles fonctionnait maintenant l'épicerie.

Ce fut ensuite au tour de Catherine de raconter comment elle et son mari rêvaient depuis toujours de marcher sur le chemin de Compostelle. Il s'agissait d'un projet de couple, d'un objectif de vie commun. Puis il y avait eu la maladie et la mort dudit mari. Catherine s'était fait un point d'honneur de faire ce voyage. Elle avait l'intention de se rendre jusqu'au bout pour allumer un lampion dans la cathédrale de Saint-Jacques. Elle transportait avec elle les cendres de son mari, qu'elle projetait de répandre sur une plage galicienne. À chacune des étapes, elle racontait son histoire et faisait estampiller leurs deux *credenciales*.

— C'est légal? demanda Mireille, intriguée.

— Je ne sais pas si c'est légal, mais jusqu'à maintenant, personne n'a hésité après que j'ai expliqué que je trimbalais mon mari dans une poche de mon sac.

Elles rirent toutes les quatre, puis ce fut au tour d'Annette de raconter comment elle avait entrepris le Chemin. Son histoire était aussi triste que celle de Catherine. Annette avait été mariée pendant vingt ans. Elle ne pouvait pas avoir d'enfant, mais cela n'avait jamais semblé déranger son mari, jusqu'au jour où il lui avait annoncé qu'il la quittait. Toute sa vie, son univers avait tourné autour de cet homme.

— La première chose que j'ai faite, ç'a été de prendre mon sac de couchage, de sortir de la ville et d'aller m'asseoir sur une montagne pour passer la nuit dehors.

— Pour quoi faire ?

Mireille avait eu beau suivre son récit, elle ne comprenait pas.

— Pour me prouver que la noirceur n'était pas dangereuse.

— Tu as passé toute la nuit là ?

Annette soupira.

— Non. J'ai fini par avoir peur et je suis rentrée.

Il y eut un malaise entre les quatre femmes. Viviane en profita pour remplir les verres.

— Et après ? insista Mireille pour briser le silence qui devenait un peu lourd.

— Après ? Je me suis dit qu'il fallait que je me prenne en main. Je me suis équipée des pieds à la tête pour venir faire le Chemin.

— Tu vas te rendre jusqu'où ?

— Je ne sais pas. Jusqu'où je jugerai que ce sera nécessaire, je suppose.

— As-tu encore peur ? demanda Viviane dont la voix trahissait la sympathie.

Annette sourit et leva son verre.

— Non, je n'ai plus peur. Et je propose qu'on porte un toast au courage des femmes. Puissent-elles toujours aller au bout d'elles-mêmes !

— Au courage des femmes !

Il y eut des éclats de rire, des blagues. D'autres personnes se joignirent au groupe. On commanda un autre pichet de vin, d'autres bières. Les conversations se croisaient dans tous les sens. En québécois, on aurait dit que *le party était pogné*.

Au moment où Mireille se faisait cette réflexion, une ombre apparut sur le trottoir. Quelqu'un se tenait derrière elle. Quelqu'un qui portait un chapeau malgré l'heure avancée. Elle n'eut pas besoin de se retourner pour savoir qu'il portait également des verres fumés. Elle lui indiqua la table voisine où il y avait encore des chaises libres.

— Tire-toi une bûche ! lança-t-elle à Christian en s'écartant pour lui faire de la place.

* * *

— Pis ? Comment ça se passe ?

— Super bien. J'ai un peu moins mal aux pieds.

Mireille décrivit à Jocelyn cette journée qui avait été sans contredit la plus longue du voyage. Toutes ces heures debout, sans jamais pouvoir se reposer ni s'asseoir même pour manger. Même dans la douche. Au téléphone, Jocelyn riait. Sans doute trouvait-il comique l'idée de manger debout, sous un poncho, à la pluie battante. Mireille, elle, n'y trouvait rien de drôle. Adossée au mur de la cabine, elle remarqua un crépitement bizarre dans le combiné. Elle crut un moment que c'était un problème avec la ligne téléphonique, mais le bruit était trop irrégulier.

— Tu fais quoi, là ?

— Je me prépare à dîner, voyons !

Évidemment ! Il était midi et demi au Québec.

— À part de ça ?

— À part de ça, rien. Je marche toute la journée. Je rencontre des gens, je prends ma douche, je mange et je me couche.

— Tu dois boire un peu aussi, parce que tu as la voix pâteuse, Mimi.

Elle déglutit. Elle ne pensait pas que ça s'entendait autant.

— Disons que ce soir, on a bu pas mal.

— J'espère que le souper était bon.

— Je n'ai pas encore mangé.

— Quoi ?

Il éclata de rire.

— Demande-toi pas pourquoi tu es saoule si tu as autant bu à jeun.

— Mmm.

— Il a l'air *friendly*, ton Chemin.

— C'est juste dans les villes. Quand je passe la nuit dans un village, il n'y a pas grand-monde. Mais quand on traverse une ville... Je ne sais pas... J'ai l'impression que les gens aiment ça se retrouver sur une terrasse pour boire et jaser. En tout cas, c'était comme ça à Saugues aussi. Tu sais que les Français mangent tard, alors on a souvent du temps à tuer entre le moment où on arrive et celui où on soupe.

— Tu t'es fait d'autres amis.

— Plusieurs. On se croise un soir, on se recroise sur la route, on fait un bout ensemble, on se sépare, puis on se croise encore. Ce matin, j'ai même bu du thé dans une chapelle avec un gars de Moncton.

— Un Acadien ? Wow ! Il est loin de chez lui.

— Moi aussi, je suis loin de chez moi.

— C'est bien vrai. Est-ce que tu t'amuses, Mimi ?

Elle prit un moment avant de répondre. Est-ce qu'elle s'amusait ? Elle ne savait trop. Elle découvrait des paysages, des gens. Elle découvrait des choses sur elle-même et sur la vie. Elle trouvait tout ça intéressant, mais est-ce qu'elle s'amusait ?

— Je pense que oui. Mais je pense que je suis trop fatiguée et trop saoule pour tenir une conversation intelligente.

— Ah, ça, ça s'entend !

— L'école doit être commencée, as-tu acheté les cahiers ?

— Hier soir. Les gars sont tout équipés.

— J'espère que Frédérick ne va pas recommencer ses niaiseries.

— Jusqu'à maintenant, il se comporte comme un ange.

— Et la santé de Josh ?

— Il va super bien. Pis avant que tu me poses la question, je vais te dire que j'ai nommé le futur papa responsable du présentoir des viandes. Le boucher me dit qu'il le trouve sérieux et qu'il est satisfait de son travail.

— Tu es sûr que c'est sage de lui donner autant de responsabilités ?

— Certain.

Mireille voulait l'interroger sur autre chose, mais les mots s'évanouirent avant de franchir ses lèvres. Elle eut beau se creuser la tête, sa question avait disparu. Et les autres idées aussi.

Jocelyn brisa le silence.

— Bon, mon dîner est prêt. Et dans ton cas, ça doit bien être l'heure de souper.

— Je pense, oui.

— Profite de ta soirée pour te reposer un peu. Tu m'as l'air épuisée.

— Je peux bien l'être, à force de marcher toute la journée depuis presque une semaine.

— Eh bien, ce soir, tu boiras un verre de vin à ma santé. Du rosé, s'il vous plaît.

Elle rit et le lui promit. Elle lui dit aussi qu'elle l'aimait, qu'il lui manquait.

— Moi aussi, je t'aime, et j'ai hâte de te revoir.

Elle raccrocha et réalisa qu'elle avait oublié de parler de l'anniversaire de Marc-Antoine. Elle pensa à lui téléphoner, mais se ravisa en se rappelant que Jocelyn avait décelé son état d'ébriété juste au son de sa voix. Ce serait dommage que son fils s'en aperçoive aussi. Elle devrait peut-être lui écrire un courriel…

Convaincue qu'il s'agissait de la meilleure chose à faire pour se racheter, Mireille partit en quête d'un cybercafé. Le seul qu'elle trouva était fermé depuis 16 heures. Furieuse, elle s'assit sur le seuil et rumina. À 16 heures, elle était déjà ivre ! Et puis Christian était arrivé…

Mais que se passait-il donc ? C'était quoi, ces manières de penser si souvent et avec autant de plaisir à un autre homme que Jocelyn ? Il s'était écoulé à peine une semaine depuis qu'elle avait quitté la maison, et voilà qu'elle oubliait, qu'elle négligeait les siens, qu'elle pensait… différemment. Tout cela ne lui ressemblait pas. On aurait dit qu'elle perdait peu à peu le contact avec la réalité, avec sa vie, avec ses proches. Que faisaient-ils en ce moment ? Comment se débrouillaient-ils ? Elle n'avait même pas pensé à le demander. Elle ne songeait qu'à ses pieds, qu'à ces heures de marche, qu'à ces conversations avec des gens qu'elle connaissait à peine. Qu'est-ce qui lui arrivait ? Elle se sentait autre. Autrement. Et puis quelle mauvaise mère elle faisait !

* * *

La salle à manger s'étirait vers le fond comme un long tunnel bordé de chaque côté par une rangée de tables contiguës. Tous ceux qui dormaient au gîte y prenaient place. L'endroit était bruyant, animé et joyeux. On aurait dit un mariage ou une fête d'enfants.

Mireille salua Catherine et Annette tandis qu'on la conduisait jusqu'à la place qui lui avait été réservée. Elle reconnut aussi d'autres marcheurs croisés au fil des jours, des restaurants et des hôtels. Elle se retrouva néanmoins assise au milieu d'inconnus… qui ne le furent pas longtemps. On fit les présentations dans la seconde qui suivit son arrivée. À sa droite se trouvait un couple de Français fous de la randonnée. À sa gauche, un couple de Hollandais en pèlerinage. Après avoir écouté avec intérêt, d'un côté, les aventures en Mongolie du couple de Français, Mireille dut se taper les motifs religieux des Hollandais, qui lui racontèrent leurs moments d'extase en anglais. Elle refusa le vin, mais avala avec appétit la salade, la saucisse du pays et les frites en se faisant la réflexion qu'on mangeait décidément beaucoup de saucisses dans la région. En fait, chaque fois qu'elle avait payé pour la demi-pension, on lui avait servi exactement la même chose.

Salade, saucisse, frites et vin rouge. C'était bon, elle n'avait rien à y redire, mais, à force, on se lassait. Elle se promit de manger dans un vrai restaurant le lendemain soir. Et le suivant aussi, si ça adonnait, histoire de varier les plaisirs.

Le repas terminé, elle monta à sa chambre, se brossa les dents, enfila son pyjama et s'endormit en posant la tête sur l'oreiller.

* * *

Ça ressemblait au monde réel, mais elle savait que ça ne l'était pas. Elle marchait sur un trottoir. Derrière elle se dressaient l'église et le gîte. Elle s'en éloignait en suivant la rue qui descendait en zigzaguant vers la rivière. De l'autre côté, sur une berge bordée d'écume, le soleil brillait plus fort. La coquille de Saint-Jacques apparut, vissée à un poteau. Le bon chemin s'enfonçait plus loin dans un boisé majestueux comme ceux des peintres de paysages historiques. Elle céda à l'envie de prendre la main de celui qui marchait avec elle. Sans hésiter, elle l'entraîna dans le sous-bois et, posant les mains de l'homme sur ses hanches, elle ferma les yeux pour goûter les lèvres qu'il pressa sur les siennes.

C'était sa vie, et ça ne l'était pas. C'était son monde, et ça ne l'était pas non plus. Chose certaine, elle était ailleurs, elle-même et une autre en même temps. Il ne pouvait y avoir aucune autre explication à ce comportement. Ni à l'existence de cet homme à la tête de bouc qui lui retirait ses vêtements pour lui faire l'amour sur la mousse tendre et couverte de rosée.

De Saint-Alban-sur-Limagnole à Chabanes Planes

Pour sortir de Saint-Alban, il fallait descendre jusqu'à la rivière par une rue qui zigzaguait paresseusement entre des édifices anciens. Mireille ferma la porte du gîte et, dépassant le parvis de l'église, elle eut une impression de déjà-vu. Il faisait frais, mais le soleil qui baignait la vallée annonçait une journée chaude. De l'autre côté de la rivière, le Chemin se confondait avec une route de campagne qui piquait à droite et grimpait devant quelques maisons isolées pour disparaître dans la forêt de l'autre côté d'une colline. Mireille marchait, la tête haute. Ce matin, son sac, qui contenait exactement la même chose que la veille, lui semblait plus léger. Tout en haut, elle se retourna d'instinct pour fixer une dernière fois dans sa mémoire l'image d'une ville qu'elle quittait presque à regret. Quelque chose s'était produit ici. Elle n'arrivait pas à mettre le doigt dessus, mais elle le sentait à sa façon de regarder, de sentir, d'entendre. Quelque chose en elle s'était transformé. Elle ne savait plus quel jour on était. Elle ne savait pas l'heure non plus et avait décidé de ne pas remettre sa montre. Le soleil était bas, c'était le temps de marcher. Rien d'autre ne comptait.

Elle trouva Viviane assise sur le rebord d'un ancien abreuvoir à bétail. Elle écrivait dans son carnet.

—Je t'attendais.

Ce furent ses seuls mots, et elle les lui adressa comme s'il s'agissait d'une évidence avant de lui emboîter le pas. Elles marchèrent en silence, traversèrent un village, puis encore une rivière avant d'affronter le sentier qui grimpait maintenant dans la forêt. Après, la route était droite et sans surprise. Ce n'était pas le cas de Viviane.

— Vas-tu coucher avec lui ? demanda-t-elle au moment où elles croisaient une douzaine de vaches qui arrivaient en sens inverse.

Mireille était tellement persuadée d'avoir mal entendu qu'elle laissa passer le troupeau avant de lui demander de répéter.

— Ben voyons donc ! s'exclama-t-elle quand elle comprit enfin la question. Je t'ai dit que j'avais une famille. Et puis j'ai passé l'âge de courailler.

— Pourquoi tu dis ça ? Tu ne le trouves pas à ton goût ?

— Ça n'a rien à voir. Il est bien beau et bien gentil, mais j'ai déjà quelqu'un.

— Je ne vois pas le rapport.

— Le rapport, c'est que je suis en couple.

— Et puis ?

— Tu n'as jamais entendu parler de fidélité ?

— Je te dirai que chaque personne a sa définition de la fidélité. Moi, je te parle d'amour.

Mireille fut tellement surprise par ce dernier mot qu'elle prit un moment avant de répondre. Quelque chose en elle sentait la menace ; il lui fallait fourbir ses armes.

— Et moi je te dis que je suis fidèle et que la fidélité est une valeur importante pour moi.

— Pourquoi ?

— C'est une question de respect.

— Ah, oui ? Dans ce cas-là, ce n'est pas tout le monde qui a la même définition du respect.

— Qu'est-ce que tu veux dire ?

— Est-ce que c'est de l'infidélité de fantasmer sur un autre homme que son chum ?

— Je ne fantasme pas sur Christian.

— Si tu le dis.

Viviane pressa le pas et gravit sans effort de gros rochers qui bloquaient la route.

— Mais réponds donc à ma question. Est-ce que c'est de l'infidélité de fantasmer sur un autre homme que son chum ?

— Ben, non ! Tant qu'on ne passe pas à l'acte.

— Et si tu apprenais que ton chum fantasme sur une autre femme, est-ce que ça ferait de lui un homme infidèle ?

Mireille n'y avait jamais vraiment pensé, si bien qu'elle ne sut que répondre.

— Veux-tu que je répète la question ? insista Viviane.

— Non, je vois très bien où tu veux en venir.

— Vraiment ? Je te jure que tu vois juste le début.

Elle pivota pour descendre, et Mireille la perdit de vue. Lorsqu'elles se retrouvèrent de l'autre côté, il y eut un moment de silence. Mireille eut tout à coup la certitude que son amie voyait en elle jusqu'au fond de son âme. La sensation fut tellement désagréable qu'elle détourna la tête et fixa le chemin droit devant.

— Pour certains, continua Viviane, l'infidélité commence avec une pensée pour une autre personne que l'être aimé. Pour d'autres, c'est le flirt. Pour d'autres encore, c'est l'acte. Dans le fond, la seule chose qui change, c'est la perception de l'ego.

— Tu exagères.

— Penses-tu ?

Mireille chercha un argument, un exemple, n'importe quoi pour prouver à cette nymphette qu'elle se trompait, mais elle ne trouva rien. Son esprit semblait s'être mis au neutre depuis la veille. On aurait même dit qu'il ne voulait pas résister à l'argumentation.

— Si tu y penses comme il faut, poursuivit Viviane, ça n'enlève rien à personne que tu aies envie d'un autre homme.

— J'aime mon chum.

— Je n'ai pas dit le contraire. Je dis que ça ne lui enlève rien si tu couches avec Christian.

— Je ne peux pas lui faire ça.

— Lui faire quoi ?

— Le tromper.

— Comme je te le disais, selon certains, tu l'as déjà trompé.

— C'est juste si je couche avec un autre que je le trompe.

— Ça lui ferait quoi, s'il l'apprenait ?

— La même chose que ça me ferait si j'apprenais qu'il couche avec une autre femme. Il serait furieux et blessé.

— Pourquoi furieux ?

— Parce qu'il me fait confiance et que je l'aurais trahi.

— Tu lui aurais volé quelque chose ?

Mireille ne trouva pas de réponse à cette question.

— Tu lui aurais enlevé quelque chose ?

Elle ne trouva pas de réponse à cette question non plus.

— Tu l'aurais privé de quelque chose ?

Cette fois, Mireille vit que la question n'avait pas de sens.

— Je ne peux pas le priver de quelque chose, il n'est même pas là.

— Ce n'est pas moi qui l'ai dit.

— Arrête ! Tu joues avec les mots.

— Non. Je te montre de quoi il retourne quand on parle de fidélité.

— Jocelyn serait surtout blessé s'il apprenait que j'ai couché avec un autre.

— Tu veux dire que son ego serait blessé.

— Non. Je veux dire que lui, en tant que personne, serait blessé.

— Tu l'aurais insulté ?

— Je ne sais pas. Je n'ai jamais pensé à ça.

— Je vais te le dire, moi, pourquoi il serait blessé…

— Je ne suis pas certaine que j'ai envie de t'écouter.

— Tu peux t'en aller n'importe quand. Sur le Chemin, tout le monde est libre de marcher avec qui il veut.

Mireille eut envie de la prendre au mot et de la planter là, mais elle était tout à coup intriguée. De toute évidence, Viviane avait pensé à la chose beaucoup plus longtemps qu'elle.

— OK. Je t'écoute.

— Ton chum serait blessé de découvrir qu'il ne serait pas le seul homme de la Terre à te toucher. C'est presque la même obsession qu'on avait dans le temps pour la virginité.

— Tu exagères. Ça ne me dérange pas de savoir que mon chum a couché avec d'autres femmes avant moi. C'est pendant qu'il vit avec moi que ça me dérange.

— C'est une question de degré, mais c'est quand même une question d'ego.

— Peut-être, mais c'est comme ça qu'on vit en société.

Viviane ne tint pas compte de ce dernier commentaire et poursuivit sur sa lancée.

— C'est comme pour ces hommes obsédés par la virginité des jeunes filles. Ils veulent être le seul propriétaire non seulement de leur corps, mais aussi de leur âme.

— Ta comparaison est exagérée.

— Exagérée ? Tu appartiens à quelqu'un si tu refuses de vivre ta vie, de partager quelque chose avec quelqu'un d'autre simplement parce que tu as peur de lui faire de la peine.

— Ce n'est pas seulement « quelque chose ». C'est de faire l'amour qu'il s'agit, bordel ! Pourquoi est-ce que j'ai l'impression de parler avec une extraterrestre ?

— C'est peut-être ce que je suis.

— C'est l'impression que tu donnes… Par bouts, en tout cas.

Elles arrivaient déjà dans un village qu'elles traversèrent en silence. Les habitants y vaquaient à leurs occupations. Des poules traversaient la rue. Un chien aboya quelque part. Un chat bondit d'un arbre. La vie continuait autour de Viviane et de Mireille, mais, avec cette conversation, elles avaient érigé un mur de verre entre elles et le monde, une espèce de bulle qui les rendait inaccessibles. Vivianne reprit dès qu'elles eurent dépassé la dernière maison.

— Dis-moi. À la fin, juste avant de mourir, seras-tu fière d'avoir résisté à la tentation ou regretteras-tu de ne pas avoir suivi jusqu'au bout la pulsion qui te pousse vers Christian ?

— Je ne le sais pas. Je n'y ai jamais pensé.

— Tu devrais peut-être commencer à y penser étant donné que tu peux mourir d'un instant à l'autre, écrasée sous un arbre ou frappée par une auto sur la prochaine départementale qu'on traversera.

— Je me suis trompée. Tu n'es pas une extraterrestre. Tu es le Diable en personne.

— Le Diable n'existe pas. C'est une invention des premiers chrétiens pour détourner les païens qui vénéraient le grand dieu Pan.

— Pan ? C'est qui, celui-là ? L'inventeur de la flûte ?

— Non. C'est le Grand Tout, celui qui dirige l'ordre universel, le dieu de la Nature, si tu préfères. Il fait le lien entre la Nature extérieure, que tu peux voir de tes yeux, et la Nature intérieure, celle qui t'habite, mais que tu refoules pour mener une vie conforme aux normes de la société.

— Jamais entendu parler.

— Ben oui ! Tu l'as déjà vu en image, avec sa flûte, justement. Il a des cornes, un torse d'homme, mais des pattes de bouc. À l'origine, on le dessinait avec une immense érection.

Mireille secoua la tête. Pourquoi avait-elle encore cette sensation de déjà-vu ?

— Une immense érection, répéta-t-elle. Ça ne me surprend pas, venant de toi ! En tout cas, Christian ne mérite pas que je lui accorde la moindre attention s'il est capable de coucher avec une femme mariée.

— Tu es mariée ?

— Non, mais c'est tout comme.

— Si Christian ne t'approche pas parce que tu es déjà prise, ce n'est pas pour te protéger toi, mais pour se protéger lui.

— Se protéger de quoi ?

— Des remords qu'il pourrait avoir s'il passait à l'acte.

Mireille n'avait jamais vu les choses sous cet angle, mais elle lui donna raison.

— Il n'y a rien de mal à être vertueux.

— La vertu, c'est comme la fidélité. Ça dépend de la définition que tu lui donnes. Si tu t'efforces d'être vertueuse pour mener une bonne vie et aller au ciel, comme on disait dans le temps, la vertu n'est qu'une façon déguisée de parler de l'ego.

— Je ne crois pas au ciel ni à l'enfer.

— Si tu t'efforces d'être vertueuse pour qu'on puisse dire que tu as mené une bonne vie ou que tu es une bonne personne, tu es encore juste la proie de ton ego.

Viviane laissa s'écouler toute une minute de silence, comme si, avec cette pause, elle voulait donner le temps à Mireille de réfléchir à ce qu'elles venaient de se dire.

— Pour en revenir à Christian, s'il ne couche pas avec toi, ce n'est pas parce qu'il n'en a pas envie. C'est parce qu'il veut se convaincre qu'il ne sera pas la cause de ton infidélité.

Mireille haussa les épaules.

— Je ne vois pas de mal là-dedans.

— Il veut se persuader qu'il est capable de se contrôler et de contrôler la Nature. Il veut se convaincre qu'il est plus fort et plus vertueux que les autres. Moi, ce genre de vertu me donne mal au cœur. C'est de l'hypocrisie.

— Tu préfères l'infidélité à l'hypocrisie ?

— On ne décide pas d'aimer ou non, de désirer ou non. Ça vient d'en dedans, de la Nature elle-même. Refuser la Nature par vertu, c'est gonfler son ego.

Mireille s'impatienta.

— Si je couche avec Christian, je vais me sentir coupable le restant de mes jours.

— La culpabilité a été inventée pour contrôler les gens. Elle ne sert absolument à rien, sauf à t'empêcher d'agir en te menaçant de t'empoisonner la vie par la suite.

— Et si je ramenais une maladie que je transmettais ensuite à Jocelyn ? Je ne serais pas bien fière de moi.

— Ça existe, des condoms.

— Ça n'est pas toujours garanti.

— Tu cherches des poux ! Si on les recommande même pour les relations sexuelles avec les sidéens, c'est que c'est le meilleur moyen. Mais le problème n'est pas là, n'est-ce pas ?

Elle se tut. Il y eut un autre moment de silence pendant lequel Mireille sentit l'exaspération monter d'un cran.

— Tu es démoniaque, lui lança-t-elle, à court d'arguments.

Pour toute réponse, Viviane lui offrit un sourire enjôleur avant de quitter le sentier pour s'enfoncer dans la forêt.

— On se retrouve plus tard !

Elle disparut derrière les arbres.

Mireille demeura un moment immobile, consternée, et indécise quant au prochain geste à poser. Elle se remit finalement en marche. Assez, c'est assez ! Elle n'allait tout de même pas laisser une fille de vingt ans lui faire la morale !

De Chabanes Planes aux Estrets

Il faisait déjà chaud. Mireille avait enlevé le polar enfilé avant de quitter l'hôtel. Après la pluie diluvienne de la veille, qui aurait pu imaginer que la température changerait à ce point ?

Elle marchait seule maintenant. Des pèlerins en meilleure forme la dépassaient en la saluant. De temps en temps, elle reconnaissait l'un d'entre eux. Elle avait, plus tôt, doublé Annette et Catherine en leur promettant de les rejoindre au gîte d'Aumont-Aubrac pour l'apéro. Elle-même ne dormait pas au gîte. Elle avait maintenu sa réservation à l'hôtel malgré le départ de Louise, et même si on lui avait dit que le coût de la chambre serait le même, qu'elle soit seule ou en couple.

Elle avait plusieurs fois repassé dans sa tête les paroles de Viviane, non sans serrer les dents. Pour qui se prenait-elle donc pour donner des conseils de cet ordre ? Les relations entre les hommes et les femmes étaient déjà bien assez compliquées sans qu'on y ajoute la vision du monde tordue d'une gamine qui n'avait jamais vécu que pour elle-même. Mireille avait déjà toute une vie derrière elle. Elle avait eu deux familles, celle qu'elle avait créée avec le père des garçons, et celle qu'elle formait maintenant avec Jocelyn. Elle savait comment les choses se passaient. La vie lui avait appris à contrôler ses pulsions, ses penchants, et même les amitiés qu'elle jugeait potentiellement dangereuses. Elle était heureuse avec Jocelyn et entendait le rester. Pas question de sauter la clôture et de céder au désordre. Elle savait qui elle était et ce qu'elle voulait faire de sa vie. Et même si elle pouvait admettre qu'elle trouvait Christian charmant, qu'elle aimait marcher et discuter de tout et de rien avec lui, il n'avait jamais été question pour elle que les choses aillent plus loin. Elle aimait sa compagnie ; cela ne voulait pas dire qu'elle voulait coucher avec lui. Franchement ! Que d'imagination chez Viviane ! Et quel front, aussi, d'imposer ses idées aux autres ! Il faudrait désormais se méfier d'elle, ne pas l'écouter trop sérieusement, sans quoi…

Mireille eut beau essayer de retrouver le calme avec lequel elle marchait depuis quelques jours, c'était peine perdue. Viviane avait semé la confusion dans son esprit. Au lieu d'admirer le paysage, au lieu de s'attarder au marquage du chemin, au lieu de prêter attention aux autres pèlerins qui tentaient d'établir un contact plus personnel avec elle, elle repassait en boucle ses différentes rencontres avec Christian, leurs conversations décousues, improvisées et sans but. Non, vraiment, Viviane se trompait. Mireille ne voyait rien là-dedans qui aurait pu laisser penser qu'il y avait autre chose entre elle et Christian que la camaraderie née de la route qu'ils partageaient, beau temps, mauvais temps.

Rassurée, elle entama une descente. Tout en bas, le sentier traversait un ruisseau dont les flots, gonflés par la pluie de la veille, se ruaient vers le nord comme un torrent. Et de l'autre côté, assis sur un rocher, Christian était plongé dans le recueil de Louise Labé. Le cœur de Mireille sauta un battement.

— Je t'attendais, dit-il, en refermant son livre.

Mireille en ressentit un profond malaise. Elle aurait voulu passer tout droit, faire demi-tour. Elle aurait même disparu si la chose avait été possible. L'opinion de Viviane lui sembla tout à coup moins farfelue. Elle eut peur. Pas tant de lui que d'elle-même. Et si c'était vrai ? Et si, sans s'en rendre compte, elle se dirigeait droit dans un mur ? Elle essaya d'abord de garder ses distances.

— Comment ça, tu m'attendais ? Tu as oublié quel chemin il faut prendre ?

Au lieu de s'offusquer, Christian désigna le sentier qui remontait pour s'enfoncer de nouveau dans les bois.

— J'ai vu Viviane il y a quinze minutes. Elle m'a dit que tu voulais me parler.

Mireille sentit ses joues s'empourprer, prise d'une soudaine envie de meurtre. Viviane était vraiment le Diable en personne ! Comme il était impossible d'exprimer sa colère sans trahir ce qui l'avait provoquée, Mireille éclata de rire.

— Ce n'était pas urgent, lança-t-elle en arrivant à sa hauteur.

Son esprit cherchait un mensonge qui sauverait la face. Devinant son malaise, Christian vint à son secours.

— Bof ! J'étais fatigué, alors ça faisait mon affaire de m'asseoir pour t'attendre.

— T'étais fatigué ? Déjà ?

Elle n'en croyait pas un mot, et pourtant, sur le visage de Christian, elle perçut effectivement une grande lassitude. Il peina à se lever.

— Il ne faut pas se fier aux apparences, dit-il en endossant son sac.

Pendant quelques minutes, ils marchèrent sans rien dire. Puis Christian lança, sans s'arrêter et sans même se tourner vers elle :

— C'était quoi ta question ?

Mireille dit la première chose qui lui passa par la tête.

— Je me demandais ce que tu faisais dans la vie.

Il eut un petit rire, comme pour lui-même.

— Tu veux savoir ce que je fais comme travail ou ce que j'aime faire ?

— Les deux, je suppose.

Même si la question ne lui était jamais venue à l'esprit, Mireille mourait d'envie d'en connaître la réponse.

— Je suis réalisateur à Radio-Canada.
— Réalisateur ? On ne rit plus.
— J'étais prof avant.
— Prof de quoi ?
— De français. Mais ce n'était pas un métier pour moi.
— Et réalisateur, c'est un métier pour toi ?
— Je pense que oui.
— C'est ce que tu aimes faire ?
— Non… je veux dire, oui, mais c'est surtout mon travail. C'est intéressant et ça paie les voyages.
— Et l'autre ?
— L'autre quoi ?
— L'autre chose, celle que tu aimes ?
— Jouer de l'orgue dans une église.
Mireille s'immobilisa et le regarda, incrédule.
— Tu vas à l'église ?
Elle n'aurait peut-être pas dû être surprise. Après tout, elle ne savait rien de lui. Mais comme il avait le même âge qu'elle, elle avait conclu – de façon erronée, elle s'en rendait compte maintenant – qu'ils avaient vécu un parcours semblable, hors de la religion, comme presque toute leur génération. Ce n'était pas le cas. Elle mit cette erreur de jugement sur le compte de la langue. Parce qu'il parlait français, elle ne cessait de le voir comme un Québécois. Or Christian était un Acadien, avec une origine, une culture et un accent bien à lui. Et puis il marchait sur la route de Compostelle. Comme pèlerin. Cela en disait assez.
— Je n'ai pas toujours été à l'église.
Il s'arrêta, et Mireille sentit qu'il hésitait à poursuivre.
— J'ai quarante-deux ans, dit-il enfin. Et j'en suis rendu à deux prises.
Si Mireille n'avait mis au monde que des filles, elle n'aurait peut-être jamais compris l'image. Mais elle avait donné naissance à des garçons qui, pendant l'enfance autant que pendant

l'adolescence, avaient joué au baseball. Elle sut immédiatement de quoi il parlait. Pas de baseball, bien sûr, mais de la vie. Il avait vécu des choses – des maladies, probablement – qui allaient lui enlever des années de vie. Il ne lui restait plus qu'une prise, la troisième. Après ça… Après ça, il mourrait.

Il n'était plus question maintenant de l'interroger. Surtout que des marcheurs arrivaient derrière eux. D'un commun accord, ils les laissèrent passer en silence. Et quand ils furent assez loin pour ne pas l'entendre, Christian laissa tomber :

— J'ai eu un cancer il y a sept ans.

Il ne dit pas de quel cancer il s'agissait, et Mireille ne lui posa pas la question. De toute façon, ça n'était pas important. Il fallait qu'il soit guéri pour se lancer sur la route avec son sac à dos. Cela expliquait tout de même la faiblesse qu'elle avait perçue quand elle l'avait vu se lever avec peine du rocher où il l'attendait.

— Et la deuxième prise, c'était quoi ?

Rien ne pouvait être aussi grave que le cancer. Mireille en était persuadée.

— Juste avant que je parte, on m'a découvert un problème cardiaque.

Mireille assimila l'information. Quelque chose clochait. Christian n'avait pas une once de gras sur le corps. Et elle l'avait vu manger. Il choisissait des aliments sains. Ses lunchs étaient plus santé que ceux de n'importe qui sur le Chemin. Elle le lui dit. Il en rit.

— Tu diras ça à mon médecin, railla-t-il comme s'il avait vu une blague quelque part dans les propos de Mireille.

Puis il ajouta :

— C'est une conséquence des traitements.

Il ne donna pas de détails là non plus, et Mireille pensa à Joshua dont les médicaments lui causaient parfois des palpitations. Pourquoi fallait-il qu'en soignant un mal, la médecine en crée si souvent un autre ?

Ils marchèrent encore en échangeant sur des banalités. Cette fois, Mireille sentait entre eux une intimité nouvelle, un sentiment né d'une conscience de la fragilité de la vie. Elle se demanda si, en marchant pour la énième fois sur ce même chemin, Christian faisait en quelque sorte un pied de nez à son Dieu. Ou bien essayait-il de lui plaire ?

— Quand je marche ici, dit-il, je me sens en dehors du monde. Tu sais, le monde qui dicte nos gestes, qui nous impose des règles, qui décide de ce qui est bien et de ce qui est mal. Quand je marche ici, je suis le seul à décider de ma vie. Minute par minute. Seconde par seconde, même, des fois. Les conséquences sont immédiates. Je sens le sang qui circule dans mes veines. Et je respire sans les contraintes que m'impose ma vie professionnelle.

— Mais tu es seul, ici.

— Pas tout le temps.

Il se tourna vers elle, et elle jura qu'il lui faisait un clin d'œil derrière ses lunettes de soleil.

— Pas maintenant.

Il lui souriait franchement, et elle se demanda s'il était conscient de l'effet que son sourire avait sur elle. Elle eut chaud tout à coup. Plus chaud que de toute la matinée, et ce n'était pas parce qu'approchait midi. Elle entendit une voix dans sa tête, une voix qui venait de très loin et qui s'insurgeait, en vain. Mireille se sentait bien. Trop bien, sans doute.

Christian attira soudain son attention sur une odeur particulière.

— Ça veut dire qu'on arrive.

— Qu'est-ce que ça sent ?

— La civilisation, très chère.

Mireille avait senti cette odeur à Lyon. Elle l'avait aussi senti au Puy. Et souvent, aussi, par la suite. C'était l'odeur dégagée par les égouts les jours de chaleur.

Les Estrets

Ils arrivaient, comme de fait, aux Estrets et se dirigèrent vers un gîte privé annoncé sur le bord de la route. Après avoir abandonné leurs sacs sur le sol à l'entrée de la cour, ils s'assirent à l'ombre.

— Vous pouvez manger votre déjeuner si vous voulez, leur dit la patronne en leur apportant un pichet de limonade et deux verres. Ça ne m'insultera pas. Mais j'ai de la bonne tarte aux pommes…

Elle disparut dans les entrailles sombres du gîte, et la porte qu'elle referma derrière elle provoqua un courant d'air frais. Mireille avait fermé les yeux, soudain fatiguée. Elle dut s'assoupir, parce que, quand elle les rouvrit, Christian revenait avec un sac de plastique duquel il sortit des fruits, du pain et du fromage.

— Sers-toi !

Il lui tendit son couteau de poche et poussa le fromage vers elle. Trop lasse pour s'opposer aux sentiments qu'elle sentait monter en elle, Mireille se servit, comme si ce dîner était aussi le sien, comme s'ils en avaient partagé la préparation.

Les Estrets étant situés au fond d'une vallée, le sentier y descendait en sortant de la forêt, traversait le village d'est en ouest, empruntait le même pont que les voitures et remontait de l'autre côté en une pente à pic. Après avoir croisé la départementale, il grimpait encore à travers un pâturage que plombait le soleil. De sa chaise, Mireille pouvait suivre le tracé et elle savait, après lui avoir jeté un œil de biais, que Christian l'avait suivi, lui aussi.

— Tu ne trouves pas qu'on est bien ? dit-il sans détacher son regard de l'horizon.

Mireille approuva et ajouta, pour elle-même encore une fois, « trop bien ».

Elle sentait qu'elle était en train de basculer. Elle aurait tout donné pour que Jocelyn soit là, pour qu'il la rattrape avant qu'elle s'enfonce, qu'elle perde pied. Mais n'est-ce pas lui-même qui l'avait poussée, qui avait insisté pour qu'elle continue après le départ de Louise ? Rien de tout cela ne serait arrivé s'il l'avait laissée rentrer à la maison, s'il lui avait dit qu'il aurait été content de la revoir plus tôt. Au lieu de quoi, il l'avait jetée dans la gueule du loup.

Ils commandèrent du café et des morceaux de tarte qu'ils avalèrent avec appétit. Mireille sentait maintenant la proximité d'un corps qu'elle désirait sans pour autant être capable de fixer une image dans sa tête. Elle avait envie de l'approcher, de le toucher. C'était fort, impérieux. Aussi nécessaire que de boire quand on a soif. Ses yeux effleurèrent les bras couverts de duvet, mais elle ne fit pas un geste vers lui. Parce qu'elle avait peur. Et parce que rien chez Christian ne trahissait le même désir.

Elle l'entendit soupirer et devina qu'il avait fermé les yeux derrière ses lunettes. S'ils restaient là encore une minute, il s'endormirait. Et elle, elle le caresserait du bout des doigts. Il ne fallait pas.

— Bon ! s'écria-t-elle un peu trop fort. C'est l'heure de repartir.

Il sursauta, mais ne lui reprocha pas sa brusquerie. Cinq minutes plus tard, ils traversaient la départementale en direction du sommet.

Des Estrets à Aumont-Aubrac

La route n'en finissait plus de monter et, par cette chaleur, l'ascension prenait un temps fou. Mireille sentait la transpiration lui couler dans le cou et sur les tempes. Son t-shirt lui collait à la peau, et le tissu du pantalon lui brûlait la taille. Christian aussi était en nage. Il s'essuyait le front avec un bandana toutes les deux minutes. Dire qu'ils n'étaient qu'à mi-pente ! Et dire qu'il n'y avait pas un arbre à proximité sous lequel se reposer à l'ombre. La campagne entière chauffait au soleil, tellement que Mireille ne s'imaginait pas marcher encore six kilomètres. Mais ils n'avaient pas le choix, il n'y avait rien avant Aumont-Aubrac.

Pour économiser leurs énergies, ils ne parlaient que lorsque c'était requis. Pour annoncer un rocher glissant de mousse ou pour éviter une tige d'orties.

C'est avec un soulagement partagé qu'ils virent le sentier piquer de nouveau dans la forêt. Ils enjambèrent la clôture de métal qui les confinait à la poussière et se dirigèrent comme d'instinct vers la fraîcheur paisible du sous-bois. Nul mot n'était nécessaire. Ils déroulèrent un poncho et s'y allongèrent après avoir bu de grandes gorgées d'eau. Ils étaient trop proches l'un de l'autre, Mireille le savait. Comme elle savait que cette proximité était dangereuse. Mais cela n'avait plus d'importance à cause de l'état dans lequel elle se trouvait. Il ne retira pas sa main quand elle l'effleura de la sienne. Il ne chercha pas non plus à s'éloigner quand elle laissa sa tête choir contre son épaule. Ils échangèrent quelques mots, un fou rire, un soupir. Puis, rassasiée, Mireille s'endormit.

Quand elle ouvrit les yeux, le soleil avait décliné un peu. Elle s'assit, et il lui fallut un moment pour réaliser ce qu'elle venait de faire. Elle en frissonna d'horreur. Elle ne pouvait pas se laisser aller, céder à cet élan de tendresse. C'était insensé, puisqu'il y avait déjà Jocelyn dans sa vie et qu'elle y tenait. Elle se redressa et s'éloigna assez pour uriner en toute intimité. Quand elle revint, Christian était debout et avait déjà endossé son sac.

— Ça devrait être moins chaud à cette heure-là, dit-il en montrant le sentier toujours brillant de soleil.

Mireille sentit qu'il avait aussi hâte qu'elle de quitter la pénombre. Elle attrapa son sac et le suivit. Elle préféra s'écorcher les paumes et les genoux plutôt que de saisir la main qu'il lui offrait pour l'aider à enjamber la clôture. Ils repartirent vers l'ouest où l'on apercevait, loin devant, un autre groupe de marcheurs.

Le malaise entre eux ne dura pas longtemps. Un kilomètre plus loin, en dépassant un jeune homme qui grattait sa guitare, Christian parla de l'orgue sur lequel il jouait quand il était chez lui. Il décrivait l'instrument, les tuyaux, le son et l'acoustique de l'église. Le charme se rétablit de lui-même, et la conversation dévia vers la musique, puis vers le cinéma. Ils aimaient les mêmes groupes, avaient vu les mêmes films. Mireille dut admettre que c'était facile de parler avec lui, de rire aussi. Quand le sentier recommença à monter, elle remarqua que Christian peinait plus qu'avant. Elle ajusta ses pas aux siens, mais il dut s'arrêter à mi-pente pour reprendre son souffle.

— Pourquoi est-ce qu'un gars se lance sur la route de Compostelle s'il a un problème cardiaque ?

— Par défi.

— Comment ça, par défi ? Tu veux mourir ?

— Non, mais je ne veux pas arrêter de vivre non plus.

Le ton était grave même s'il souriait. Elle le trouva soudain tellement beau qu'elle en eut mal. Et si l'une des voix dans sa tête s'insurgeait et criait à la trahison, l'autre nageait en plein bonheur.

C'est dans cet état, à mi-chemin entre la culpabilité et l'extase, qu'elle vit apparaître enfin les premières maisons d'Aumont-Aubrac.

* * *

Il poussa la porte de l'église.

— Viens, dit-il en s'enfonçant dans les ténèbres.

Debout sur le seuil, Mireille n'osait le suivre.

— C'est permis ?

La voix de Christian lui parvient, chargée d'écho.

— Ce n'est pas interdit puisque la porte était ouverte.

— Elle n'était pas ouverte.

— Si on ne la barre pas, c'est comme si on la laissait ouverte. Allez ! Viens !

Elle soupira et, vaincue, s'avança à pas hésitants dans l'antre sombre et humide. D'abord, elle n'y vit strictement rien. Puis ses yeux s'habituèrent à l'obscurité. Elle put distinguer les vitraux, les cierges allumés, les bancs et l'orgue près duquel se tenait Christian, sans chapeau et sans lunettes. Son œil de chat ne craignait rien dans un endroit comme celui-là.

— Pose ton sac, assieds-toi là et écoute.

Elle obéit. Le sac produisit un bruit sourd et puissant en tombant sur le plancher. Mireille rentra d'instinct les épaules. Faire autant de bruit dans une église, n'était-ce pas sacrilège ?

— Ça fait longtemps que tu joues de l'orgue ?

— Depuis que je suis ado.

— À l'église, je veux dire.

Il émit un petit rire que Mireille jugea teinté d'ironie.

— Quand la mort te souffle dans le cou, comme elle le fait avec moi, tu n'as pas le choix de remettre en question ta façon de voir la vie.

— C'est comme ça que tu te sens ? Comme si la mort te soufflait dans le cou ?

— Je ne vois pas comment je pourrais me sentir autrement.

C'était une boutade, mais Mireille fit semblant de ne pas la comprendre. Elle s'assit néanmoins et le regarda s'installer. Il souriait maintenant, presque avec tendresse. Ses doigts effleurèrent d'abord le clavier, ce qui ne produisit aucun son. Puis il joua quelques notes, ajusta les pédales, poussa des boutons. Mireille le taquina.

— On dirait que ce n'est pas la première fois que tu viens ici.

— Non, ce n'est pas la première fois.

À voir la familiarité avec laquelle il ajustait tout ce qui devait être ajusté, on saisissait que ce n'était pas la deuxième non plus.

Il y eut un moment de silence pendant lequel Christian ferma les yeux. Mireille se demanda s'il priait ou s'il prenait simplement un moment pour se concentrer. Puis la musique se répandit dans l'église.

Elle reconnut tout de suite la pièce pour l'avoir souvent entendue, jouée par différents instruments. Jamais cependant elle n'aurait imaginé qu'un jour on jouerait pour elle le *Canon* de Pachelbel sur l'orgue d'une église du chemin de Compostelle. L'événement avait quelque chose de surnaturel, quelque chose qui la prit aux tripes et lui fit monter les larmes aux yeux.

Christian jouait toujours. On aurait dit qu'il avait oublié sa présence. Peut-être avait-il même oublié l'endroit où il se trouvait. Ses doigts allaient et venaient, ses pieds glissaient d'une pédale à une autre, et l'église tout entière vibrait. On sentait une grande intensité chez lui, quelque chose que Mireille n'avait pas encore décelé, ni dans ses paroles ni dans ses gestes. Quelque chose qui semblait le raccrocher plus sûrement à la vie que n'importe quel médicament. Était-ce cela qu'on appelait la foi ?

Quand le silence revint, Mireille sentait encore l'émoi dans son ventre et dans sa tête. Elle avait retrouvé l'état dans lequel elle s'était endormie contre lui en début d'après-midi. C'était un état où la réalité, celle de la société, n'avait plus d'emprise, dans un lieu intérieur où seule existait la vérité des choses immédiates, des sentiments, des pulsions, des sensations. La voix qui la rattachait à sa famille, à son commerce, à sa vie au Québec s'était tue. Il ne restait que celle qui lui murmurait à l'oreille qu'elle était en train de vivre un des moments les plus importants de sa vie et qu'il ne fallait surtout pas briser le charme qui la rattachait à Christian. Pas maintenant. Peut-être même jamais.

— Et puis ? C'était à ton goût ?

Son sourire disait à lui seul toute la fierté qu'il avait éprouvée en jouant pour elle dans cette église. Elle le trouva tellement émouvant qu'elle sentit une vague de chaleur la submerger, en même temps qu'un point d'une douleur inouïe lui écraser la poitrine. La voix jusque-là muette se mit à crier. Christian était plus attirant que tous les hommes qu'elle avait connus dans sa vie. Mais il n'était pas pour elle. Parce qu'elle n'était pas à lui.

Aumont-Aubrac

L'hôtel se situait à cinq cents mètres en retrait du tracé de la route de Compostelle, dos au chemin de fer. Mireille s'y était rendue d'un pas de somnambule, la gorge sèche, le cœur douloureux. Elle connaissait bien cette douleur, pour l'avoir vécue souvent. La détresse dans laquelle vous plonge une peine d'amour ne s'oublie pas.

Ils s'étaient séparés devant le gîte. Au moment où elle traversait la rue, il avait fait une blague sur sa démarche claudicante. Elle avait ri avec lui, non pas parce que c'était drôle – même si ça l'était –, mais parce qu'elle avait senti que c'était important, qu'avec ce rire, ils se rapprochaient. Elle n'aurait pas été jusqu'à dire qu'il s'agissait d'une promesse. Une entente, plutôt. Oui, c'était ça. Avec ce rire partagé, ils s'entendaient pour dire qu'ils étaient bien, l'un avec l'autre. Mireille n'avait jamais vécu une telle sensation de proximité avec quelqu'un. C'était plus que de l'intimité. C'était une sorte de communion.

Elle prit la chambre sans se soucier du prix élevé qu'on exigeait. Elle se déshabilla aussitôt la porte refermée et passa sous la douche. L'eau lui fit du bien, mais elle ne le remarqua point. Pas davantage qu'elle ne s'attarda à ses pieds, qui pourtant étaient en mauvais état. Les bandages trempés se détachèrent facilement, si bien qu'elle put rincer les plaies à grande eau. Elle se sécha, refit les pansements et se rhabilla, toujours sans oser revenir à la réalité. Ce n'est qu'en sortant pour téléphoner qu'elle sentit qu'elle touchait terre. La seule cabine à proximité se trouvait devant la gare. Mireille réalisa tout à coup où elle était. Comme il serait facile de retourner à Lyon et de reprendre l'avion pour le Québec! Une dizaine de pas de plus, une empreinte de carte de crédit, une signature, et elle repartait. Peut-être même y avait-il un train à l'aube. Au moment où tout le monde se remettrait en route, elle monterait dans un wagon qui lui sortirait de force Christian du cœur.

Au bout du fil, la sonnerie retentit. La voix de Jocelyn lui parut trop enjouée. Le coup de téléphone de Mireille avait interrompu une conversation avec Joshua.

— Pis? Comment ça va?

— Pas très bien.

Elle n'avait pas besoin de feindre; elle se sentait misérable.

— Qu'est-ce qui se passe?

— Je ne vais pas bien.

— Tes pieds?

Comprendrait-il si elle lui disait la vérité? Sûrement pas.

— Oui, mes pieds. J'ai tellement d'ampoules que j'ai de la misère à marcher. Et j'ai mal partout.

— C'est normal, ça fait toute une semaine que tu marches.

Il avait voulu, par ces mots, la rassurer. Mais ses paroles eurent l'effet contraire. Elle fondit en larmes.

— Je n'en peux plus, réussit-elle à souffler au téléphone. Je suis tellement fatiguée.

Il lui parla doucement, comme il savait le faire. Il osa même quelques blagues pour la distraire. Puis il lui raconta comment les choses se déroulaient à la maison. Tout allait bien. «Trop bien», songea encore Mireille, qui se désola que personne ne s'ennuie d'elle.

— Et toi? demanda-t-elle, comme si elle quêtait. Comment tu te débrouilles?

Il se débrouillait bien, naturellement. Il commençait à être à l'aise dans la cuisine. Les garçons ne rechignaient plus quand il leur servait leurs assiettes.

— Je pense que je vais rentrer, dit-elle quand il lui eut décrit sa dernière recette de soupe.

— Laisse-toi pas décourager, Mimi. C'est juste la fatigue. Demain, ça ira mieux. Tiens, pourquoi tu ne prendrais pas une journée de repos ? Ça ferait du bien à tes pieds.

Il n'ajouta pas « à ton moral aussi », mais elle comprit que c'est ce qu'il aurait voulu dire.

— Mon hôtel est trop cher pour que je reste là deux nuits. Et puis je suis juste à côté de la gare.

Comme si la vie elle-même avait voulu lui donner raison – ou une dernière chance de s'en sortir –, un train entra en gare. Un long train, dont le grondement sur les rails rendit la conversation difficile. Dans le combiné, Mireille entendait à peine la voix de Jocelyn, qui continuait d'émettre des arguments pour la convaincre de continuer. Elle ne l'écoutait plus.

— Bon, lâcha-t-elle quand elle sentit que ses nerfs allaient craquer. Je te rappelle demain parce que là, je ne t'entends plus du tout.

Il répéta un conseil. Elle lui promit d'y penser avant de raccrocher.

Au souper, elle toucha à peine à son steak, qu'elle finit par donner au chien. Comme ailleurs, l'animal quémandait des restes d'une table à l'autre. À lui voir la panse, on devinait qu'il avait l'habitude. Elle se força néanmoins pour avaler l'aligot, ce délice régional. Le fromage relevait sans doute les pommes de terre, mais Mireille n'en goûtait pas la subtilité tant elle mangeait avec indifférence.

Derrière la réception, un petit garçon pleurait, debout dans un parc pour enfant. C'était le fils de la patronne. Avec un restaurant plein de clients et son mari en cuisine, la pauvre ne savait plus où donner de la tête. Mireille ressentait de la sympathie pour elle et, si elle n'avait craint de l'insulter, lui aurait volontiers donné un coup de main. Les clients n'éprouvaient pas tous autant de compassion. Un couple âgé osa même se plaindre que les pleurs de l'enfant les empêchaient d'apprécier leur souper. Dans le temps de le dire, la pauvre femme que Mireille aurait voulu aider se transforma en tigresse. Elle n'avait pas trente ans, mais elle ne s'en laissait pas imposer pour autant. Mireille la vit traverser la salle à manger jusqu'à la porte, qu'elle ouvrit toute grande.

— Allez donc voir ailleurs si vous n'êtes pas contents !

La dame répliqua :

— Faut prendre une nourrice, si vous voulez travailler !

— Je vous emmerde, avec votre nourrice.

— Mais voyons ! On ne traite pas les clients de cette manière !

— Je traite mes clients comme il faut quand ils se comportent comme il faut. Si vous n'aimez pas les enfants, vous n'êtes pas les bienvenus chez moi. Alors, allez-vous-en !

Elle leur avait lancé ces mots avec une énergie qu'on ne lui aurait pas soupçonnée cinq minutes plus tôt. Le couple se leva, furibond, et, même si leurs assiettes étaient vides depuis longtemps, l'homme refusa de payer.

— Je vous emmerde ! répéta la jeune femme, en guise de salutations.

Dans la salle, on aurait entendu une mouche voler. Puis les conversations reprirent, une à une, si bien qu'on aurait pu croire que l'esclandre n'avait pas eu lieu. Mireille se demanda si une scène comme celle-là aurait pu se produire au Québec. La chose lui parut impensable. C'était peut-être à cause de l'influence du flegme britannique, mais en public, au Québec comme partout au Canada et sans doute aussi ailleurs en Amérique, on se gardait une petite gêne.

Mireille jeta un coup d'œil dans la rue. La voiture du couple avait disparu depuis longtemps. Et dans l'espace laissé vacant, Viviane se tenait debout, son guide de voyage à la main. Mireille recula sur sa chaise pour éviter qu'elle ne la voie. Pas question de laisser le Diable la tenter de nouveau.

Viviane dut trouver le prix des chambres trop élevé parce qu'elle passa son chemin.

D'Aumont-Aubrac à Nasbinals

Mireille quitta Aumont-Aubrac de bonne heure le lendemain matin. Il faisait froid, il ventait, et le ciel menaçait de déverser à tout moment une pluie glaciale. Elle marcha un moment avec Catherine et Annette, avant de les laisser prendre de l'avance à La Chaze-de-Peyre, où elle s'arrêta sous prétexte de manger sa collation. En vérité, une part d'elle-même ne cessait de prier pour que Christian apparaisse derrière elle sur le sentier. Du bout de son bâton, elle chassa un chien qui s'intéressait un peu trop à son fromage et ne s'indigna même pas quand la propriétaire, venue quérir son animal, la houspilla sans ménagement. Mireille la laissa en plan pour se diriger vers le cimetière.

Son corps existait peut-être dans le même monde physique que les corps des gens qu'elle voyait ou qui la dépassaient, mais son esprit vaquait ailleurs, dans un rêve impossible qui la torturait et qui la rendait insaisissable. Elle resta quelques minutes devant les tombes fleuries. Elle pensait à la mort prochaine de Christian. À sa propre mort aussi. Combien de temps leur restait-il ? Vivaient-ils en ce moment une occasion unique ? le genre d'occasion qu'on regrettait jusqu'à la fin de sa vie quand on la laissait passer ? Comment savoir ?

Mireille perdait pied, elle en avait conscience, sans pouvoir intervenir. Ses valeurs n'avaient plus sur elle l'autorité qu'elles possédaient une semaine plus tôt. Tout ce sur quoi elle avait bâti sa vie semblait soudain futile, inutile, voire même ridicule. Une carrière ? Une famille ? Une maison ?

Un statut social ? De l'argent ? De la stabilité ? Du confort ? Rien de tout cela ne comptait plus pour elle. Son cœur battait trop vite et trop fort pour un homme qu'elle connaissait à peine et qui, pourtant, lui semblait destiné. Oui, c'était là le mot juste. Destiné.

Quand se turent enfin ces pensées qui ressemblaient à s'y méprendre aux propos de Viviane, Mireille se remit en route. Elle marcha sans s'arrêter pendant douze kilomètres. Ses pieds la torturaient comme jamais auparavant, mais il en aurait fallu davantage pour la convaincre de ralentir. Parce que, de nouveau sous le joug de la Raison, elle ne voulait surtout plus que son chemin croise celui de Christian. Incapable de s'expliquer cet effet pendulaire, elle marchait à l'instinct. Et en ce moment, son instinct lui parlait de danger.

* * *

Ils étaient deux. Grands et gros comme le frère Tuck de Robin des Bois. Mireille avait fait leur connaissance à un carrefour judicieusement nommé Les Quatre Chemins. Elle marchait depuis avec eux et riait de bon cœur à leurs blagues, même si elle ne comprenait pas tout ce qu'ils racontaient. Ils s'exprimaient en anglais avec un accent allemand à couper au couteau. À force de tendre l'oreille, elle avait fini par saisir qu'ils avaient dormi, la nuit précédente, avec des punaises de lit. Ils montraient avec insistance leurs bras velus où les piqûres s'alignaient, rouges et gonflées. Mireille eut beau leur demander le nom de leur hôtel de la veille, elle ne comprit jamais la réponse. Chose certaine, même s'ils avaient plus ou moins son âge, ils l'avaient adoptée de la même manière qu'elle-même, au début, avait adoptée Viviane. Ils ne cachaient pas leur sympathie et avaient pour elle tout plein de petites attentions qui avaient rendu les kilomètres parcourus ensemble fort agréables.

Au début de l'après-midi, ils s'arrêtèrent pour dîner dans une auberge qui semblait sortie tout droit d'un roman de Stephen King. Sur la carte, l'endroit s'appelait le Moulin de la Folle. Mireille chercha en vain le moulin. Après une visite de la salle à manger du restaurant, qu'elle trouva dans un désordre inquiétant, elle rejoignit ses compagnons sur la terrasse. Elle hésitait à se commander une assiette et se contenta d'une bière. Ses nouveaux amis, eux, avaient bon appétit et, à voir les plateaux de charcuterie piquante qu'on leur servit, ils devaient aussi avoir un estomac de téflon.

Il faisait chaud désormais. Et sur la route, on ne trouvait plus d'ombre nulle part. Parce qu'ils avaient marché à découvert les deux dernières heures, le vent avait desséché leurs lèvres, et Mireille sentait les siennes douloureuses et rugueuses quand elle y passait la langue. Sa gourde était à sec. Celles des Allemands aussi. Peut-être l'aubergiste avait-elle des bouteilles d'eau à vendre ? C'est ce que laissait entendre l'un des deux hommes, tandis que l'autre sortait de son sac à dos deux bouteilles de vin. Deux bouteilles pleines, qu'ils burent pendant leur repas comme si c'était de l'eau.

Mireille était estomaquée. Non seulement parce que ces bouteilles avaient ajouté du poids au sac et qu'il avait fallu les transporter jusque-là, mais surtout parce que, par cette chaleur, elle n'aurait jamais supporté le vin. En tout cas, pas une telle quantité.

Elle examina la carte de son guide. Le tracé du sentier coupait une zone blanche, ce qui signifiait qu'ils ne traverseraient plus de forêt jusqu'à Aubrac, vingt-deux kilomètres plus loin. C'était d'ailleurs là que les deux Allemands comptaient passer la nuit et se réapprovisionner en vin, s'ils ne pouvaient pas le faire avant.

Heureusement, Nasbinals, la destination de Mireille, n'était qu'à treize kilomètres et demi. Treize kilomètres et demi à parcourir en un après-midi, sous un soleil brûlant et avec une demi-journée de marche dans le corps. Il fallait être fou. Ou bien très motivé. Mais certainement pas ivre. Mireille finit donc sa bière et, saluant ses compagnons, elle reprit la route après avoir avalé un bout de fromage, une pomme et quelques noix.

Elle ne devait surtout pas donner la possibilité à Christian de la rejoindre. Ni à elle-même l'occasion de céder à ses pulsions de la veille.

* * *

À 17 heures, elle ne pensait plus à Christian. Ni à Jocelyn d'ailleurs. Ni à ses fils. Ni à qui que ce soit d'autre et surtout pas à Viviane, dont le visage avait presque disparu de sa mémoire. Elle ne pensait plus qu'à mettre un pied devant l'autre. Il lui fallait une détermination surhumaine pour ne pas s'affaler sur le sol et dormir, lasse et à bout de forces, sous le soleil ardent. Mireille se surprenait de sa propre endurance. Et de ce caractère en acier trempé qui lui interdisait d'arrêter.

Mais pouvait-elle même imaginer s'arrêter ? Qui viendrait la chercher dans ce champ perdu au milieu de nulle part où ne passait aucune route carrossable ? Personne. Et personne non plus ne la porterait sur son dos.

Des murs de pierre bordaient le sentier et séparaient les pâturages en quadrilatères. De chaque côté, des troupeaux broutaient en silence. Les vaches blanches et brunes, sans doute habituées au passage des pèlerins, ne lui jetaient même pas un regard. À part le bétail, les champs de foin mûr et deux ou trois pèlerins qui se traînaient les pieds, on ne voyait rien. Rien d'autre que ce chemin rocailleux qui s'étirait à perte de vue, désert et solitaire, au milieu de la campagne française.

Mireille se sentait seule et elle se savait seule. Et ça tombait bien parce qu'elle n'avait plus envie de partager quoi que ce soit avec qui que ce soit. Elle transpirait et, dès que le vent s'apaisait, elle sentait sa propre odeur de sueur rance et de crasse. Elle n'était pas seulement fatiguée, elle luttait depuis deux heures contre une douleur intenable. Elle imaginait les ampoules sous les chaussettes, là où le sang avait traversé le lainage. Elle imaginait la saleté dans les plaies, l'infection qui suivrait. Si on lui avait demandé à ce moment-là quel était son plus grand désir, elle aurait sans hésiter parlé de son lit au Québec. Elle avait évalué la distance et savait qu'il lui restait encore six ou sept kilomètres à marcher. Six ou sept sur vingt-six. Nasbinals, dans son esprit, aurait tout aussi bien pu se trouver au bout du monde, elle n'en aurait pas été plus éloignée que maintenant.

Nasbinals

À 20 heures, Mireille descendit l'escalier et traversa la rue pour se rendre au bar où l'attendaient Annette et Catherine. Elle boitait, c'était à prévoir, mais depuis qu'elle avait payé la chambre pour deux nuits, la pression s'était allégée. Au matin, non seulement ses pieds pourraient se reposer, mais elle-même regarderait les autres s'en aller, soulagée. En acceptant de prendre un jour de repos, Mireille savait qu'elle perdrait ses amis. Sa route ne croiserait plus la leur. Ni celle de Christian.

Où était-il en ce moment ? Elle n'en avait aucune idée. Elle ne l'avait pas vu de la journée, et avait tout fait pour rester loin devant, même si, pour maintenir la cadence, elle s'était blessé les pieds jusqu'au sang. Elle avait aperçu Viviane, cependant. Elle marchait, loin derrière, le corps trop près du guitariste rencontré la veille, un peu avant d'arriver à Aumont-Aubrac. Mireille avait souri en imaginant la tête de Karel quand il découvrirait son rival.

Comment Mireille avait-elle réussi à marcher jusqu'à Nasbinals ? La seule chose dont elle se souvenait, c'était une chanson qu'elle jouait dans sa tête pour ne pas penser à la douleur, à la fatigue, à la situation dans laquelle elle était en train de s'enfoncer. Puis, dans un moment d'une grande lucidité, l'idée lui était venue de prendre un jour de congé, comme Jocelyn le lui avait recommandé. Tant son corps que son esprit en avaient besoin. Et son âme aussi, parce qu'elle vacillait.

Après avoir marché aussi vite et presque sans pause, elle avait commencé à regretter sa décision de fuir Christian. Elle avait aussi commencé, dès que le sentier montait un peu, à guetter l'horizon derrière, à la recherche d'une silhouette précise. Elle ne l'avait pas vue, même de loin. Une fois arrivée, elle avait pris un long bain, puis s'était assise à la fenêtre de sa chambre et avait surveillé les marcheurs qui entraient en ville. Aucun n'avait son chapeau ni sa démarche. Peut-être Christian était-il passé tout droit ? Peut-être avait-il décidé de se rendre à Aubrac pour y passer la nuit, comme les Allemands de ce matin ? Ou peut-être s'était-il arrêté avant ? À Rieutort ou à Montgros ? Les villages n'avaient pas été nombreux sur la route ce jour-là, mais la chose était quand même possible.

Sur la terrasse du bar, Mireille embrassa Annette et Catherine et ne put retenir son sourire en serrant Viviane dans ses bras. Elle devait admettre qu'elle était contente de la revoir. Il s'agissait après tout d'une compagne de voyage. Comme Annette et Catherine. Viviane semblait avoir oublié leur conversation de la veille. Elle ne lui posa pas une question sur Christian, mais lui demanda comment allaient ses pieds. Puis elle parla d'Hervé, le guitariste.

C'était un grand garçon de vingt ou vingt-cinq ans au sourire facile et large et à la chevelure abondante et désordonnée. Il était boulanger de son métier et errait sur la route en échangeant un service contre un autre. Il grattait les cordes de sa guitare en chantant du Georges Brassens, des chansons que tout le monde ici connaissait par cœur.

Les amoureux qui se bécotent sur les bancs publics,
Bancs publics, bancs publics…

Catherine, les larmes aux yeux, lui paya à boire. Puis ce fut le tour d'Annette, puis d'un autre. Hervé, ravi, continuait de chanter, les yeux désormais rivés à ceux de Viviane. Mireille devinait que, plus tard, il partagerait son lit… ou son sac de couchage, selon la place qu'ils trouveraient pour la nuit. Hervé aussi le pressentait ; ça se vit très bien quand il commença à siffler. Et quand il entama une nouvelle chanson, sa voix était chargée d'humour et d'aveux qui ne passèrent pas inaperçus. Viviane but une gorgée dans son verre de bière. Son verre à lui. Et avec ce geste, elle aussi promettait quelque chose.

Je me suis fait tout p'tit devant une poupée
Qui ferme les yeux quand on la couche.
Je me suis fait tout p'tit devant une poupée
Qui fait « Maman » quand on la touche.

Cette fois, ce furent les Allemands, sosies du frère Tuck, qui payèrent le verre du musicien. Ils s'arrêtaient pour faire une pause, avaient-ils dit en commandant un gigantesque pichet de bière. Et Hervé chanta de plus belle.

Qu'en ses bras en croix, je subirais mon
Dernier supplice
Il en est de pire, il en est de meilleurs
Mais à tout prendre
Qu'on se pende ici, qu'on se pende ailleurs,
S'il faut se pendre.
Je me suis fait tout p'tit…

Ce soir-là, quand elle s'allongea dans son lit, Mireille se sentait mieux. Elle se disait que le lendemain, elle aurait réussi à se sauver d'elle-même, et il ne lui resterait plus qu'à oublier ce désir stupide qui lui empoisonnait la vie.

Elle plongea dans son roman pour en ressortir au bout de cinq minutes. Elle achevait, et là où elle était rendue,

Grenouille venait de fabriquer un parfum qui donnait envie de faire l'amour.

Elle referma le livre. Mieux valait rester loin de ce genre de tentations pour l'instant.

Nasbinals (bis)

Elle attendit une heure avant de sortir. Après le départ d'Annette et de Catherine, elle était remontée à sa chambre en priant pour ne pas croiser dans l'hôtel quelqu'un qu'elle connaissait. Elle n'avait dit à personne qu'elle restait un jour de plus à Nasbinals. Elle en ressentait une sorte de honte. Comme si elle agissait par faiblesse, une faiblesse inavouable. Et c'était presque ça. Par la fenêtre, elle avait regardé, le cœur gros, les pèlerins se mettre en route les uns après les autres. À moins que l'un d'eux ait un accident, elle ne les reverrait plus. Leurs routes se séparaient ici. Elle les avait aimés, pourtant, presque tous. Elle avait tissé des liens. Oh, rien de solide, évidemment. Mais quand même. Ils étaient passés dans sa vie et y avaient laissé une trace.

Quand ils furent tous partis, elle se dit qu'il lui fallait modifier toutes ses réservations d'hôtel encore une fois. Elle s'assit sur le bord du lit, son carnet à la main, et téléphona à Saint-Chély-d'Aubrac pour annoncer qu'elle repoussait d'un soir sa réservation. Le réceptionniste ne cacha pas sa mauvaise humeur. C'était la deuxième fois qu'elle effectuait des changements. Mireille cafouilla un peu, expliqua qu'elle était blessée – ce qui n'était pas faux – et qu'elle devait absolument prendre un jour de repos.

À Espalion, on fut un peu plus poli, et dans les deux hôtels suivants, le ton fut tellement désagréable que Mireille préféra annuler. Et tant qu'à faire, elle annula également l'ensemble des chambres qu'elle avait retenues jusqu'à la fin du trajet. Qui sait ce que lui réservait encore la route ? Une autre blessure, une autre rencontre avec Christian ?

Elle se sentait de moins en moins maîtresse de sa vie, et ça l'inquiétait. C'était la première fois qu'elle s'admettait vaincue. La technique de gestion qui lui avait permis de diriger son destin de même que celui de ses fils, de son conjoint et du commerce, ne fonctionnait tout simplement pas ici. Pire, elle avait l'impression qu'elle ne contrôlait rien du tout, pas plus ses pensées que ses gestes. Qu'était-il arrivé à ses valeurs ? À l'importance qu'elle accordait à ses projets ? À la fidélité ? Mais qu'est-ce qui lui arrivait ? Avait-elle perdu l'esprit ?

Lasse de se questionner sans espoir de réponse, elle résolut de penser à autre chose et entreprit de défaire encore une fois les bandages qu'elle avait aux pieds. L'odeur la prit à la gorge, et elle grimaça en voyant l'état de ses plaies. Comme elle l'avait prévu, le sable s'était infiltré dans les ampoules qui s'étaient infectées. Mireille possédait bien de quoi désinfecter une plaie ordinaire, mais rien dans sa trousse de premiers soins ne convenait à des ampoules de cette taille avec un tel niveau d'infection. Elle remit en place les bandelettes, chaussa ses sandales et descendit en quête d'une pharmacie.

Elle en trouva une en plein centre du village. Sur la porte, un panneau indiquait que le commerce était fermé pour cause de mise à jour informatique. Mireille soupira. On ne fermait pas une pharmacie pour si peu ! Elle frappa, mais ne reçut pas de réponse. Elle se pencha, la main en visière, pour voir s'il y avait quelqu'un à l'intérieur. De fait, deux personnes s'activaient derrière le comptoir. Furieuse de savoir qu'ils l'ignoraient délibérément, Mireille recommença à frapper. Elle fit du bruit sans faillir jusqu'à ce qu'une silhouette apparaisse de l'autre côté. La porte s'ouvrit à peine. Un homme s'avança dans l'entrebâillement.

— Qu'est-ce que vous voulez ? Vous ne savez pas lire ?

Mireille tressaillit devant autant d'hostilité.

— J'ai besoin d'onguent, de pansements et d'un produit désinfectant efficace.

— Revenez demain. On est fermé aujourd'hui.

Il s'apprêta à fermer, mais Mireille l'en empêcha avec son pied. La douleur qui se répandit en elle quand la porte se rabattit sur sa sandale lui arracha un cri strident.

— Qu'est-ce que vous avez ?

L'homme ouvrit plus grand la porte et regarda Mireille avec un intérêt nouveau.

Elle avait les yeux pleins d'eau, et son visage était tendu pour contenir la douleur qui irradiait encore. Elle lui décrivit l'état de ses pieds et fut rassurée quand elle l'entendit pousser un profond soupir.

— Revenez à quatre heures, dit-il avec davantage de sympathie. Pour le moment, il n'y a rien qui fonctionne, ici.

— Y a-t-il une autre pharmacie au village ?

Il rit. Bien sûr que non. Nasbinals n'avait pas besoin d'une deuxième pharmacie.

Mireille eut envie d'ajouter « sauf aujourd'hui », mais se retint. Ses pieds lui rappelaient l'importance d'être polie et conciliante, voire soumise, quand on souffre le martyre et que le soulagement dépend d'autrui. Elle emprunta une autre avenue.

— Si je vous laisse mon passeport, pouvez-vous me donner ce qu'il me faut pour me soigner ? Je reviendrai vous payer à quatre heures.

De retour à l'hôtel, elle se fit couler un bain. Elle suivit à la lettre les conseils du pharmacien. D'abord, faire tremper ses pieds dans l'eau chaude pendant trente minutes. Puis appliquer de l'éosine et attendre avant de refaire les pansements pour laisser la peau des pieds respirer. Et surtout, marcher le moins possible pendant vingt-quatre heures, histoire de laisser le temps aux blessures de guérir… un peu.

* * *

Le temps n'existe que pour les sédentaires. C'était la conclusion à laquelle arriva Mireille un peu avant midi. Elle avait lu, s'était rendue à l'épicerie pour refaire ses provisions, avait lu encore, et voilà qu'il était l'heure – enfin ! – d'aller quelque part pour faire quelque chose d'utile : dîner.

Unique cliente dans un restaurant désert, elle avait sorti son carnet, et les premiers mots qu'elle y inscrivit portèrent sur le temps. Ce temps, qui s'accélère ou ralentit selon ce qu'on est en train de faire. Le temps, dont on perd la notion dès qu'on se déplace de lieu en lieu, avec ou sans montre. Car la montre ne sert qu'à indiquer à celui qui ne bouge pas la durée de son immobilité. Sur la route, le jour se découpe en kilomètres et en lumière. Et la montre ne mesure ni l'un ni l'autre.

Mireille attendait son dîner en couchant par écrit ses pensées nées de jours entiers de marche et de paysages constamment renouvelés. En plus du problème du temps, elle avait remarqué que son identité et sa personnalité perdaient elles aussi de leur substance quand elle se déplaçait, sac au dos, d'un village à l'autre, et dormait, chaque soir, dans un hôtel différent. Qui elle était avait moins d'importance que ce qu'elle vivait. Ses qualités et ses défauts n'avaient rien à voir avec l'émotion ressentie devant un nouveau paysage, avec la sensation que lui procurait une brise tiède ou le souffle glacial d'un vent mêlé de pluie. Mireille avait conscience de ne posséder que le strict nécessaire, et cela pesait encore trop lourd sur son corps. Ce corps qu'elle sentait comme elle ne l'avait jamais senti de toute sa vie. Quel instrument formidable ! Quel fardeau aussi ! Et quel miracle ! Elle avait marché avec ce corps plus de cent kilomètres. Cent kilomètres pendant lesquels il l'avait portée d'un endroit à un autre, un pas à la fois. Et maintenant qu'il n'en pouvait plus, elle acceptait de le considérer comme un bien précieux et lui accordait le repos qu'il réclamait à travers les blessures et la douleur.

Mais lui accorderait-elle ce qu'il désirait d'autre ? Sûrement pas. Surtout qu'en prenant un jour de retard, elle avait mis vingt à vingt-cinq kilomètres entre elle et l'objet de ce désir. Ça devrait donc suffire.

* * *

À deux heures, elle téléphona à Jocelyn. Pas de réponse. Il n'était pourtant que huit heures du matin à la maison, Jocelyn aurait dû être en train de déjeuner, au pire, de terminer son café. Elle s'essaya à l'épicerie sans résultat. Le magasin n'était pas encore ouvert, mais elle s'était dit que Jocelyn aurait pu s'y rendre plus tôt. Ce n'était pas le cas.

Elle raccrocha, frustrée, mais resta debout dans la cabine, à l'abri du vent. Il faisait moins chaud aujourd'hui, même si le soleil brillait dans un ciel sans nuage. Le vent soufflait fort, et Mireille se félicitait d'avoir enfilé son polar avant de sortir.

Un bruit semblable à un coup de tonnerre lui fit lever la tête. Elle aperçut les deux avions de chasse qui traversaient le ciel à basse altitude. Elle les observa quelques secondes, puis revint vers l'hôtel en traînant les pieds.

Parce qu'elle n'avait pas réussi à établir la communication, Lennoxville lui sembla plus loin encore que la veille, quand elle désespérait sous le soleil. On aurait dit qu'elle avait quitté la maison depuis un mois, alors que ça ne faisait même pas deux semaines. Elle le savait maintenant, car elle avait compté les jours dans son cahier. On était le jeudi 2 septembre.

Elle avait l'impression de vivre la vie de quelqu'un d'autre. Ou bien une autre vie. Un peu comme si une partie d'elle-même était restée au Canada à travailler, à s'occuper des garçons, à aimer son conjoint tandis que l'autre… L'autre refaisait le monde, à pied, en soupirant devant un autre homme que le sien. Elle avait honte de cette autre femme et aurait souhaité la voir disparaître pour retrouver sa lucidité.

Comme elle n'avait toujours rien à faire et que ses pieds n'avaient pas apprécié les deux sorties de la matinée, elle monta à sa chambre. Il faisait chaud au deuxième étage. Elle ouvrit la fenêtre et aperçut les premiers marcheurs qui traversaient le village. C'est à ce moment que le doute l'assaillit.

Et si elle s'était trompée ? Et si, en laissant partir Christian, elle était passée à côté de quelque chose d'extraordinaire, de quelque chose qu'elle ne vivrait plus jamais du reste de sa vie ? Et s'il l'avait aimée, lui aussi ? Et si…

Elle eut envie de se frapper la tête contre le mur. Elle n'en pouvait plus de ces changements d'humeur. Elle avait l'impression de perdre l'esprit.

À bout, elle s'allongea sur le lit et défit les bandages pour laisser ses pieds prendre l'air, comme l'avait recommandé le pharmacien. Ses plaies tachées du rouge de l'éosine n'étaient pas belles à voir. Pour éviter de salir les draps de l'hôtel, elle déroula son sac de couchage par-dessus les couvertures et se glissa à l'intérieur.

Elle se retourna longtemps dans son lit, incapable de trouver une position confortable. Dans sa tête, les visages de Christian et de Jocelyn se superposaient, alternaient, se dédoublaient. Ils étaient un et ils étaient une multitude. Il n'y avait en eux rien de commun, et pourtant, de plus en plus engourdie, elle les voyait reliés, comme si aimer l'un revenait à aimer l'autre. Son esprit s'enfonça enfin dans les limbes du sommeil, même si, dans son corps, le désir brûlait plus fort qu'avant.

* * *

Le bruit de son poing sur la porte de la pharmacie menait un train d'enfer. Avait-elle fait autant de bruit ce matin ? Toute à son désespoir, elle n'avait rien remarqué. Il était quatre heures, l'heure à laquelle le pharmacien lui avait dit de repasser, mais il semblait n'y avoir personne à l'intérieur. Mireille s'inquiétait. Elle avait laissé son passeport contre de l'éosine et des bandages. C'était un gage de bonne volonté de sa part, pas une monnaie d'échange. Quelle imprudence ! Elle aurait dû lui donner un billet de vingt euros. Ça aurait été amplement suffisant.

Le ciel était toujours bleu, et le soleil brillait tellement fort que les vitrines étaient de véritables miroirs. Le paysage entier s'y reflétait, la moindre maison, le moindre arbre, le moindre marcheur qui passait par là. C'est à travers ce miroir de fortune que Mireille vit surgir la silhouette qu'elle pensait ne plus jamais revoir. Elle réalisa qu'elle l'avait attendue contre toute logique et contre sa propre volonté. Christian se tenait derrière elle, avec son chapeau et ses verres fumés. Elle entendit le bouton des sangles qu'on relâche, le sac quand il glissa sur le sol. La voix était toujours la même, un peu rauque, assez douce, pas le moindrement hésitante.

— Je t'aurais pensée plus loin.

Elle pivota et se retrouva face à lui. Son sourire était aussi large que le sien, et elle eut la certitude qu'il ne pensait plus jamais la revoir lui non plus. Un peu bêtement, elle désigna ses pieds où l'éosine avait traversé les bandages.

— Tu es vraiment mal en point !

— Et toi, qu'est-ce que tu fais là ?

La question était idiote. À voir la sueur qui imprégnait son t-shirt, on devinait aisément qu'il venait de marcher plusieurs kilomètres.

— Je m'étais senti trop mal en montant la dernière côte avant Aumont-Aubrac alors je suis resté là un jour de plus pour récupérer.

Il enleva son chapeau et s'essuya le front avec son bandana.

— Je suis content de te voir.

Elle eut envie de crier: « Et moi donc ! » Mais elle se contenta de sourire. Derrière elle, la porte s'ouvrit.

— Ce n'est pas la peine de faire autant de chahut, madame. Je vous ai entendue la première fois que vous avez frappé, mais j'étais occupé.

La présence de Christian donna à Mireille le courage de répondre sans être intimidée par le ton du pharmacien.

— Je ne pensais pas que… Je suis venue vous payer et récupérer mon passeport.

Il disparut un moment et quand il revint, il lui tendit son passeport et le reçu. Elle le paya avec soulagement. Dans son dos, Christian émit un petit rire sarcastique.

— Dans le fond, dit-il quand la porte fut refermée, c'est presque normal qu'un pharmacien te fasse goûter à la médecine française.

— La quoi ?

— La médecine française. Tu sais, cette manière de se parler avec douceur…

Elle rit de bon cœur tandis qu'ils se dirigeaient vers le centre du village en échangeant sur le temps qu'on annonçait pour le lendemain. Puis Christian s'arrêta devant le bar où, la veille, Mireille avait bu un dernier verre avec Viviane et les autres.

— As-tu envie qu'on se retrouve ici dans une heure ? Ça me donnerait le temps d'aller au gîte me laver et me changer.

Elle acquiesça, incapable de se défaire du sourire niais qui ourlait ses lèvres. Incapable aussi de le quitter des yeux pendant qu'il s'en allait dans la rue de son pas tranquille. Incapable également de laisser la Raison reprendre le contrôle de son cerveau.

Karel (bis)

Ils étaient dix autour d'une table qui s'étirait d'un bord à l'autre de la pièce. Une trentaine de marcheurs occupaient les autres tables. Tout ce beau monde mangeait beaucoup et parlait fort. Les serveurs se déplaçaient avec prudence entre les clients qui se levaient à tout moment pour dire quelque chose à quelqu'un qui se trouvait un peu trop loin. La vaisselle s'entrechoquait. Les ustensiles tintaient. On trinquait sans arrêt, de proche comme de loin. C'était bruyant comme rarement sur la route de Compostelle. Il faut dire qu'aujourd'hui, l'étape avait été longue, pour tout le monde sauf Mireille. Mais elle savait de quoi il en retournait. Ne l'avait-elle pas accomplie la veille, cette étape, au point de s'en ruiner les pieds ? Et tout cela pourquoi ? Pour absolument rien. Christian était toujours dans sa vie, juste là, à portée de la main. Elle ne pouvait le quitter des yeux, et ça l'enrageait.

Comme toujours ou presque, la conversation se déroulait en anglais. Il y avait, autour de la table, deux Irlandais, une Américaine, un Espagnol, trois Français, Christian, Mireille et Karel, qui semblait avoir repris du poil de la bête. On parlait de tout. De la qualité de la nourriture – plus personne ne pouvait voir une saucisse en peinture ! –, de la route qui avait été difficile, de la chaleur, surprenante pour ce temps-ci de l'année, et des punaises que certains avaient rencontrées et que d'autres commençaient à redouter.

— Il faut regarder dans les coutures du matelas avant de se coucher dessus.

— Et pas que dans les gîtes. Les hôtels aussi sont touchés. Avant-hier, justement, j'ai dormi dans le même hôtel que deux compatriotes qui…

Karel racontait avec humour sa rencontre avec deux hommes que Mireille identifia comme les sosies du frère Tuck, ses compagnons de route de la veille.

— Quand ils m'ont montré leurs bras tout mangés, j'en ai eu la chair de poule.

— Ont-ils lavé leurs affaires après avoir dormi là où il y avait des punaises ?

Le ton sérieux de Christian tranchait avec le récit enjoué de Karel. Tout le monde se tut.

— Je ne sais pas.

— J'ai marché un bout avec eux hier matin, ajouta Mireille. Ils se rendaient à Aubrac. Je ne pense pas qu'ils aient pris le temps d'arrêter dans une buanderie.

Christian poussa un juron.

— C'est à cause de marcheurs comme eux que les punaises infestent les hôtels partout sur la route. Les imbéciles !

— Peut-être qu'ils ne transportaient pas de punaises.

— S'ils ont déposé leurs sacs près d'un lit infesté, c'est presque certain que les punaises ont grimpé dedans.

— Qu'est-ce qu'ils devaient faire, dans ce cas ?

— Ils devaient passer tous leurs vêtements de même que leur sac de couchage à l'eau chaude. Minimum soixante degrés Celsius. Maintenant, puisqu'ils ne s'en sont pas occupés, ils vont laisser des punaises dans toutes les chambres où ils vont dormir. D'ici jusqu'à Saint-Jacques, si c'est à Saint-Jacques qu'ils s'en vont.

Plus personne ne parlait. Tous ressentaient le même mépris pour ces deux insouciants. Christian ajouta, mi-railleur, mi-sérieux :

— J'espère qu'ils vont en rapporter chez eux…

On éclata de rire autour de la table.

— Ça leur apprendra !

— Bien bon pour eux !

— Mais nous, là-dedans ? On risque de dormir avec des punaises ce soir ?

Mireille intervint.

— Ils n'ont pas dormi ici hier soir. Après avoir bu quelques pichets de bière au bar, ils sont partis pour Aubrac. Mais il était déjà huit heures quand ils ont pris la route. Peut-être qu'ils ont trouvé à se loger plus tôt sur le Chemin.

Chacun fut soulagé d'apprendre que son lit était sauf. Christian brisa cette illusion.

— Si vous avez dormi dans le même gîte qu'eux à un moment donné, il y a des chances pour que vous ayez transporté des punaises vous aussi.

On se tourna vers Karel, qui devint livide.

— Tu veux dire qu'il y en a dans mon sac ?

— C'est possible. Surtout si ton sac était proche des leurs.

Karel soupira.

— Fiou ! Je ne dormais pas dans la même chambre.

— Et ton sac, lui ? Il était où ?

— Dehors, avec les autres. On ne nous avait pas laissés entrer avec…

Il s'interrompit. Presque paniqué, il se leva, sortit de sa poche exactement de quoi payer son plat et s'en alla.

— Et le vin ? lui lança Christian au moment où il enfilait son manteau.

— Je n'ai pas commandé de vin.

Il disparut sans entendre les objections qui fusèrent partout autour de la table. Certes, il n'avait pas commandé de vin, mais il n'avait pas dit non quand on en avait versé dans son verre. Ni la première fois, ni les suivantes. Mireille, qui avait reconnu le manège, comprit qu'il avait l'intention de se faire payer à boire du Puy-en-Velay jusqu'à Saint-Jacques.

L'attitude de Karel avait refroidi l'atmosphère. Ce fut un des Irlandais qui ramena la bonne humeur avec une question.

— Il est hollandais, ce gars-là ?

Mireille secoua la tête.

— Il m'a dit qu'il était allemand.

— C'est certain qu'un de ses parents est hollandais. Ça prend juste un Hollandais pour être pingre comme ça.

— C'est leur réputation, en Europe ?

L'Irlandais hocha la tête.

— Il y a même une expression qui leur est consacrée : « *going Dutch* ».

On éclata de rire d'un bout à l'autre de la table. Puis un des Français ajouta son grain de sel.

— Là d'où je viens, on dit : « avoir des oursins dans les poches ».

Il fallut traduire l'expression en anglais pour la rendre accessible à tous, ce qui provoqua maints fous rires. L'atmosphère était de nouveau détendue. On raconta des anecdotes, chacun son tour. Puis on parla de blessures. Anita, l'Américaine, avait les pieds en sang. Mireille proposa de lui donner de l'éosine.

— Ça semble fonctionner.

La femme accepta cette offre en montrant une reconnaissance exagérée. Puis la conversation porta de nouveau sur la route. Bientôt, il faudrait descendre du plateau de l'Aubrac. La pente était vertigineuse si on se fiait aux cartes du guide.

Mireille se tourna vers Christian.

— C'est vrai que ça descend autant ?

Il lui fit un de ses clins d'œil déroutants.

— Pire que la montée hors de Monistrol, murmura-t-il pour ne pas être entendu des autres.

Mireille comprit qu'il ne voulait pas que ses voisins de table sachent qu'il ne faisait pas la route pour la première fois. Elle se joignit donc à une autre conversation et apprécia, plus que de raison, le sourire de connivence qui apparut sur les lèvres de Christian.

Nasbinals (ter)

C'est en retournant à sa chambre que Mireille se souvint de la promesse faite à Anita. Elle attrapa un paquet de fioles, mais arriva trop tard au restaurant. Ses compagnons du souper avaient déjà disparu. Elle se creusa la tête et finit par se rappeler où l'Américaine passait la nuit. Elle retourna à son hôtel, enfila un manteau, ajusta sa lampe frontale et ressortit en vitesse. Elle ne voulait surtout pas arriver au gîte après l'extinction des lumières.

Elle avait imaginé qu'il ferait noir, la nuit, dans les rues de Nasbinals, mais elle n'avait pas pensé que l'obscurité y serait à ce point épaisse. On ne voyait pas à trois mètres, même avec la lampe frontale. Mireille savait qu'il fallait retourner au bar et suivre les indications qui se trouvaient sur un panneau en bordure du trottoir. Elle l'avait vu, plus tôt ce jour-là, mais elle ne l'avait pas lu. C'est tout juste si son esprit avait enregistré le mot gîte.

C'était la première fois de sa vie que Mireille marchait seule dehors en pleine nuit. Il était 11 heures passées, et le village entier paraissait endormi. On n'entendait que les aboiements d'un chien, ici et là, et, plus rarement encore, le bruit d'une chasse d'eau. Pas une voix humaine ne brisait le silence. Mireille progressait lentement, intimidée tant par le vide dans lequel elle s'enfonçait que par la confiance en elle qu'elle sentait grandir de minute en minute. Un doute la chicotait cependant. Aurait-elle fait preuve d'autant de détermination à venir en aide à l'Américaine si celle-ci n'avait pas dormi, justement, dans le même gîte que Christian ? Quand elle eut trouvé le panneau, cette pensée s'évanouit d'elle-même, et, après avoir pris connaissance des indications, elle fonça droit devant.

La porte n'était pas encore verrouillée. Elle l'ouvrit et interrogea la première personne qu'elle aperçut. Où se trouvait le lit de l'Américaine ? Vous savez, celle qui ne parle pas français ? On lui indiqua le dortoir en question, et Mireille y entra avec l'impression d'avoir fait une gaffe.

Christian se tenait au pied d'un lit, torse nu et vêtu d'un pantalon de jersey marine. Il lui tournait le dos, si bien qu'elle hésita à parler, plus convaincue que jamais d'être allée trop loin. Elle le trouva beau, trop beau. Bien davantage que ce qu'il était sans doute. Son cerveau ne fonctionnait plus. La Raison avait cédé le contrôle à cette voix plus forte, plus intense, plus dangereuse. C'est Anita, qui, en l'apercevant, signala sa présence.

— *You're so sweet!* s'écria-t-elle en s'approchant à grandes enjambées. *I thought you had forgotten.*

Mireille lui dit que non, elle ne l'avait pas oubliée, mais que le temps de monter à sa chambre, le groupe avait disparu. Elle lui tendit les fioles, la salua et, après un bref sourire à l'attention de Christian, elle fit demi-tour. Il la rattrapa sur le seuil.

— As-tu envie qu'on marche ensemble, demain ?

Elle répondit sans même hésiter :

— Bien sûr. On se rejoint où ? Et à quelle heure ?

Quand elle retraversa le village, elle avait la démarche souple d'une adolescente et elle le savait. Et elle savait aussi que la beauté qu'elle trouvait au ciel étoilé venait d'ailleurs, d'une émotion si violente qu'elle avait englouti le reste.

* * *

— Dis-moi que tu m'aimes.

Au bout du téléphone, la voix de Jocelyn se fit douce, comme chaque fois qu'il la prenait dans ses bras.

— Tu sais bien que je t'aime. Et que je t'attends. Qu'est-ce qui se passe, Mimi ?

Elle étouffa trop tard un sanglot.

— Tu es tannée ou bien tu t'ennuies ?

— Les deux.

Elle parlait avec difficulté, sa voix était éraillée, entrecoupée de pauses pendant lesquelles elle reniflait.

— C'est plus difficile que tu le pensais, n'est-ce pas ?

Elle hocha la tête. Elle savait qu'il avait compris, même si elle n'avait pas dit un mot.

— Écoute, tu peux revenir quand tu veux. Tu as juste à trouver un autobus ou un train pour une ville où il y a un aéroport. Dans ton coin, la plus proche doit être Toulouse.

Elle murmura un « oui » à peine audible, mais Jocelyn, encore une fois, n'avait pas besoin de mots.

Dans les chambres adjacentes, on pouvait sans doute l'entendre et suivre la conversation, mais Mireille s'en fichait. Elle faisait son possible pour être discrète.

— Veux-tu que je t'achète un billet d'avion ?

Elle fut sur le point de dire oui, mais une force inexplicable l'en empêcha. Elle secoua la tête avec véhémence.

— Non. Je vais continuer quelques jours. Si ça va aussi mal demain ou après-demain, je ferai changer la date de mon retour. Ça doit être possible.

— Sûrement.

— J'avais surtout besoin de t'entendre. Je m'ennuie, tu n'as pas idée à quel point.

— Moi aussi, je m'ennuie, Mimi. Le pire, c'est le soir. Quand je me couche dans notre grand lit vide, ça me fait mal terrible.

Ces mots firent tellement de bien à Mireille qu'un sourire naquit sur ses lèvres.

— C'est vrai que tu t'ennuies ?

— Pensais-tu vraiment que je t'oublierais si vite ?

Elle fut incapable de répondre parce qu'elle se posait trop souvent la même question ces jours-ci. Comment pouvait-elle avoir déjà oublié Jocelyn ? C'était impossible. Impensable. Inimaginable. Elle l'aimait, son homme. Il était celui qu'elle avait choisi, celui avec lequel elle voulait vivre le reste de sa vie. Alors, comment expliquer Christian ?

— Je vais mieux, maintenant. Merci.

— Il doit être tard chez vous.

— Oui.

Il était 3 heures du matin. En revenant du gîte, Mireille n'avait pu fermer l'œil. Elle était angoissée comme elle l'avait rarement été dans sa vie parce que, justement, elle en avait perdu le contrôle. Elle avait l'impression que quelqu'un, quelque part, jouait avec elle. Comme si on lui avait jeté un sort, comme à Tristan et Iseult. Mais ça n'existait pas, ces choses-là. C'étaient des contes pour enfants. Dans la vraie vie, on choisissait. On avait le libre arbitre. On n'était pas obligé d'être victime des circonstances.

Ils discutèrent encore un moment. Elle lui parla de ses ampoules qui semblaient en meilleur état après un jour de repos. Il lui raconta sa journée à l'épicerie, la maturité de Marc-Antoine, la joie qui se dégageait de Frédérick chaque soir quand il rentrait de l'école, la santé de Joshua qui était toujours bonne.

— On est allés aux pommes hier.

Mireille eut un pincement au cœur en entendant ces mots. D'habitude, c'était son activité à elle. Mais pas cette année. Cette année, elle courait la galipote au milieu de la France ! Elle fut soudain lasse d'être là. Elle aurait aimé retrouver sa famille et la quiétude qui venait avec. Elle eut une telle envie de partir qu'elle ouvrit son guide à la page où on pouvait voir la carte de la France. La ville la plus proche, et sans doute la plus accessible, était effectivement Toulouse.

— Ménage-toi un peu dans les jours qui viennent, souffla Jocelyn, toujours avec empathie. Si après-demain tu ne vas pas mieux, appelle-moi. On va s'arranger pour te rapatrier.

Puis, juste avant de raccrocher, il ajouta :

— Je t'aime, Mimi. Reviens vite !

Elle lui dit qu'elle l'aimait aussi, raccrocha et fondit en larmes sur l'oreiller.

Elle pleura longtemps. Quand les larmes se tarirent enfin, elle se leva et alla uriner. Ses yeux étaient tellement enflés qu'elle ne put se résoudre à allumer le plafonnier. La lumière l'aurait agressée. Seule la lampe de chevet éclairait la chambre, et son halo brisait à peine la pénombre de la salle de bain.

Mireille s'appuya les coudes sur les genoux et se prit la tête dans les mains. Elle regardait droit devant elle sans rien voir, jusqu'à ce qu'elle remarque une tache sombre sur le carrelage. Ça ressemblait à s'y méprendre à une brûlure de cigarette. C'était surprenant qu'elle ne l'ait pas remarquée plus tôt, surtout que ça faisait deux nuits qu'elle passait ici. Elle avait vu cette salle de bain en plein jour et jamais cette tache n'avait attiré son attention. Noir sur blanc, quand même, ça se voyait ! Pour en avoir le cœur net, elle se leva et alluma le plafonnier. Malgré l'éblouissement, elle eut le temps de voir déguerpir la coquerelle. Elle poussa un cri et grimpa sur le bord de la baignoire. L'insecte en profita pour s'enfuir dans la chambre. Mireille descendit de son promontoire, s'empara d'une chaussure et partit en chasse. Elle finit par coincer la coquerelle dans un coin et l'écrasa avec dégoût. Elle fut alors parcourue d'un frisson. S'il y avait des coquerelles dans cette chambre, il y avait peut-être des punaises

Elle inspecta chaque couture des draps, la couture du matelas aussi. Puis elle secoua les couvertures sur les carreaux blancs de la salle de bain. Il n'en tomba rien. Pas même un grain de sable. Mireille refit le lit, s'y coucha et, avant d'éteindre la lampe de chevet, pria pour avoir écrasé la seule et unique coquerelle de l'hôtel…

De Nasbinals à Aubrac

Il s'agissait d'un refuge pour bergers en cas d'intempérie. La cabane se dressait en bordure du chemin de gravier où passaient les troupeaux qu'on changeait de pâturage. C'était aussi ce chemin qu'empruntaient depuis des siècles les pèlerins en route pour Saint-Jacques-de-Compostelle et les randonneurs des temps modernes qui suivaient le GR 65. L'abri avait servi tant aux uns qu'aux autres, et on trouvait à l'intérieur les traces des multiples passages. On y avait abandonné du bois pour faire un feu. Du papier pour l'allumer, protégé de la pluie dans un sac de plastique scellé. Quelqu'un avait laissé un exemplaire d'*Anna Karénine*, sur le rebord de la fenêtre, de même qu'un crayon. Mireille fut amusée de découvrir, dans un coin, deux cannettes de boisson gazeuse, un paquet de biscuit, une boîte de barres tendres. Mal pris, on aurait pu y passer une nuit sans problème. Et même souper!

Ils s'y arrêtèrent en même temps qu'un couple d'Agen, randonneurs expérimentés, avec qui ils partagèrent un sac d'abricots secs. Puis chacun but en silence. Il faisait déjà chaud, et, n'eût été la brise qui soufflait sans relâche, l'air aurait paru écrasant. Mireille s'adossa au mur ouest, là où il y avait encore de l'ombre. Elle commençait à apprécier ces pauses qu'elle se permettait trop peu souvent quand elle marchait seule. Avec Christian, ces moments de répit étaient fréquents et souvent propices à la réflexion.

Ce matin, elle en profita pour étudier le paysage, tant à l'extérieur d'elle-même qu'à l'intérieur. Dans un cas comme dans l'autre, les choses étaient en train de changer. Ça se sentait. Au loin se devinait une montagne couverte de forêt, la première qu'elle voyait depuis des jours. Mireille en évaluait la distance à un kilomètre, peut-être un kilomètre et demi. La route s'y enfonçait-elle ? C'était encore trop tôt pour le dire. Comme le terrain descendait, on devinait, juste au sud, une forteresse aux allures médiévales. D'après le guide, c'était le village d'Aubrac.

Il y avait quelque chose de romantique à traverser ainsi la lande en direction d'une forteresse. Mireille pouvait sans difficulté imaginer une histoire ancienne, quelque chose qui parlait de chevalier et de princesse. Avec une fin heureuse. Le genre de fin que leur histoire, à elle et à Christian, ne connaîtrait jamais. De cela, Mireille avait la certitude. Parce qu'une fin heureuse avec Christian signifiait une fin atroce avec Jocelyn. Et cela, elle ne pouvait tout simplement pas l'accepter. Elle l'aimait tellement, son Jocelyn, qu'elle souffrait juste à l'idée de ne plus vivre avec lui. Quelle place cela laissait-il donc à Christian ? Un rôle d'amant ? Mireille frissonna. Cela non plus n'était pas envisageable. Parce qu'inacceptable. Pas pour une femme avec ses valeurs, avec sa vie, avec ses rêves.

Quand elle revint au moment présent, elle réalisa que les autres étaient partis. Il ne restait qu'eux au refuge. Christian attira son attention sur quelques mots écrits sur une poutre. Mireille les lut à haute voix.

— *C'est dans le silence et la solitude qu'on entend l'essentiel.* C'est toi qui as écrit ça ?

Il rit.

— Non, mais j'aurai bien aimé. En fait, la première fois que je suis passé ici, ces mots n'y étaient pas. Quand je suis revenu, deux ans plus tard, ils avaient l'air déjà usés par le temps. Chose certaine, j'y ai réfléchi longtemps. Et je suis arrivé à la conclusion que c'est pour cette raison que je marche sur ce chemin année après année. Parce qu'en marchant seul et en silence, j'entends l'essentiel.

— Tu marches de moins en moins seul, je dirais.

Il rit encore.

— C'est vrai. Mais je dirais que ça aussi, il me semble, ça fait partie de l'essentiel.

Mireille frémit en l'entendant prononcer ces paroles. Si elle avait eu besoin d'une confirmation supplémentaire que ses sentiments étaient partagés, Christian venait de la lui offrir. Il s'était exposé avec toute la vulnérabilité qu'il fallait pour lui faire peur. Et à partir de ce jour-là, la peur ne la lâcha plus.

* * *

Les deux voitures s'étaient arrêtées à une vingtaine de mètres de distance, chacune de son côté de la route. Dans la première, un homme houspillait sa passagère. De la deuxième descendit un autre homme qui lui, engueulait celui qui engueulait la femme.

— Vous n'êtes pas tout seul sur la route !

L'autre s'arrêta net. Sa portière claqua.

— Et vous, vous savez conduire ?

Ils s'étaient à peine frôlés. Le rétroviseur d'une voiture avait été arraché. Le miroir de l'autre avait volé en éclats.

— Je vous emmerde !

— Et vous, allez vous faire enculer !

Debout sur l'accotement, à moins de vingt pas, Mireille et Christian regardaient la scène en essayant de passer inaperçus. On se serait cru dans un vieux film français. Il ne manquait plus que la baffe. Sûrement que la femme dans la voiture pensait la même chose parce qu'elle restait à l'écart. Elle était sortie et s'en allait maintenant dans la direction opposée. Son mari – ça devait l'être pour qu'il la traite aussi mal – ne s'aperçut pas tout de suite de son départ. Il continuait de répandre son venin comme si de rien n'était. Heureusement, son adversaire et lui se contentaient de mots. Après avoir constaté les dégâts, ils s'insultèrent encore un peu, mais de loin en loin, chacun retournant vers sa voiture, toujours furieux, mais comme soulagé.

— Jacqueline! hurla le mari. Je t'avertis: si tu ne reviens pas tout de suite, je pars sans toi.

Et Jacqueline, docile, fit demi-tour, remonta dans la voiture qui démarra en trombe. L'autre voiture avait déjà disparu.

— La médecine française? demanda Mireille, espiègle, en se tournant vers Christian.

— Ouais…

Il hocha la tête, pensif.

— Tu sais, j'ai beau venir souvent, je ne m'habitue pas à ce genre de spectacle. Ça me laisse chaque fois tendu…

Son ventre émit soudain un borborygme si bruyant que Mireille l'entendit elle aussi.

— …et de toute évidence affamé, dit-elle en lui offrant un sourire complice.

Et elle pouffa de rire en entendant son propre ventre gargouiller. Heureusement, devant eux, la forteresse avait grossi au point de devenir imposante. C'était l'heure du dîner.

D'Aubrac à Saint-Chély-d'Aubrac

«C'est en "un lieu d'horreur et de vaste solitude", soumis à des froids rigoureux (1 300 m d'altitude), et infesté par les loups et les bandits, qu'Adalard, pèlerin de Compostelle d'origine flamande, a fondé l'hospice d'Aubrac entre 1120 et 1122*.»

C'est ainsi que le guide décrivait la situation géographique du village où ils s'arrêtèrent pour dîner. Mireille n'éprouvait aucune difficulté à imaginer la région à cette époque. Peu de choses, sans doute, avaient changé depuis, si ce n'étaient les dangers qui guettaient les pèlerins d'aujourd'hui. La menace ne venait plus des bandits ni des loups. Elle se trouvait plutôt dans le cœur même de ceux qui osaient braver le plateau de l'Aubrac, seul et sac au dos. C'est eux-mêmes qu'ils devaient affronter, pour le meilleur et pour le pire. Et dans la situation actuelle, Mireille était incapable de dire si elle vivait le meilleur ou le pire, si la voix qui dominait maintenant dans sa tête était celle de son ange ou celle de son démon. Ce n'était plus la voix habituelle, la voix qui l'avait guidée toute sa vie. C'était l'autre, plus brave, plus audacieuse et plus dangereuse qu'elle ne l'avait été jusque-là. Et elle lui tenait les mêmes propos que Viviane.

Mireille avait abandonné *Le parfum* dans le refuge pour le remplacer par *Anna Karénine*, sur lequel elle essayait maintenant

* Extrait du livre *Sentier vers Saint-Jacques-de-Compostelle, Le Puy-Figeac*, coll. «TopoGuide, FFRandonnée, n° 651», 5e édition, mars 2010.

en vain de se concentrer. Il lui semblait impossible de quitter un univers pour un autre. Impossible, mais surtout peu souhaitable.

Ils avaient partagé une assiette de charcuterie comme l'aurait fait un vieux couple. Ils avaient aussi partagé un pichet de bière sans se demander lequel des deux boirait le plus. La terrasse était déserte maintenant que les quelques marcheurs qui s'étaient arrêtés en même temps qu'eux étaient repartis. Christian avait posé ses pieds sur la chaise d'en face, et Mireille aurait parié que, derrière ses verres fumés, il avait fermé les yeux. Chose certaine, il ne parlait plus, et sa respiration avait le souffle régulier des gens endormis. Un tel abandon l'émut. Elle avait bien senti, depuis le matin, qu'un lien nouveau s'était tissé entre eux. Un lien plus franc, presque intime. En fait, c'était vraiment d'intimité qu'il s'agissait. Ils marchaient ensemble, d'un pas semblable, vivaient les silences avec autant de facilité que les conversations. Tout paraissait tellement naturel entre eux que c'en était inquiétant. Et la voix de la Raison se taisait. Plus rien d'autre n'existait maintenant. Rien qu'eux deux et ces moments magiques dont ils connaissaient l'issue, même s'ils se comportaient comme si elle ne viendrait jamais.

Mireille abandonna le livre sur la table et ferma les yeux, elle aussi. On aurait dit que le temps s'était arrêté pour de bon et que jamais il ne reprendrait sa course normale. On aurait dit que le vent lui-même avait cessé de souffler sur l'Aubrac. On aurait dit que tous les marcheurs et pèlerins qui sillonnaient la route de Compostelle passaient leur chemin, comme si personne n'osait entrer dans leur bulle de peur de briser quelque chose qu'on sentait encore fragile. Seul le serveur revint pour ramasser la vaisselle et laisser l'addition. Si Mireille ouvrit les yeux pour le remercier, son passage n'éveilla pas Christian, qui semblait loin et proche à la fois. En tendant la main, elle aurait pu caresser son visage où la barbe avait déjà recommencé à pousser. Il avait croisé les bras sur sa poitrine, et leur duvet blond et fourni avait tout de l'invitation.

Mireille savait bien que ce n'était qu'un mirage, que le reste de sa vie, même si elle faisait mine de l'ignorer, existait encore, loin, de l'autre côté du monde. Tous ceux qu'elle aimait et qui l'aimaient avaient simplement été effacés de sa mémoire vive. Ils subsistaient quelque part, trop loin pour avoir une influence sur les décisions qu'elle allait prendre dans les heures à venir.

* * *

Ils avaient marché en direction de la croix comme on avance en suivant la lumière au bout du tunnel. C'était une immense croix de bois, très simple, deux billots en travers l'un de l'autre, sans doute plantée là depuis des années. Tout de suite après, ça descendait.

Ils avaient atteint le bout du plateau de l'Aubrac. La vallée de l'Aveyron se déployait maintenant à leurs pieds comme un damier verdoyant, alternant les pâturages et les forêts. Il leur avait fallu une heure et demie pour parcourir les quatre kilomètres depuis Aubrac à travers les broussailles, les prés, et après avoir passé à gué un ruisseau tortueux. Ils avaient à peine parlé ou simplement échangé des banalités. Mais la moindre des banalités prenait une importance démesurée entre eux, et Mireille savait que chaque seconde qu'elle passait en compagnie de Christian était une seconde volée, une seconde qui ne reviendrait plus et qui lui manquerait le reste de sa vie.

Le temps se faisait plus clément. Le soleil tapait fort, mais avec la brise, on était bien. Et en l'absence de nuages, le regard portait loin.

— La première fois que je suis passé ici, je pensais bien y rester.

Christian désignait le sentier qui plongeait à quarante-cinq degrés.

— Je me suis foulé une cheville juste là.

De son bâton, il indiqua un passage entre des rochers.

— Encore aujourd'hui, je ne sais pas comment j'ai fait pour arriver jusqu'en bas. Chaque pas était une torture.

Mireille ne dit rien. Chaque pas était pour elle une torture depuis qu'ils avaient quitté Aubrac ! La pause du dîner avait probablement exacerbé sa sensibilité. Maintenant, chaque fois qu'elle levait le pied, elle anticipait la douleur qu'allaient lui causer ses ampoules quand son talon les écraserait contre la semelle. Et quand un caillou avait le malheur de se glissé dans sa sandale… Mireille n'avait pas de mot pour décrire ce qu'elle ressentait dans ces moments-là. Ça lui faisait l'effet d'une lame de couteau qu'on lui aurait enfoncé dans la plante du pied. Elle avait tellement mal qu'elle n'osait même pas regarder ses pieds, persuadée que le sang avait encore une fois traversé les chaussettes. Christian avait sans doute remarqué qu'elle boitait parce qu'il multipliait les pauses. Comme en ce moment. Il venait de déposer son sac à dos et se laissa choir sur le sol. S'arrêtait-il pour elle ou pour lui ? Au fond, Mireille s'en fichait. C'était du pareil au même, puisqu'ils se rendaient tous les deux à Saint-Chély pour la nuit.

Elle l'imita et, une fois assise, remarqua son regard soucieux.

— Il y a quelque chose qui ne va pas ? demanda-t-elle en songeant au malaise qu'il avait eu en arrivant à Aumont-Aubrac.

— Je me demande comment on va procéder pour la descente. Je veux dire, ça va te faire mal en titi. La pente est à pic, et tu vas devoir jouer avec ton poids pour éviter de tomber. Déjà qu'avec tes sandales, ça ne sera pas facile, j'imagine, avec tes ampoules…

Il avait donc remarqué. Et c'est pour elle qu'il s'était arrêté, pour lui permettre de soulager ses pieds du poids qu'ils portaient. C'était beaucoup, le poids d'un corps plus le poids d'un sac. Et même avec les sandales, elle transpirait trop. La peau frottait, brûlait, et d'autres cloques apparaissaient. Mireille en découvrait une nouvelle chaque fois qu'elle se regardait le dessous des pieds.

Elle sortit son guide. À voir la carte topographique, elle estimait la descente à trois kilomètres. Trois kilomètres avec des lignes altimétriques tellement rapprochées qu'on devinait sans peine qu'il s'agissait d'un ravin. Fini le plateau ! Ce qui les attendait ressemblait à une pente de ski. Avec ses ampoules, elle souffrirait l'enfer. Et elle serait chanceuse si elle ne se foulait pas une cheville, comme c'était arrivé autrefois à Christian.

— Mettons que tu me donnes ton sac... Ça ferait toujours ça de moins sur tes pieds.

— Voyons donc ! Tu ne peux pas descendre avec deux sacs à dos. Le mien pèse dix kilos. Le tien, probablement plus.

— Je veux dire que je ferais une première descente avec mon sac, puis je reviendrais chercher le tien. Et là, tu descendrais juste après moi. Comme ça, si tu trébuches, tu vas me tomber dessus.

— Tu n'y penses pas ! Ça te ferait descendre, monter et redescendre !

— C'est ça ou bien je te regarde tomber. Parce que tu vas tomber, c'est certain. Je sais de quoi a l'air le sentier.

Il parut réfléchir un moment puis s'enthousiasma.

— Tiens, on va faire un essai.

Il lui prit le guide des mains.

— Regarde. La première partie est en pente douce. Juste là, il y a des ruines, un ancien château, il paraît. Je vais aller y porter mon sac.

Il lui montrait un point précis sur la carte, mais Mireille ne regarda même pas. Elle ne pouvait détacher ses yeux du ravin. Le seul moyen de réussir cette descente était de se concentrer sur autre chose que la douleur. Et la seule chose qui pouvait lui occuper l'esprit au point de l'anesthésier, c'était de penser au velours qui enveloppait son cœur quand Christian marchait près d'elle. Mais cela reviendrait à ouvrir les vannes, à laisser l'émotion la submerger. Qui dit qu'elle n'allait pas s'y noyer ?

C'était un risque à prendre. Un doux risque à prendre.

— D'accord, dit-elle en se redressant. On y va.

La descente était aussi dangereuse que Christian l'avait décrit. Les rochers jonchaient le sentier, imposant des contorsions douloureuses. Mireille faillit basculer dans le vide à trois reprises. Chaque fois, elle se rattrapa de justesse, comme si une main invisible mettait à sa disposition une branche, un rocher plus gros, et, une fois même, le dos de Christian.

À mi-pente se trouvait le village de Belvezet, qu'ils traversèrent avec soulagement. Pour cet intermède sur une route goudronnée, Mireille reprit son sac à dos. Ils effectuèrent le reste de la descente en deux coups. Une fois, dans une section boisée, ils s'arrêtèrent en bordure d'un ruisseau sur la rive duquel se dressait une maison en ruine. Mireille se rappellerait toute sa vie à quel point le désir de se déchausser pour faire tremper ses pieds en lambeaux avait été fort. Il avait fallu que Christian lui parle du risque d'infection.

— Elle n'est peut-être pas si sale, cette eau-là… avait-elle soulevé.

— Es-tu équipée pour l'analyser ?

— Bien sûr que non. Mais j'ai de l'éosine.

— Moi, à ta place, je ne prendrais pas de chance. L'éosine, ce n'est quand même pas un antibiotique.

Mireille s'était rendue à ses arguments, et quand, une demi-heure plus tard, la route goudronnée de Saint-Chély apparut enfin, elle pria pour qu'il y ait une baignoire dans sa chambre d'hôtel.

Saint-Chély-d'Aubrac

Tiraillée entre l'envie de descendre et celle de fuir, Mireille s'activait, tantôt rapidement, tantôt le plus lentement du monde. Elle connaissait bien le sentiment qui remontait chaque fois qu'elle laissait un peu trop errer ses pensées. La peur, celle qui vous broie les tripes, celle qui vous fait transpirer pour rien, celle qui vous fait trembler quand vous êtes assise seule, sur le bord de votre lit. Le pire, c'était qu'elle connaissait bien l'objet de sa frayeur. C'était elle-même ! Elle-même, qui était capable de laisser le désir monter jusqu'à en être tendue, pour ensuite soutenir le regard de Christian sans broncher. Si ça, ce n'était pas dangereux, rien d'autre ne l'était.

Ils s'étaient quittés devant son hôtel. Christian, lui, logeait un peu plus loin. C'est elle-même qui avait pris l'initiative de lui proposer l'apéro.

— On se retrouve là dans une heure ? avait-elle demandé en désignant un bar, de l'autre côté de la rue.

Il avait dit oui, et Mireille avait perçu la tension qui l'habitait, lui aussi. L'homme a découvert le feu, disait la blague populaire, mais la femme a trouvé comment jouer avec. Et c'était exactement ce qui se passait. Mireille s'en voulait d'agir de la sorte, de provoquer les événements, mais elle ne pouvait faire autrement. Quelque chose, comme une force, la poussait vers Christian. Sa conscience avait beau se rebeller, ses défenses cédaient les unes après les autres.

« Comme une force », se répétait-elle en descendant l'escalier. C'était ça. Elle était possédée par un désir tellement fort qu'il brisait une à une les digues qui auraient dû le contenir. Combien d'obstacles restait-il sur leur chemin avant qu'ils se retrouvent dans les bras l'un de l'autre ? Pas beaucoup. Et il n'en faudrait pas beaucoup non plus pour que la chose se passe le soir même. Mireille en avait conscience, et elle avait vu dans le brusque mouvement de recul de Christian qu'il en avait conscience, lui aussi.

Elle fut la première au bar et choisit une table en plein soleil. Il faisait plus frais, déjà, et au fond de la vallée, les rayons tombaient moins durement. Elle venait juste de se commander une bière quand Christian arriva.

— Regarde qui j'ai trouvé en chemin !

Derrière lui apparurent Viviane et Hervé, sa guitare sur le dos. Comme ils étaient beaux ! Mireille éprouva pour eux un frisson d'envie. Ils étaient libres, jeunes et en santé. Ils avaient la vie devant eux, et tous les désirs du monde à combler.

— Je pensais que vous aviez un jour d'avance.

— On l'avait, mais Hervé a trouvé une place gratis pour nous deux, à condition qu'il fasse du pain. Alors on a décidé de rester quelques jours.

— Tu aimes ça, ici ?

Christian s'adressait à Hervé, parce qu'il avait déjà compris que Viviane adorait l'endroit. Après les grandes étendues désertiques de l'Aubrac, ça faisait plaisir de revenir à la civilisation.

— On n'est juste pas pressés, n'est-ce pas, Viviane ?

— C'est ça. On prend notre temps.

Le regard de Christian avait croisé celui de Mireille. Du temps, c'était ce qui risquait de leur manquer, à eux deux. À moins qu'ils n'en aient eu trop, justement. Sentait-il, comme Mireille, que le temps se déformait autour d'eux, que les heures semblaient plus longues qu'avant, même si on avait l'impression que les jours passaient plus vite ? Le temps avait perdu son allure continue, uniforme, mesurée et mesurable. Il se hachurait, se découpait en blocs. Il y avait des ellipses, des minutes entières qui semblaient effacées de la mémoire. Où étaient-ils à 2 heures de l'après-midi ? Avaient-ils déjà traversé le premier ruisseau ? D'autres moments, pourtant, apparaissaient dans les souvenirs de Mireille avec la netteté des photographies HD. La texture du bois qui composait la croix plantée juste avant le ravin. La couleur du foin sec qui recouvrait les pâturages de l'Aubrac. La taille du gravier dans certains segments du sentier. L'inclinaison de la lumière qui perçait dans le sous-bois, qui semblait même caresser les pierres de la maison en ruines et qui dansait sur l'eau du ruisseau dans lequel Mireille avait voulu se baigner les pieds. L'odeur de Christian quand il marchait près d'elle.

— Comment vont tes pieds ? s'enquit Viviane en remarquant les bandages fraîchement refaits.

— Pas très bien.

— Tu n'as pas dû trouver drôle la descente jusqu'à Belvezet.

Christian émit un petit rire cynique.

— C'est le moins que l'on puisse dire.

Mireille rit à son tour, en repensant à ce moment qui avait nécessité tellement de coopération entre eux.

Viviane regarda encore une fois les pieds bandés.

— C'est certain qu'en sandales…

— Je ne suis plus capable d'entrer dans mes souliers. Et puis de toute façon, je transpire trop. Je pense que si j'avais porté des sandales dès le début, je me serais évité pas mal d'ampoules…

— Tu devrais peut-être prendre un jour de congé.

— Je l'ai déjà fait, à Nasbinals.

— Oh. Eh bien ! Tu devrais peut-être marcher moins longtemps chaque jour. Je veux dire, tu pourrais faire de plus petites étapes. Du genre quinze ou seize kilomètres au lieu de vingt à vingt-cinq.

— En tout cas, moi, c'est le maximum que je fais demain, seize kilomètres. Je m'arrête à Saint-Côme-d'Olt.

Christian s'était adressé à Viviane, mais c'est Mireille qu'il regardait. Elle acquiesça. Peut-être que c'est là qu'elle s'arrêterait, elle aussi, finalement.

Puis elle grimaça. Dans ce cas, il faudrait encore une fois modifier sa réservation d'hôtel à Espalion…

Espalion

La voiture s'arrêta devant l'église d'Espalion. Mireille en descendit, son sac dans les bras, remercia le chauffeur et sa femme, et leur souhaita bonne route, puisqu'ils remontaient sur Paris. Elle regarda la voiture s'en aller, un nœud dans la gorge.

Debout sur le trottoir, elle se demanda ce qu'elle devait faire, maintenant. À quoi allait-elle occuper sa journée avec ses pieds en lambeau ? Elle jeta un œil aux alentours et, comme mue par un soudain besoin de solitude, elle hissa son sac sur son dos, monta les marches et poussa la porte de l'église. Il n'y avait personne à l'intérieur, mais des cierges avaient été allumés. Elle avança dans l'allée sans faire de bruit. Par les vitraux pénétrait une lumière irréelle. Mireille se rendit jusqu'au deuxième banc. Elle essaya de s'asseoir mais, son sac le lui interdisant, elle tomba à genoux. Et là, sans avertissement, les larmes se mirent à couler.

Ce fut comme un torrent, une crue aussi soudaine que terrible. Les sanglots, qu'elle ne parvenait pas à étouffer, semblaient monter jusqu'au plafond. Ils emplissaient l'église ! Et les larmes… C'était comme si toute la douleur ressentie sur le chemin remontait d'un coup. Des images passaient devant ses yeux. Christian qui lisait à Lyon. Jocelyn qui dormait, allongé dans l'herbe, à Ayer's Cliff. Christian qui demandait où acheter des mirabelles à la patronne d'un restaurant du Puy-en-Velay. Jocelyn qui jouait au billard avec les garçons. Christian qui lui bandait les pieds, Jocelyn qui lui massait le dos. Jocelyn, Christian. Jocelyn. Christian. Et les larmes redoublèrent.

Ils étaient rentrés tard pour souper. Tous les quatre. Pendant l'apéro, Hervé avait joué son répertoire, ce qui avait tellement plu à Christian qu'il lui avait payé à souper. Ils avaient mangé en riant de leurs aventures, comme une famille en voyage. Et soudain, Mireille s'était trouvée ridicule. Que faisait-elle là, sur cette route du bout du monde, sur le point d'inviter un autre homme que Jocelyn dans son lit? Franchement, ça ne se faisait pas! Avait-elle oublié qui elle était? Tout ce qu'elle avait accompli dans la vie? Il y avait un homme qui l'aimait et qu'elle aimait et qui l'attendait là-bas, dans une maison qu'ils possédaient à deux. Ils avaient trois fils dont ils s'occupaient fort bien. Ils étaient, en plus, partenaires d'affaires. Mais par-dessus tout, ils étaient amoureux l'un de l'autre. Ils se faisaient confiance depuis toujours. Et Jocelyn avait été le premier à l'encourager à se dépasser. Allait-elle mettre en péril tout cela pour une histoire de cul? Elle n'était pas comme sa sœur, ça non. Elle était bien pire!

Elle avait quitté la table précipitamment et était montée se coucher. Seule. Et le lendemain matin, pendant le déjeuner, elle avait repéré dans la salle à manger un couple de gens âgés trop bien mis pour être des pèlerins et pas assez du type sportif pour être des marcheurs. Elle leur avait demandé où ils allaient et s'il y avait de la place pour elle dans leur voiture. Elle était prête à payer l'essence s'ils la conduisaient jusqu'à Espalion. Ils ne voulurent rien entendre. Elle monterait gratuitement.

Elle resta longtemps dans l'église, à se vider l'âme comme si elle voulait en faire le ménage. Elle pleura tant que la douleur lui serra la poitrine. Et quand elle s'arrêta enfin, une grande lassitude l'envahit. Elle avait terriblement mal à la tête. Du bout des doigts, elle détacha son sac, qui retomba sur le banc dans un bruit sourd. Elle s'assit à côté. Elle respirait mieux. Du moins trouvait-elle qu'elle respirait mieux. Il lui sembla qu'elle pouvait enfin reprendre sa vie. Aujourd'hui, Christian marcherait jusqu'à Saint-Côme-d'Olt. Sans elle. Il s'arrêterait au bout de seize kilomètres. Et demain, en fin de journée seulement, il arriverait à Espalion. Mais demain, Mireille en serait déjà partie.

Cette histoire était finie. Mireille s'était vaincue elle-même. Et comme elle attrapait son sac et le remettait sur son dos, la petite voix sournoise lui murmura :

— Oui, mais à quel prix ?

Elle l'ignora et sortit. Et là, dans la lumière du jour, elle vit enfin les deux lignes de piqûres qu'elle avait sur les avant-bras. Deux belles lignes droites de quatre piqûres chacune. Elle se mit à sacrer comme la Québécoise qu'elle était. Non, elle n'avait pas passé la nuit seule. Elle avait dormi avec des punaises de lit.

Hamed

La buanderie était déserte, mais plusieurs machines étaient déjà en marche. Mireille se planta devant une laveuse vide, y enfouit tous ses vêtements, sa serviette et sa débarbouillette. Par chance, la cuve était grande. Elle acheta du savon à la distributrice puis, de retour devant la laveuse, elle choisit la température la plus chaude, inséra les euros dans les fentes et poussa sur le bouton. Restait à attendre qu'une autre machine s'arrête pour y laver son sac de couchage même si elle ne s'en était pas servie la veille. Rien ne garantissait que les punaises s'étaient contentées de la surface. Il fallait tout passer à l'eau très chaude, sans quoi elle servirait d'autobus à une colonie de punaises françaises.

Sur le trottoir, elle secoua son sac à dos et en inspecta les coutures de même que le tissu sous les armatures. Chaque centimètre carré y passa avant que, enfin convaincue d'avoir fait un bon ménage, Mireille aille déposer le sac sur la table à plier, avec sa trousse de toilette. Elle ressortit munie de son carnet et d'un crayon. Elle avait l'intention de mettre par écrit ce qui lui était arrivé, histoire d'essayer d'y voir plus clair. Elle fut surprise de trouver un homme dehors, dans l'escalier.

— Belle journée, n'est-ce pas ?

Mireille approuva, même si elle avait l'impression qu'elle venait de vivre un des moments les plus difficiles de sa vie. Elle ne lui donnait pas trente ans. Il avait la peau sombre des Méditerranéens et un air enjoué qui n'était pas sans charme.

— Vous habitez Espalion ?
— Non. Je suis canadienne.
— Ah, le Canada !

Il se tut, le temps d'allumer une cigarette. Il lui tendit le paquet, mais Mireille refusa.

— C'est un beau pays, le Canada, il paraît ?

Mireille hocha distraitement la tête. Des images de la veille lui revenaient, et elle essayait de leur donner un sens.

Tout à coup, sans qu'elle lui ait posé la moindre question, l'inconnu se mit à parler de lui. Il avait rendez-vous avec une femme. Une femme rencontrée par internet. Elle devait l'attendre là-bas, dans ce bar devant la boulangerie. Mais voilà. Elle était en retard d'une heure.

Mireille l'écoutait à peine. Elle comptait les heures, elle aussi. Les siennes. Celles qu'il lui faudrait pour faire la lessive et celles que nécessiteraient les onze kilomètres de marche jusqu'à Estaing. En partant à midi, elle gagnerait un deuxième jour d'avance sur Christian. Elle se fit une note pour ne pas oublier, plus tard, d'annuler la chambre d'hôtel réservée à Espalion.

— Où il est, votre mari ?

Mireille avait tellement la tête ailleurs qu'elle lui répondit avec une candeur d'adolescente.

— Je ne suis pas mariée, voyons. Au Canada, au Québec surtout, on ne se marie plus.

Il hocha la tête, et sa bouche s'arrondit pour laisser sortir la fumée.

— C'est une très belle femme, vous savez.

Mireille lui sourit. C'est fou ce que ces histoires d'amour sur internet lui semblaient banales tout à coup !

— Elle est presque aussi belle que vous.

Mireille éclata de rire. En d'autres circonstances, elle aurait peut-être trouvé flatteur qu'un homme de cet âge la drague dans la rue. Mais là, vraiment, ce n'était pas le bon jour.

— Qu'est-ce que vous faites ici ? poursuivit-il.

Le ton avait changé. Le regard aussi.

— Qu'est-ce qu'on fait, d'après vous, dans une buanderie ?

— Votre lessive ?

Elle hocha la tête.

— Dans ce cas, je vais attendre avec vous.

— Ce n'est pas la peine. J'en ai pour longtemps.

— Tant mieux. Ça nous donnera le temps de faire connaissance. Après, je vous invite à boire un café.

— Non, merci.

Mireille ne souriait plus, même qu'elle avait pris un air méfiant. Elle espérait que ça ferait fuir l'indésirable. Peine perdue ! Il poussa même l'audace jusqu'à s'asseoir à côté d'elle dans les marches. Elle bondit et s'adossa au mur. Il avait beau lui sourire de toutes ses dents, Mireille ne lui trouvait plus rien d'attendrissant. Il parla de l'Algérie, d'où il venait. Il décrivit ensuite Rodez, où il vivait. Enfin, il parla des amis chez qui il habitait.

— J'ai une chambre à moi, vous savez.

Elle ne dit rien et regarda ailleurs.

— Je peux vous inviter, si vous voulez. À dormir, je veux dire. Vous n'aurez pas besoin d'aller à l'hôtel. J'ai une voiture, juste là.

Il désigna une automobile garée plus haut dans la rue. Mireille leva les yeux au ciel.

— Écoutez. Premièrement, il y a déjà quelqu'un dans ma vie. Et même si je n'avais personne, vous ne m'intéresseriez pas parce que vous êtes trop jeune. Maintenant, allez-vous-en !

Elle avait parlé sur le ton dur qu'elle prenait quand elle devait ramener à l'ordre ses fils ou ses employés. Rien n'y fit.

— Je m'appelle Hamed, dit-il en lui tendant la main.

Comme elle l'ignorait, il s'alluma une autre cigarette et lui tendit encore une fois le paquet. Exaspérée, Mireille croisa les bras.

Cette journée s'annonçait plus longue que prévu.

* * *

Cinq heures. C'est le temps qu'il fallut pour laver et sécher l'équipement en entier. Mireille comprenait maintenant pourquoi les autres clients avaient abandonné leurs vêtements dans la laveuse ou la sécheuse et étaient retournés à leurs occupations. Ils avaient sans doute bourré la sécheuse d'euros pour s'assurer que tout serait bien sec à leur retour. Mireille, qui ne connaissait pas les machines, y avait inséré un euro tous les quarts d'heure, avait vérifié l'état des vêtements, avait remis de l'argent, et s'était chaque fois désespérée de retrouver Hamed sur le seuil.

Il était maintenant trop tard pour reprendre la route. Et puis s'il fallait que Hamed la suive, elle ne serait pas au bout de ses peines. Surtout que le sentier traversait fréquemment des boisés…

Le mieux, donc, était de se rendre à l'hôtel où elle avait retenu une chambre. Une fois son sac rempli, elle sortit sans dire un mot.

— Attendez ! l'interpella Hamed. Je vais vous accompagner.

Elle s'arrêta net.

— C'est la dernière fois que je te le dis ! Si tu fais un pas de plus avec moi, je me mets à hurler. C'est clair ?

Il avait l'air abasourdi. Puis son regard se rétrécit jusqu'à devenir suspicieux.

— Vous êtes raciste ou quoi ?

Cette fois, Mireille s'emporta.

— Ça n'a rien à voir ! Je veux juste que tu t'en ailles. Allez ! Ouste ! Débarrasse !

Du doigt, elle lui montra la direction opposée. Comme il ne bougeait pas, elle ajouta :

— Je te donne trente secondes. Après ça…

Elle avait vraiment l'air d'une femme sur le point de crier.

— Inutile de vous fâcher. Je voulais seulement…

Il leva les mains comme pour montrer qu'il n'était pas une menace, puis il fit un pas vers elle. C'en était trop. La Québécoise en elle sortit d'un coup.

— Va-t'en, tabarnak!

Autant d'agressivité le saisit. Il haussa les épaules, pivota et s'en alla enfin. Il jeta une seule fois un regard en arrière, mais quand il la vit, toujours aussi furieuse, il se détourna et poursuivit son chemin.

Elle attendit qu'il eût refermé la portière de sa voiture pour se détendre et se diriger vers son hôtel. Et c'est seulement en poussant la porte de sa chambre, une dizaine de minutes plus tard, qu'elle réalisa qu'elle n'avait pas pensé à Christian depuis des heures. À Jocelyn non plus, d'ailleurs.

Guy et Marie

On appelait « foirail » cette longue allée ombragée où les gens jouaient à la pétanque. Les platanes se dressaient de chaque côté comme des piliers, et leurs larges canopées servaient presque de toit. Mireille s'y promenait en s'amusant de l'intérêt que les joueurs prêtaient aux boules qu'on lançait dans le fin gravier.

Avant de sortir, elle avait téléphoné à Jocelyn. Elle voulait l'entendre lui dire qu'il l'aimait, qu'il l'attendait. Et il lui avait dit toutes ces choses et bien plus. Il avait regardé les vols. Si elle le voulait, elle pouvait se rendre à Rodez, en autobus ou en taxi. De là, elle pouvait prendre un train pour Toulouse. Et de là, un avion pour Montréal. C'était facile. Il lui avait même donné l'horaire du train et les heures de départ de l'autobus.

Rodez ! C'était là, justement, que Hamed voulait la conduire.

— Ça me ferait une *ride* pas chère, avait-elle lancé.

Jocelyn était demeuré silencieux jusqu'à ce qu'elle éclate de rire.

— C'est juste une blague !

— Je me disais aussi…

Malgré son apparente bonne humeur, elle avait un point dans la poitrine en raccrochant.

Puisqu'il était encore tôt pour l'apéro, elle avait quitté l'hôtel et visité la ville. C'est ainsi qu'elle s'était retrouvée sur un banc du foirail à regarder une partie de pétanque. À côté d'elle, une dame discutait de temps en temps avec un joueur qui était sans doute son mari. Elle n'était pas très grande et de stature frêle, ce qui contrastait avec le corps long et athlétique du mari en question. Elle avait devant les yeux d'épaisses lunettes, dont les verres devenaient opaques dès qu'apparaissait un rayon de soleil.

— Il est beau, n'est-ce pas ?

Quand elle réalisa que c'était à elle que la femme s'adressait, Mireille suivit son regard. Elle parlait de son mari.

— Très beau, oui, dit-elle. Très élégant aussi.

— Vous savez, ça fera bientôt cinquante ans que nous sommes mariés. Et nous sommes toujours amoureux.

En entendant ces mots, Mireille ressentit un pincement au cœur. Dirait-elle ce genre de chose un jour, elle aussi, en parlant de Jocelyn ? Comme elle espérait que oui ! Bientôt, elle retournerait au Québec. Elle ferait le maximum pour oublier Christian et ne garderait de ce voyage qu'un vague souvenir du Chemin.

— Vous êtes canadienne ?

— Ça s'entend, n'est-ce pas ?

Pour toute réponse, la dame sourit.

— Je ne suis jamais allée au Canada, mais un de mes neveux y vit depuis sept ans.

— Ah, oui ? Où ça ?

— À Montréal, je crois. Ou dans ce coin-là. Vous vivez là, vous aussi ?

— Non. Plus au sud, près de la frontière américaine.

Il y eut un moment de silence pendant lequel son mari lança la boule. Elle n'atterrit pas exactement là où il le voulait. La dame poussa un soupir de déception.

— Et vous y allez souvent ? demanda-t-elle en se tournant vers Mireille.

— Où ça ?

— Aux États-Unis. Puisque vous êtes près de la frontière, je me disais que vous y alliez peut-être souvent.

— Non, pas vraiment. On a tout ce qu'il nous faut chez nous.

Le mari encourageait maintenant ses coéquipiers. La dame tendit la main vers Mireille.

— Je m'appelle Marie. Et vous ?

— Mireille.

— Vous êtes mariée ?

Mireille rit, amusée. C'était la deuxième fois qu'on lui posait cette question ce jour-là.

— Non, mais j'ai quelqu'un.

— Tant mieux ! C'est trop ennuyeux de vivre seule.

Mireille s'apprêtait à répliquer quand elle reconnut la silhouette de l'homme qui venait de se planter à côté d'elle.

— Karel ? Wow !

Elle se leva pour l'embrasser, étonnée de le voir déjà à Espalion. Ils échangèrent quelques mots en anglais. Contrairement à la dernière fois qu'elle l'avait vu, Karel ne se vantait pas. Il portait son sac sur son dos et semblait avoir trouvé la journée longue.

— Tu ne fais plus porter tes bagages ?

— Ça coûte trop cher. Si je continue, il ne me restera plus d'argent quand j'arriverai en Espagne, alors il faut que je me restreigne. Tu manges où, ce soir ?

Mireille vit tout de suite le piège. Elle lui dit qu'elle ne savait pas encore. Comme elle était gênée de devoir parler en anglais devant sa nouvelle amie, elle choisit ce moment pour faire les présentations et abrégea la conversation. Karel s'éloigna, mais s'immobilisa de nouveau, quelques mètres plus loin.

— As-tu revu Viviane ? demanda-t-il avec une note d'espoir dans la voix.

Mireille se dit que la vérité était nécessaire.

— J'ai soupé avec elle à Saint-Chély, hier soir. Elle a rencontré quelqu'un… Un Français. Elle va rester avec lui pendant un moment, je crois.

Il se pinça les lèvres, piteux. Il s'apprêtait à reprendre la route quand il se tourna de nouveau.

— J'ai vu ton ami tout à l'heure. Tu sais, l'homme à l'œil de chat.

— Christian ?

— Il avait mauvaise mine. Lui aussi a trouvé la journée difficile, je pense.

— Il m'avait dit qu'il s'arrêtait à Saint-Colm-d'Olt.

— Eh bien, ce n'est pas le cas ! Le voilà, justement.

De son bâton, il montra le bout de l'allée. Mireille pivota lentement, presque avec crainte. Elle le vit en même temps qu'il la vit. Et sur leurs visages, on pouvait lire la même consternation, suivi du même bonheur troublé.

* * *

Étaient-ils condamnés à se revoir, à suivre des chemins qui se croisaient et se recroisaient ad vitam æternam ? Mireille était sur le point de s'en convaincre. Christian aussi, probablement, car c'était pour l'éviter qu'il avait marché jusqu'à Espalion. Persuadé qu'elle s'arrêterait à Saint-Colm-d'Olt, il avait poursuivi son chemin. Six kilomètres de plus. C'était beaucoup quand on connaissait son état de santé. Et quand on savait à quel point il était fatigué. Mais il avait agi pour la même raison que Mireille avait quitté Saint-Chély-d'Aubrac en voiture ; il avait voulu mettre le plus de distance possible entre eux. Il ne lui dit pas tout cela en ces mots, mais Mireille sut lire entre les lignes au fil des conversations qui suivirent.

Tandis qu'il marchait vers elle en plein centre du foirail, avec son chapeau, ses lunettes de soleil et son bâton de marche, elle se dit que rien dans sa vie ne lui avait procuré davantage de plaisir. Même si elle venait de parler à Jocelyn au téléphone. Même si elle avait pris les grands moyens pour ne plus revoir Christian. Tout son être n'aspirait qu'à une chose : être avec lui. Coûte que coûte. Et on aurait dit que l'univers tout entier souhaitait la même chose.

Il arriva à sa hauteur et hésita. Mireille aurait juré qu'il allait lui ouvrir les bras, mais il se retint, sans doute parce qu'elle n'était pas seule. Mireille lui présenta Marie.

— Ah ! C'est vous, l'amoureux en question !

Mireille ne la corrigea pas, et Christian ne démentit rien.

— Est-ce que ça vous arrive, à vous, d'aller aux États-Unis ?

Étonné par la question, il scruta le visage de Mireille. Elle haussa les épaules.

— Parfois. Vous savez, la frontière du Maine, ce n'est pas très loin de chez moi.

— C'est ce que me disait Mireille, il y a un petit moment. Mais je me demandais pourquoi vous n'y alliez pas plus souvent.

— Parce qu'on a tout ce dont on a besoin chez nous.

— Mmm... C'est ce qu'elle m'a dit, aussi. Vous savez, moi, si je vivais à côté des États-Unis, j'irais tout le temps. Vous avez déjà rencontré Bruce Springsteen ?

Mireille et Christian échangèrent un sourire amusé.

— Non, admit Christian. Pas encore. Mais je suppose que ça viendra.

— Eh bien, je vous le souhaite.

Elle se tourna vers les joueurs.

— Guy !

Son mari leva la tête.

— Viens ici, Guy, que je te présente mes amis canadiens.

Guy abandonna ses copains et vint la retrouver, le sourire aux lèvres.

— Voici Mireille et Christian, du Canada, pas très loin de Montréal. Lui, c'est Guy, mon mari. Ça se voit, n'est-ce pas, que c'est un ancien policier ? Toujours ce corps tout en muscles. Il a plus de soixante-dix ans, vous savez.

Christian émit un sifflement admiratif.

— Soixante-dix, vraiment ?

— Soixante-douze.

— Et vous travailliez pour la commune ?

— J'étais flic à Paris, vous saurez. Mais à l'époque, il n'y avait pas encore les problèmes avec les gamins des banlieues. Alors qu'aujourd'hui…

Il secoua la tête, l'air de dire qu'il était content d'avoir pris sa retraite.

— Vous avez des enfants ? demanda Marie.

Mireille lui dit qu'elle en avait trois et, pour éviter de mentir, elle changea de sujet.

— De quoi a l'air le Chemin à partir d'ici ?

— Ah, oui ! Le Chemin. Eh bien…

Pendant que Christian écoutait Guy lui décrire sa vie de policier à Paris, Marie adressa à Mireille quelques conseils. Officiellement, la route de Compostelle passait dans la montagne, derrière chez elle. Mais la journée serait beaucoup plus facile s'ils empruntaient la départementale. À partir de Bessuéjouls, il suffisait de redescendre vers la rivière au lieu de suivre le GR 65. Impossible de se perdre.

— Pourquoi vous ne viendriez pas boire un café demain matin ? lança Guy, dans un excès d'enthousiasme. Notre maison est justement sur votre route.

Mireille regarda Christian, qui, lui, essayait de deviner ce qu'elle en pensait. Elle hocha la tête et esquissa un timide sourire. Ça voulait dire que le lendemain, ils partiraient ensemble. Pour le meilleur et pour le pire.

Espalion (bis)

Ils marchèrent tranquillement vers le centre de la ville. On percevait un certain malaise entre eux. Quelque chose qui refusait le hasard, qui cherchait à mettre cette rencontre sur le compte de la volonté de l'autre, du piège, peut-être aussi.

Pour faire diversion, Mireille raconta sa mésaventure à la buanderie. Si elle riait de décrire les ruses qu'elle avait dû déployer pour échapper au jeune Hamed, elle avoua que, sur le coup, elle ne l'avait pas trouvé drôle. Christian l'écoutait sans l'interrompre. À voir sa démarche lourde, ses pas trop courts et ses épaules voûtées, on devinait qu'il était épuisé. Il lui avoua qu'il avait besoin d'un somme.

— Je n'irai pas au gîte, dit-il comme ils arrivaient à un carrefour. J'ai besoin d'une bonne nuit de sommeil, et c'est rare qu'on dorme bien dans un dortoir à huit ou dix. Il est où, ton hôtel ?

Elle désigna le coin de la rue.

— D'après toi, est-ce qu'il reste des chambres ?

Mireille haussa les épaules. Elle essayait de cacher l'émotion qui montait, l'anticipation, la chaleur. La peur aussi.

— Allons voir. Au pire, je reviendrai au gîte.

« Ou bien tu partageras mon lit », songea Mireille. Mais elle ne dit rien.

Il restait plusieurs chambres. Christian lui donna rendez-vous dans le bar à 6 heures et monta se laver et se reposer.

Quand ils se retrouvèrent, le malaise avait disparu. C'était comme s'ils ne s'étaient jamais quittés, comme pendant cette journée entre Saint-Alban et Aumont-Aubrac, comme lorsqu'ils avaient fait la sieste sous les arbres. Au souper, ils prirent place côte à côte autour de la table où s'étaient regroupés plusieurs pèlerins croisés plus tôt sur la route. Mireille avait constaté avec soulagement l'absence de Karel. Aucun d'eux, ce soir, ne lui paierait à boire.

Parmi les gens que Mireille connaissait, il y avait Christine et Gérard, le couple de randonneurs d'Agen avec qui elle et Christian avaient partagé un sac d'abricots dans le refuge de l'Aubrac. Il y avait aussi Lucy, une Britannique qui, par bonheur, parlait français. C'est Christine qui, naïvement, s'enquit de sa journée. Mireille lui raconta sa mésaventure avec Hamed.

— C'est bien dommage, murmura Gérard en secouant la tête. Ce genre d'incident nous fait une bien mauvaise réputation.

Christine approuva, mais Mireille vit qu'elle se retenait de parler. Peut-être avait-elle vécu elle-même un incident semblable. Chose certaine, elle hésitait à en discuter en public. Et elle hésita tellement longtemps qu'on changea de sujet. Quelqu'un déclara qu'on annonçait du beau temps pour le lendemain. Pas de pluie, mais pas trop chaud. Cela rendit tout le monde guilleret.

Mireille s'aperçut qu'elle et Christian passaient pour un couple. Un nouveau couple, s'entend. Assis trop près l'un de l'autre, trop souvent silencieux, trop souvent d'accord aussi. Leurs bras se frôlaient à l'occasion, et ni l'un ni l'autre n'essayait de l'éviter. Au contraire, quand ils se touchaient, ils cessaient de bouger. Ils se fichaient éperdument de ce que les autres convives pensaient d'eux. Ils ne les connaissaient pas et ils ne les reverraient pas, ou sinon, sur la route.

Au milieu du repas, Mireille était convaincue du désastre imminent. Et elle l'anticipait avec délice. Puis Viviane apparut dans la salle à manger.

— Salut, les amis ! lança-t-elle à la ronde.

Mireille se dit qu'elle avait l'air de connaître tout le monde, mais surtout, qu'elle arrivait à un bien mauvais moment.

Christian s'écarta pour qu'on puisse ajouter une chaise, mais au lieu de se rapprocher de Mireille, comme celle-ci l'aurait souhaité, il s'éloigna dans la direction opposée.

— Qu'est-il arrivé à Hervé ? s'enquit Mireille pour masquer sa déception.

— Hervé qui ?

— Ben, euh…

Déjà, Viviane commandait à boire. Trois pichets pour la table. Elle s'informa même de Karel.

— S'il avait su que tu payais le vin, murmura Christian, je pense qu'il aurait choisi de manger à notre table, ce soir.

— Tant pis pour lui ! Dis donc, Mireille. Est-ce que je peux partager ta chambre ? Je t'en paie la moitié. Ou bien je la paie toute, si ça peut te convaincre. Parce qu'il ne reste plus de place au gîte. Et plus de chambres dans les hôtels non plus. Si tu me dis non, je vais devoir planter ma tente derrière un bar.

À présent, il n'était plus question pour Mireille et Christian de se toucher, ni même de rêver. C'est tout juste s'ils réussirent à échanger, pendant la soirée, un sourire complice. Complice et résigné.

* * *

— Je pense que je suis en amour.

Ça faisait une heure qu'elles avaient éteint, mais Mireille n'avait pas encore fermé l'œil. À entendre Viviane se retourner dans son lit, elle se disait qu'elle non plus ne dormait pas.

— Tiens donc ! Tu dois bien être la dernière à t'en rendre compte.

— Je ne peux pas aimer Christian ; j'aime déjà Jocelyn.

— Pis ?

— Ça ne se fait pas d'aimer deux hommes en même temps.

— Ça ne se fait pas de porter des bas dans des sandales. Tu en portes pourtant depuis une semaine.

Mireille sourcilla. Ça faisait juste une semaine ?

— Tu ne comprends pas ce que je veux dire. Je ne suis pas venue ici pour me trouver un amant. En fait, je ne voulais même pas venir. C'est Louise qui a insisté. J'étais heureuse avec Jocelyn. Et je le suis encore. Je l'aime. On a une belle vie. Je n'ai pas le droit de profiter de son absence pour aimer quelqu'un d'autre. Ce n'est pas correct.

— Si tu roules en auto en plein cœur de nuit et que tu arrives à un feu rouge. Tu regardes de chaque côté et, s'il n'y a personne en vue, tu passes. Ce n'est pourtant pas « correct », comme tu dis, puisque le feu est rouge.

Mireille avala de travers. Elle-même aurait attendu que le feu passe au vert.

— Ce sont des conventions, Mireille.

— Des conventions ?

— Oui, des conventions. Des règles, si tu préfères, que les humains ont inventées pour vivre ensemble. Le problème, c'est qu'un jour, ces règles se sont mises à régir toute la vie des gens et se sont substituées à la réalité. Maintenant, tu te dis : « Je ne PEUX pas mettre des bas dans mes sandales. » Même si tu as les pieds en sang. Tu as pourtant fini par en mettre.

— On ne parle pas de la même affaire. Enfreindre les codes de la mode, ça ne se compare pas à l'infidélité.

— Longtemps, les hommes ont eu plusieurs femmes. Longtemps, une femme riche ne couchait pas avec un homme pauvre. Longtemps, un Noir ne couchait pas avec une Blanche, et l'inverse non plus. Et l'amour homosexuel était illégal. Ces règles régissaient la vie des gens. C'était leur vision de la réalité. Mais ce n'était pas la réalité. Ces règles permettaient de garder à distance les choses qui faisaient peur, qui menaçaient le contrôle qu'avait l'État sur ses citoyens, le contrôle de l'homme sur l'homme, de l'homme sur la femme, surtout. Ça maintenait l'ordre social.

Mireille fut bouleversée par l'image qui apparut tout à coup dans son esprit. C'était le visage de Marc-Antoine le jour où il lui avait appris qu'il quittait l'école. Puis celui où il lui avait dit que Marie-Ève allait avoir un enfant. Mireille se souvenait de la panique qui s'était emparée d'elle.

— Tais-toi.

— Pourquoi ?

— Jocelyn me fait confiance.

— Dire ça à quelqu'un, ma chère, c'est la meilleure manière d'avoir du contrôle sur lui. Ou sur elle.

— Mais moi aussi, j'ai confiance en lui.

— C'est la même chose pour toi. Quand tu sors le soir et que tu dis à tes fils, en guise d'avertissement : « Je vous fais confiance », tu t'assures d'avoir du contrôle sur eux.

— Mais ça n'a rien à voir !

Mireille avait parlé trop fort et craignit tout à coup d'avoir réveillé les voisins. Elle se tut un moment, écouta la nuit et, comme personne ne protestait, elle reprit à voix basse.

— Ça n'a rien à voir. Je suis leur mère, c'est normal que j'aie du contrôle sur eux. C'est pour leur sécurité. Pour leur bien.

— Ah ! Pour leur sécurité, je veux bien. Mais pour leur bien ? Chaque fois que j'entends ça, ça me rappelle mon père qui ne voulait pas que je sorte le soir après neuf heures. Même quand j'avais dix-sept ans. Il ne voulait pas que je porte tel ou tel vêtement. Il m'interdisait de fréquenter telle ou telle personne. C'était pour mon bien, qu'il disait. Et devant les gens, il se vantait de mes bons résultats scolaires. Lui, il savait comment on élevait ça, des enfants. À dix-huit ans, j'ai sacré mon camp.

— On ne parle pas du tout de la même chose.

— Vraiment ? Qui a dit qu'on ne pouvait aimer qu'une seule personne à la fois ?

— Personne. Notre société est faite comme ça.

— Dans le monde musulman, l'homme ultraconservateur interdit à sa femme de sortir sans son niqab. Il te dira que la société est faite comme ça.

— Mais…

— Et sa femme trouve que c'est tout à fait normal de porter son niqab. Elle forcera même sa fille à porter le sien.

— Tu as une dent contre les hommes, toi.

— Non. J'ai une dent contre tous ceux qui cherchent à contrôler les autres.

— Mais il faut quand même des lois.

— Des lois pour éviter les meurtres, les vols et les viols, oui. Mais en quoi est-ce un crime d'aimer deux hommes en même temps ? En quoi est-ce que ça met quelqu'un en danger ? En quoi ça prive quelqu'un de ce qui lui appartient ?

Incapable de répondre, Mireille lui tourna le dos en serrant fort son oreiller. Elle ne voulait plus entendre ce genre de choses. Viviane le comprit, mais lança une dernière salve avant de se taire.

— Les êtres humains ont découpé leur vision de la réalité de manière à ce qu'elle entre dans des petites cases de formulaire. Mais c'est de leur vision de la réalité qu'il s'agit. Pas de la réalité elle-même. Parce que la réalité, elle, ne se découpe pas. L'univers est bien trop complexe et encore bien trop mystérieux pour être contenu tout entier dans un code de loi. Il y a des choses qui se produisent dans la nature, Mireille. Des choses qu'on n'arrive pas à expliquer. Alors on fait comme si elles n'existaient pas. Parce qu'il n'y a nulle part sur nos formulaires pour inscrire comment on ressent l'amour. Ni ce que l'amour veut qu'on fasse. Il n'y a qu'un endroit où il est écrit ce qu'on DOIT faire avec.

* * *

Au matin, Mireille avait retrouvé ses esprits. Mais à quoi pensait-elle donc ? Elle n'allait tout de même pas trahir Jocelyn ! Ça ne lui ressemblait pas et ça ne lui ressemblerait jamais.

Malgré ces bonnes intentions, elle laissa Viviane jacasser pendant tout le déjeuner. Elle prit tellement son temps que son amie l'abandonna pour remonter à la chambre. Une demi-heure plus tard, Viviane quittait l'hôtel, et Christian descendait déjeuner. Il avait meilleure mine que la veille, et son œil de chat scruta Mireille avec un intérêt semblable à celui qu'elle lui portait.

— Bien dormi ? s'enquit-il en prenant la place laissée vacante par le départ de Viviane.

— J'ai eu droit au récit d'une rupture qui fut aussi brutale que l'avait été leur coup de foudre.

— Viviane s'était déjà lassée d'Hervé ?

— C'est beau, la guitare, il paraît. C'est romantique aussi. Mais ça ne compense pas les manques.

— Les manques ? Quels manques ?

— Aucune idée. Chose certaine, le beau Hervé n'était pas à la hauteur des attentes de notre chère Viviane. Pas plus que Karel.

— Karel ?

Mireille lui résuma la brève aventure de Viviane avec l'Allemand. Christian trouva la chose comique.

— Les gens qu'on rencontre sur la route ont souvent l'air meilleur que ce qu'ils sont dans la réalité. Ils paraissent plus intéressants, plus intelligents, plus drôles. Mais quand on les revoit dans leur vie quotidienne… Disons que ça peut être décevant.

À son ton désinvolte, Mireille sut tout de suite qu'il parlait de lui-même.

— Pas nécessairement.

Elle n'aimait pas le voir se déprécier ainsi. Elle le voulait tel qu'il était, avec ses qualités et ses défauts, parce qu'au fond d'elle-même, elle savait que ça ne durerait pas. Peut-être même qu'elle ne voulait pas ce qu'elle pensait vouloir. Peut-être qu'elle souhaitait juste être proche de lui. Marcher à ses côtés, sentir sa présence, sa chaleur, écouter sa voix, ses histoires, ses rêves, et rire de ses blagues. Oui, c'était cela. Peut-être que, finalement, c'était ce genre de relation qu'elle désirait. Mais on était le matin. Et le matin, c'était toujours plus facile d'écouter la voix de la Raison.

— Je pense que Tom était aussi génial que ce dont il avait l'air.

— Le flirt de ta sœur ?

Mireille hocha la tête.

— Tu n'es plus fâchée contre elle ?

Elle rit.

— Je suis bien mal placée maintenant pour lui reprocher quoi que ce soit.

Ils ne dirent rien pendant un moment. Christian déjeuna tandis que Mireille finissait son bol de café au lait.

Tout était toujours tellement facile avec lui ! Ils abordaient les sujets les plus délicats comme s'il s'agissait de banalités. Elle était pourtant pleine d'aveux, cette conversation. Ils auraient dû marcher sur des œufs. Mais non, ils continuaient de se parler comme s'ils se connaissaient depuis des années. Peut-être parce qu'ils savaient que les heures qu'ils passaient ensemble étaient comptées.

D’Espalion à Saint-Pierre-de-Bessuéjouls

Ils quittèrent l’hôtel peu après, traversèrent le Pont Neuf et tournèrent à droite. La route longeait un moment la rivière avant de piquer dans les terres. Le paysage avait tellement changé depuis l’Aubrac que Mireille peinait à croire qu’il s’était écoulé juste deux jours depuis leur descente casse-cou jusqu’à Saint-Chély. L’air était doux. Les nuages qui voilaient parfois le soleil avaient une certaine douceur, eux aussi. Comme le vent. Comme les collines. Et comme le duvet sur les bras de Christian quand elle le frôlait accidentellement.

Elle se disait qu’ils partageaient un silence rare, un de ceux qu’on vit une fois ou deux dans une vie. Un silence qui traduisait la complicité, le bien-être, l’harmonie, l’affection. Le genre de silence qui règne quand deux personnes s’allongent chacune sur un banc de table à pique-nique un soir d’été et se tiennent la main sous la table.

Au bout d’une heure, Mireille était arrivée à la conclusion que ce qu’elle vivait n’était pas une histoire de sexe. Enfin, pas uniquement. Et ce n’était pas non plus une histoire d’amour romantique comme on en lit dans les romans. C’était tout cela, mais ça ne l’était pas tout à fait non plus. Elle ne ressentait pas le besoin de connaître le passé ni de savoir les plans d’avenir de Christian. Ses défauts, même, la laissaient indifférente. Depuis qu’elle l’avait rencontré, elle l’avait écouté, regardé, et elle avait senti les effets de sa présence sur elle, dans son corps et sur son esprit. Ça durait depuis des kilomètres et ça ne s'estompait pas.

Elle était désormais persuadée que cette attirance tenait de l'irrationnel. Il s'agissait sans doute d'une passion dont les origines se trouvaient loin, encodées dans ses gènes. Impossible d'expliquer autrement un désir aussi fort pour un homme qu'elle connaissait à peine. Quelque chose en lui la ramenait à l'état animal, faisait d'elle bien plus une femelle qu'une femme. Quelle place réserverait-elle à Jocelyn ? Comment le regarderait-elle en face si elle cédait ainsi à l'appel d'un autre ? Elle n'avait pas les réponses à ces questions. Elle ne pouvait que continuer sur le chemin qu'elle avait entamé parce qu'elle ne pouvait plus faire autrement. Parce qu'abandonner Christian une autre fois paraissait au-dessus de ses forces.

* * *

On ne pouvait manquer la chapelle romane de Bessuéjouls. En arrivant dans le village, c'était la première chose qui attirait l'attention tant le monument était beau, ancien et… Mireille aurait dit « mystique ». Christian enleva son chapeau et ses lunettes avant d'y pénétrer, la tête inclinée, comme avec respect. Il se tint silencieux dans la pénombre, et Mireille, qui l'avait suivi, n'osa interrompre ce qu'elle crut être une prière.

Au bout d'un moment, il désigna l'escalier derrière eux. Le passage était si étroit qu'il leur fallut abandonner les sacs à dos pour s'y engager. Ils gravirent les marches lentement, se touchant à chaque pas. Il aurait pris sa main que Mireille n'aurait pas été surprise, mais il se contenta d'être tout proche, loin des regards. Dans la tête de Mireille, le vent rugissait. Comme dans une tornade, elle sentait qu'elle était arrachée à la terre et montait, emportée par une bourrasque intérieure. Elle tournait, maintenant, tant dans l'escalier que dans la tornade, toujours dans le même sens, toujours plus haut. Que resterait-il d'elle quand le tourbillon l'aurait recrachée ? Des miettes. Des miettes de cœur et de bonheur. Et des larmes, à n'en pas douter.

L'escalier menait à une chapelle érigée dans la tour. Mireille en eut le souffle coupé. La pièce était entièrement construite de pierres roses. La lumière y entrait par des fenêtres aussi minces que des meurtrières. Des arches, des colonnes et un autel sculpté et surmonté d'une croix conféraient à l'endroit une aura étrange, aussi sacrée que surnaturelle. Comme si Dieu lui-même habitait ici en tant qu'esprit, ou force, ou présence. On ne pouvait que s'y laisser emplir de sérénité et se vider du reste. Permettre à son corps autant qu'à son âme de se reposer de la course de la vie, un moment, le temps de discerner ce qui est important de ce qui ne l'est pas. Mireille se recueillit pour la première fois de sa vie.

De longues minutes passèrent, sans qu'ils n'échangent une parole.

Quand elle revint à elle, elle osa briser le silence pour dire que l'endroit lui faisait penser aux temples des films d'Indiana Jones. Christian rit doucement. La référence n'était peut-être pas respectueuse du lieu, mais elle était juste.

— C'est à ça que j'ai pensé, moi aussi, la première fois que je suis venu ici.

Sa voix résonnait sur les murs, et l'écho avait quelque chose de troublant, aussi troublant que les yeux qu'il posa sur elle en racontant sa première visite.

— Mais j'ai surtout pensé à tous les gens qui ont prié devant cet autel pour la guérison d'un de leurs proches. Je ne sais pas pourquoi, mais je suis ému chaque fois que je monte cet escalier.

Mireille acquiesça. Il y avait vraiment quelque chose d'émouvant dans ce lieu. Quelque chose d'indéfinissable qui la prenait aux tripes. Aurait-elle ressenti la même chose si elle était montée jusque-là toute seule ? Probablement pas. De toute façon, si elle était passée sans Christian dans ce village, elle n'aurait jamais osé monter dans la chapelle.

— C'est magnifique, dit-elle. Merci de me l'avoir fait visiter.

— De rien. À partir d'ici, si tu veux, on peut descendre jusqu'à la route pour aller chez Guy et Marie.

Elle approuva encore une fois, et ils redescendirent, plus vite qu'ils étaient montés, mais plus liés que jamais.

* * *

La table avait été dressée, et il y avait des biscuits, des confitures, des morceaux de pain et quatre couverts. La maison sentait bon le café et les fruits qui mûrissaient sur le comptoir. Pendant que Guy montrait sa Citroën 2CV à Christian et que celui-ci ne tarissait pas d'éloges, Marie avait entraîné Mireille à l'intérieur et lui avait fait visiter la maison. Les pièces étaient nombreuses et petites, mais combien vivantes ! Pendant les quelques minutes que dura la visite, Mireille s'imagina vivre avec Christian dans une maison comme celle-là, au milieu des vignobles, en bordure de la rivière. Elle pouvait occuper chaque pièce, savait ce qu'elle ferait de chaque meuble. C'en était à la fois doux et terrifiant.

— Nous avons acheté la maison en 52, vous savez. Ce n'était pas longtemps après la guerre. Nous n'y venions que l'été. Par comparaison, elle est très moderne maintenant, avec la robinetterie, et tout et tout.

Il y avait une piscine derrière, et un petit jardin où Guy faisait pousser des tomates.

— Le jardin, c'est son domaine. Moi, avec mon arthrite, je me contente de la maison.

Parce que le rez-de-chaussée comptait deux garages, c'est à l'étage qu'on vivait. De la cuisine, on voyait le Lot et, au-delà d'une rangée d'arbres, les vignobles des voisins qui s'étendaient jusqu'au pied des collines.

Marie lui montra des photos de leurs enfants.

— Nous sommes grands-parents. Huit fois !

Mireille la félicita. Les hommes avaient enfin abandonné l'automobile et montaient sur le balcon. Mireille entendait leurs pas dans l'escalier.

— Votre mari me dit que vous avez une fille, lança Guy en poussant la porte. Elle a quel âge ?

Mireille ne tressaillit même pas. Elle sourit, simplement, et laissa Christian répondre.

— Dix ans.

Marie s'étonna.

— Ne m'avez-vous pas dit que vous aviez des garçons, aussi ?

Cette fois, ce fut Christian qui eut un sourire complice.

— Oui, répondit Mireille. Trois.

— Et ils ont quel âge ?

— Quinze, seize et dix-huit.

— Eh bien, dites donc ! Quand les amoureuses sont de la partie, ça doit vous faire toute une maisonnée.

— On aime ça de même, conclut Christian le plus naturellement du monde.

Ils se mirent à table, Mireille et Christian d'un côté, Guy et Marie de l'autre. La conversation porta sur la vie de famille, sur la vie au Canada, sur la vie tout court. Marie essayait d'imaginer comment vivait son neveu, celui qui avait immigré à Montréal.

— C'est pas mal comme ici, expliqua Mireille.

Elle s'abstint de parler de la « médecine française », car Guy et Marie n'avaient rien des exubérants rencontrés dans les villages, ceux qui exprimaient leur frustration avec force cris et mots grossiers. Ils étaient même tout le contraire. Calmes, polis, chaleureux. On aurait voulu les avoir comme parents.

Au bout d'une heure, Mireille désigna la route qu'on voyait par la fenêtre.

— Il est temps de partir.

Les adieux furent aussi chaleureux que l'avait été l'accueil. Guy quitta la cuisine et y revint, un appareil photo dans les mains.

— J'aimerais un petit souvenir, si vous le voulez bien.

Christian proposa qu'on prenne la photo devant la voiture, et Mireille, devant la maison.

Et là, justement, devant la maison, devant la voiture aussi, ils prirent la pose comme un couple uni. Christian passa un bras derrière Mireille et la tint par la taille. Elle l'imita, un peu gênée. Puis, dans un geste de pur abandon, elle posa la tête contre son épaule. Jamais ils n'avaient été aussi proches. Elle pouvait sentir son déodorant, et lui, le sien. Et pendant que Guy jouait avec les réglages, ils restèrent là, sans bouger.

— Tu penses qu'ils y croient ? demanda Christian, le menton appuyé contre le front de Mireille.

Elle hocha la tête. C'était évident.

— Et nous ?

Elle n'eut pas le temps de répondre ; le déclic retentit.

De Saint-Pierre-de-Bessuéjouls à Estaing

Ils parcoururent avec facilité la route entre Bessuéjouls et Estaing. Il n'y avait ni montée ni descente. Il faisait beau, l'air était frais, et les nuages donnaient de l'ombre quand il le fallait. Ils marchaient côte à côte, se frôlant de plus en plus souvent et de plus en plus longtemps. Ils se touchaient exprès, parce que la faim qui les tenaillait devenait intenable à mesure que les heures passaient.

Puis Estaing apparut après un détour du chemin, avec son château rose dressé en plein centre et ses rangées de maisons bordées de collines. Ils traversèrent le pont qui enjambait le Lot, empruntèrent les rues sinueuses jusqu'au premier hôtel qu'ils aperçurent. Il était 16 heures, et ils avaient parcouru tout juste onze kilomètres depuis le matin.

Christian s'adressa au réceptionniste comme l'habitué qu'il était. Il voulait une chambre pour deux personnes avec une salle de bain complète.

— Est-ce que c'est possible d'avoir une chambre avec une baignoire ? s'enquit Mireille.

— Bien sûr, répondit l'homme en fouillant dans les clés.

Comme il tendait un trousseau à Christian, il s'immobilisa, les yeux rivés sur Mireille. Elle arrêta de se gratter le bras.

— Vous avez été piquée par des punaises ? demanda le réceptionniste.

— Oui, il y a deux jours.

Puis, réalisant ce qu'il y avait d'inquiétant dans sa réponse, elle ajouta :

— Mais j'ai passé cinq heures à la buanderie d'Espalion, hier. J'ai lavé tout mon équipement.

L'homme secoua la tête, rendit à Christian sa carte de crédit et déchira l'empreinte qu'il venait de prendre.

— Je suis désolé, mais je ne peux pas vous louer une chambre. Pas si vous avez des punaises.

— Mais puisqu'elle vous dit qu'elle a lavé son équipement.

L'homme se montra intraitable, il leur demanda même de ramasser les sacs à dos qu'ils avaient abandonnés sur le tapis, près de la porte.

Ils sortirent, aussi furieux que frustrés. Qu'allaient-ils faire, maintenant ?

— On va s'essayer ailleurs, mais je suppose que notre bonhomme va se dépêcher d'alerter les autres aubergistes.

Comme de fait, on leur refusa une chambre dans l'hôtel suivant, puis dans un troisième. Ils s'assirent à la terrasse d'un bar, un peu découragés.

— On peut s'essayer à l'Accueil chrétien, mais…

— C'est un gîte ?

— Si on veut. On y trouve huit lits jumeaux par dortoir.

Mireille éclata de rire. C'était nerveux.

— Va pour l'Accueil chrétien ! C'est toujours mieux que de dormir dehors.

— Il reste le gîte communal, plus loin, mais là, on sera vingt ou vingt-cinq. C'est donc beaucoup plus bruyant.

Ils se commandèrent de la bière qu'ils burent en regardant ailleurs. Le désir avait diminué, nécessité oblige.

À l'Accueil chrétien, on leur offrit, comme prévu, deux lits une place dans un dortoir. Ils purent se laver et se reposer un moment. Comme le repas n'était servi qu'à 8 heures, ils sortirent visiter le village. Ils sillonnèrent le dédale de rues étroites, main dans la main. C'était une initiative de Mireille, et Christian s'y plia volontiers. Ils contournèrent le château, visitèrent les boutiques et, quand il fut clair qu'ils ne voulaient tout simplement pas manger ce soir à la même table que quinze autres personnes, ils retournèrent voir la responsable pour lui dire qu'ils souperaient au restaurant.

— Vous savez, commença la dame, nous vous accueillons gratuitement, mais nous vous demandons de respecter nos règles. Parmi celles-ci, il y a l'obligation de prendre part à la prière et au repas en commun.

Christian, qui avait pourtant l'habitude du Chemin, fut tellement surpris par la consigne qu'il insista :

— Nous respecterons volontiers votre règlement, mais pour le souper, nous mangerons ailleurs.

— Vous ne comprenez pas. Notre accueil n'est pas un hôtel.

Il haussa les épaules.

— D'accord.

La femme lui sourit. Puis, convaincue qu'ils avaient compris et qu'ils seraient présents pour le souper, elle pivota et gravit l'escalier en haut duquel elle disparut.

Christian prit Mireille par la main et l'entraîna dans le dortoir.

— Ramasse ton stock, ordonna-t-il en fourrant son sac de couchage dans son sac à dos.

Elle obéit sans poser de question.

Un quart d'heure plus tard, ils étaient dehors avec toutes leurs affaires.

— Où est-ce qu'on va, maintenant ? s'enquit Mireille en réprimant un fou rire.

— On va commencer par souper.

— Et on dormira où ?

Il y avait quelque chose de mutin dans sa voix. Christian s'en aperçut et lui offrit un sourire forcé.

— Au gîte communal.

— Au gîte ?

Elle fut déçue l'espace d'une seconde, puis elle haussa les épaules.

— Et s'il n'y a pas de place ?

— C'est gros. Il y a toujours de la place.

— D'accord. Mais je t'avertis : je n'ai pas de tente.

— Moi non plus. Mais on n'en aura pas besoin, je te le promets. Pour le moment, allons manger. Toutes ces émotions m'ont donné faim.

Ils s'installèrent à la terrasse d'une crêperie du bout de la rue. Le désir avait disparu pour faire place à une complicité née du besoin. Et à des fous rires aussi, quand ils imaginaient la tête de la responsable de l'Accueil chrétien qui devait les attendre pour souper.

* * *

Quand ils arrivèrent au gîte, il était 11 heures passées. Des rideaux découpaient une immense salle en deux rangées de chambrettes à deux lits, laissant au milieu un couloir juste assez large pour qu'un pèlerin y circule avec son sac sur le dos. Comme on avait déjà éteint les lumières, il fallut sortir les lampes frontales. Christian chercha à gauche pendant que Mireille s'occupait de la droite. Ce fut elle qui trouva la chambrette vide. Ils s'y engouffrèrent, rassurés à l'idée d'avoir un toit pour la nuit.

— Ne laisse surtout pas ton sac par terre, murmure Christian en posant le sien sur la table de chevet. S'il y a des punaises…

Elle obtempéra et, après avoir sorti ce qu'il lui fallait pour se laver, elle le suivit jusqu'aux salles de bain.

— On se retrouve au lit, dit-il en fermant la porte de la douche.

Mireille sourit. Il n'avait certainement pas voulu dire ce qu'il venait de dire. Il s'en rendit compte, d'ailleurs, car elle l'entendit s'esclaffer juste avant que l'eau se mette à couler.

Il ne leur fallut pas longtemps ni à l'un ni à l'autre. Quinze minutes plus tard, ils étaient couchés, chacun dans son sac de couchage.

— Bonne nuit, murmura Christian en éteignant sa lampe.

— Bonne nuit.

Et le silence retomba, dans le dortoir comme dans leurs têtes, aussi lourd que l'obscurité.

Mireille se serait probablement endormie très vite si, dans une chambre adjacente, quelqu'un n'avait commencé à ronfler. Il fut imité par un autre dormeur, un peu plus au fond. Puis un troisième. C'était à croire qu'ils avaient attendu exprès ce moment. Mireille ne se rappelait plus où elle avait rangé ses bouchons d'oreilles. Tant pis ! De toute façon, elle avait encore bien des choses à penser.

Où donc s'en allait-elle avec Christian ? Elle ne le savait pas. Elle se laissait porter par l'émotion. Il n'y avait rien d'autre à faire. L'attirance était trop forte, la situation, trop intense. Et Christian, trop présent. Elle ne pouvait tout simplement pas l'ignorer. Même le visage de Jocelyn, qu'elle aimait de toute son âme, n'arrivait plus à émerger de ses souvenirs. Ni même ceux de ses fils. Elle vivait ici et maintenant, l'instant présent.

Viviane avait peut-être raison. Il s'agissait peut-être de conventions. Elle n'enlèverait rien à Jocelyn. Elle n'était pas un objet, elle ne lui appartenait pas. Pas davantage qu'elle appartenait à Christian. Elle était elle-même et elle se sentait plus vivante en ce moment que jamais avant dans sa vie. Son cœur battait plus fort. Elle pensait plus vite et était capable d'une plus grande concentration. Elle se rappelait chaque détail du visage de Christian, chaque mot qu'il avait prononcé, chaque geste qu'il avait posé. Elle l'imaginait sur elle, en elle, le dos arqué, les reins trempés de sueur et ses mains à elle qui le maintenaient tout contre son ventre pour contrôler ses mouvements. Elle dut s'empêcher de tendre le bras vers lui pour le toucher.

Et c'est alors qu'elle sentit quelque chose bouger.

Ce ne fut d'abord qu'un effleurement. Ça chatouillait presque. Ça remontait tout doucement le long de son avant-bras, comme si Christian la caressait du bout des doigts. Elle ouvrit les yeux. Christian dormait dans le lit d'à côté. Paniquée, elle bondit hors du lit et attrapa sa lampe frontale. Dès qu'elle secoua le sac de couchage, quelques douzaines d'insectes apparurent dans le faisceau de lumière.

— Christian, murmura-t-elle, en lui secouant l'épaule. Christian, réveille-toi ! Mon lit est infesté de punaises.

En entendant ces mots, Christian ouvrit les yeux et regarda autour de lui, confus. Puis il se redressa, alluma sa lampe frontale.

— *Fuck* ! dit-il, en apercevant les bestioles qui gigotaient dans le lit de Mireille.

Il secoua avec précaution son sac de couchage. Il en tomba quelques dizaines de punaises, aussi affolées que les premières.

— Habille-toi ! ordonna-t-il, toujours à voix basse. Et secoue bien tes affaires avant de les remettre dans ton sac. Faudrait pas leur offrir un moyen de transport supplémentaire.

Mireille obéit. Elle avait la chair de poule en pensant au risque qu'elle courait d'en rapporter chez elle.

Ils quittèrent le gîte sans faire de bruit. La lune était pleine et répandait sur le village une telle lumière qu'elle rendait les lampes frontales inutiles. Ils sillonnèrent les rues à la recherche d'un abri, mais ne trouvèrent rien.

— As-tu toujours ton poncho ? demanda Christian au moment où ils arrivaient au pont.

— Oui.

— As-tu envie de dormir à la belle étoile ?

Il faisait doux, et le ciel, sans nuage, ne laissait pas présager de pluie.

— On part à l'aventure, c'est ça ?

— C'est ça.

— Tu connais une place où on pourrait s'installer ?

— À partir d'ici, le Chemin traverse le bois. Je suppose qu'on peut se choisir un *spot* à l'écart.

Cette fois, ce fut lui qui la prit par la main.

Un camp de fortune

Les arbres se dressaient hauts et droits, surtout des feuillus, dont la frondaison bruissait dans le vent. Entre les branches, la lune jetait une lumière si blanche qu'elle en faisait briller la rosée. On n'entendait rien, à part quelques insectes mystérieux. Mireille s'imagina pénétrer dans une forêt enchantée.

Ils avaient rallumé leurs lampes frontales et avançaient dans le sous-bois. Ils n'étaient pas en terrain connu, ni l'un ni l'autre, mais Christian prétendait qu'aussi près de la civilisation, on ne trouvait pas d'animaux féroces. Mireille le croyait sur parole, incapable, de toute façon, de penser à autre chose qu'à lui, à sa main dans la sienne et à la nuit qui les enveloppait comme un cocon. Le monde extérieur n'existait plus. Pour lui non plus d'ailleurs. Elle s'en rendait compte à la pression qu'il exerçait sur ses doigts et au rythme irrégulier de sa respiration. Lui aussi avait peur, et cela, curieusement, avait quelque chose de rassurant. Sa peur à elle lui nouait la gorge et lui broyait les tripes.

Ils montèrent leur camp dans une clairière à cinq minutes de marche de la route. Pendant que Mireille déroulait son poncho et l'étendait à plat sur le sol, Christian s'activait avec son bâton de marche. Elle ne voyait pas exactement ce qu'il faisait, mais elle aurait juré qu'il déchirait du plastique. Au bout d'un moment, il sortit son propre poncho et attacha quelque chose aux extrémités.

— Qu'est-ce que c'est ?

— Du *duct tape*. Avant de partir, j'en ai enroulé cinq ou six mètres autour de mon bâton. Ça sert à tout, ce truc-là. Tiens, je viens d'en couper quatre morceaux d'un pied que j'ai repliés. Ce soir, ça va servir de bouts de corde.

Il attacha deux coins du poncho à deux arbustes et laissa pendre la toile dans le vide.

— On les attachera à l'autre bout s'il se met à pleuvoir. Pour le moment, on va profiter de la vue.

Ils déroulèrent leurs sacs de couchage sur le poncho de Mireille et s'allongèrent l'un à côté de l'autre, tout habillés. Au-dessus d'eux, aucun nuage pour cacher les étoiles, qu'on aurait pu compter par centaines. Christian s'éclaircit la voix.

— Ça m'a toujours donné le vertige de regarder le ciel, la nuit.

— Ah, oui ? Tu as peur de tomber ?

La question le fit rire.

— Non, mais je trouve que ça donne un ordre de grandeur. On est de bien petits grains de poussière, je trouve, si on se compare à l'infini de l'univers. On n'est rien, en fait. Moins que rien. Et on se trouve tellement importants !

— Tu veux dire que ça relativise nos problèmes ?

— Ouais.

— J'ai justement un problème, là.

Il fallait qu'elle lui dise ce qui la tourmentait. Parce que ça prenait désormais toute la place dans son esprit. Elle poursuivit donc.

— Je sais que ce n'est pas tragique au point d'empêcher la Terre de tourner, mais...

Il ne disait toujours rien. Elle savait qu'il attendait la suite, probablement aussi tendu qu'elle.

— Je ne peux pas coucher avec toi, Christian. J'en meurs d'envie, mais si je fais ça, je sais que je vais le regretter jusqu'à la fin de mes jours. J'aime trop Jocelyn. On s'est choisis, lui et moi. On a une famille, une maison, toute une vie. Je n'arrive pas à croire que je pourrais le tromper.

Il y eut un moment de silence. On entendit le cri d'un animal au loin. Maintenant qu'elle avait commencé, il fallait qu'elle continue. Il fallait tout lui dire, pour que ce soit clair entre eux deux. Pour qu'il n'y ait pas de déception. De part et d'autre.

— Si je couche avec toi, poursuivit-elle, je me sentirai coupable vis-à-vis de Jocelyn. Si je m'en vais sans jamais t'avoir touché, je le regretterai jusqu'à ma mort. Je perds, quoi que je fasse.

Et là, alors que l'atmosphère était des plus tendue, alors qu'elle venait de lui dire les choses les plus intimes, Christian lança :

— Je ne suis pas si mauvais, quand même.

Elle pouffa de rire.

— Ce n'est pas ce que je veux dire.

— Je sais. Je te comprends très bien.

— Vraiment ? Tu comprends qu'on va passer à côté de quelque chose d'important ? Moi, je me sens comme si j'étais condamnée. Peu importe ma décision, je vais la regretter.

Il se tourna sur le côté pour la regarder. Dans la nuit, sa silhouette était longue et mince, et Mireille eut un serrement au cœur. Comme il aurait été bon de faire l'amour avec lui ! Mais, aussi soudainement qu'il s'était tourné, il se laissa retomber sur le dos et croisa les mains derrière la nuque.

— Tu sais, pour moi, depuis le cancer, ces choses-là sont devenues compliquées même le jour, alors, imagine la nuit !

Elle pouffa de rire, encore une fois, mais s'abstint de commenter. Sous une apparente légèreté, Christian venait de lui tenir des propos sérieux.

— Comme tu peux l'imaginer, dit-il au bout de quelques secondes, tu ne cours pas grand risque en te collant sur moi. Au pire, tu auras trop chaud. Mais je pense surtout qu'on dormirait mieux.

Il allongea le bras pour l'inviter, et elle s'y blottit sans hésiter, la tête sur sa poitrine. Il la serra un peu pour la rapprocher et laissa son menton reposer contre son front. Ses lèvres effleurèrent ses cheveux. Ils restèrent ainsi un long moment, sans bouger et sans parler. Mireille se dit que c'était exactement ce qu'elle avait attendu depuis des jours. Cette proximité des corps, des esprits, des âmes mêmes ! Elle avait l'impression qu'il s'agissait d'un contact spécial, de quelque chose de sacré. Et ça allait bien au-delà du sexe. Les mots devenaient inutiles parce qu'ils communiquaient autrement. Quelle était donc cette force qui les unissait et les réunissait malgré leurs efforts pour se séparer ? Pourquoi avaient-ils l'impression, en se touchant comme ils le faisaient maintenant, de réaliser leur destin ?

— Je pense que c'est ça que je cherchais sur le Chemin, murmura Christian.

— Quoi ? Moi ?

— Non. Je veux dire oui. Je parle de cette sorte de relation. Je n'avais jamais connu ça avant. C'est comme... plus grand que nous.

Elle hocha la tête. C'était comme ça qu'elle se sentait, elle aussi.

— C'est peut-être mon dernier cadeau de la vie.

Elle se redressa sur un coude.

— Pourquoi tu dis ça ?

— Parce que je ne pense pas que ça se reproduira. Je ne pense pas d'ailleurs que ça se produise souvent dans une vie, ce genre de choses là. Je ne sais même pas comment ça s'appelle.

— De l'amour.

— Penses-tu ? Peut-être. Moi, chaque fois que j'ai aimé, j'ai toujours trouvé quelque chose de rationnel pour expliquer l'amour. Alors que là...

— Tu ne trouves pas ça rationnel de m'aimer ?

— Je ne trouve pas ça rationnel que tu m'aimes.

Elle ne dit rien, mais reprit sa place, tout contre lui. Que pouvait-elle ajouter ? Elle-même ne se trouvait pas rationnelle !

Ils regardèrent encore le ciel. Pendant plusieurs minutes, ils n'échangèrent pas un mot, si bien que Mireille le pensa endormi. Puis, après avoir rajusté son bras pour la serrer plus fort, il lui dit :

— Vois-tu l'arbre, là-bas ?

Il désignait une masse sombre et élancée que la lune éclairait plus que les autres. Mireille hocha la tête.

— Des fois, je me dis que les chemins qu'on prend dans la vie sont comme les branches d'un arbre. Il y en a qui montent vers le ciel alors que d'autres meurent à mi-hauteur. Chaque fois qu'on fait un choix, une route s'arrête, les autres se poursuivent. C'est impossible de savoir ce qu'il serait advenu si on avait pris un autre chemin.

Mireille ne dit rien ; elle n'avait jamais pensé qu'il y avait plusieurs chemins dans une vie. Avant aujourd'hui.

— Sais-tu ce qui me ferait le plus plaisir ?

— Non.

— Ce serait d'avoir survécu à mon cancer, de survivre ensuite à mes problèmes cardiaques et de mourir écrasé sous une bibliothèque.

Elle rit, un peu gênée qu'il lui parle de la mort avec autant de désinvolture.

— Pourquoi sous une bibliothèque ?

— Parce que n'importe qui peut mourir écrasé de cette manière-là. Et parce qu'il y en a une dans la salle paroissiale, juste derrière l'église où je joue de l'orgue. Chaque fois que je vais accrocher mon manteau au vestiaire, je passe devant. Et j'y pense. Ce serait ironique.

— Tu penses beaucoup à la mort ?

— Tout le temps. Pas toi ?

— Euh, non. Pas vraiment. D'habitude, quand je suis chez moi, j'ai tellement de choses à faire avec les garçons, la maison et l'épicerie que je ne m'arrête pas souvent pour penser. Sauf peut-être dans les six derniers mois, parce que Louise voulait faire ce voyage, et que, dans le fond de moi, je suppose que j'en avais envie aussi. À moins que ce soit, comme le reste, un coup du destin pour te mettre sur mon chemin.

— Ah, j'aime ça ! Un coup du destin. Belle image !

— Merci.

— Mais tu sais, les coups du destin, comme tu les appelles, c'est à cause du Chemin.

— À cause du Chemin ? Ris pas de moi.

— Je ne ris pas de toi. Je ne veux pas dire exactement *à cause* du Chemin. Ce serait plutôt à cause de l'état d'esprit dans lequel on se trouve quand on marche le Chemin.

— Tu veux parler du fait qu'on perd la notion du temps ?

— De ça, oui, mais d'autre chose aussi. Quand je suis chez moi, à Moncton, je vis comme toi. J'ai des obligations, un travail, une maison. Il ne se produit jamais rien de spécial. Mais quand je viens ici…

Il se tut encore, remonta son sac de couchage pour couvrir le bras de Mireille.

— C'est ça que je cherche quand je marche ici. Tu sais, ce n'est pas la première fois qu'il m'arrive des choses bizarres. Et il en est arrivé à plein de pèlerins. C'est répertorié. On dirait que quand on décide de tout laisser derrière soi pour partir avec son sac à dos sur une route presque deux fois millénaire, on devient des aimants à synchronicité. Tu as besoin de quelque chose ? Quelqu'un apparaît sur ton chemin et te le donne, tout à fait par hasard. Tu es perdu ? Quelqu'un sort d'une maison, t'offre à boire et te donne les indications qu'il te fallait. Mais la plus spectaculaire des choses qui me soient arrivées – avant notre rencontre, je veux dire –, c'est de penser à Hemingway à cause d'une conversation que j'avais eue à

Nasbinals, et de trouver un de ses livres dans le refuge de bergers où on s'est arrêtés avant Aubrac.

— Lequel ?

— *Le soleil se lève aussi.* Ben, euh, en anglais. Je suppose qu'il devait être là depuis longtemps. Il était couvert de poussière.

— Peut-être qu'il t'attendait.

— Peut-être qu'il m'attendait. Comme je t'attendais, peut-être aussi.

Il lui déposa un baiser sur le front.

— Dors maintenant, dit-il. Je pense qu'on a eu assez d'émotions pour une journée.

Elle approuva, s'étira et l'embrassa dans le cou.

— Avant qu'on se sépare, dit-elle, promets-moi de me laisser t'embrasser. Juste une fois. Pour me prouver que je n'ai pas rêvé.

— Promis.

Puis il ne dit plus un mot.

Mireille regarda encore un moment le ciel et s'endormit.

* * *

Ce sont des pèlerins qui marchaient sur la route qui les tirèrent du sommeil. Le ciel s'était couvert et il y avait apparence de pluie.

Ils mangèrent ce qu'il leur restait de provisions. Christian sortit son réchaud et prépara du thé comme il l'avait fait dans la chapelle Saint-Roch.

Tandis qu'elle roulait son poncho pour le ranger dans la poche de son sac, Mirelle réalisa qu'elle ne pouvait pas continuer. Pas comme ça. Pas avec lui. Le savoir tout proche et ne jamais pouvoir le toucher serait une trop grande torture. Il fallait qu'elle parte. Seule. Et il fallait qu'il la laisse partir, prendre de l'avance, sortir de sa vie.

— Je m'en vais ce matin, dit-elle en rangeant ses dernières affaires.

— Je sais.

Elle s'attendait à une autre réponse, si bien qu'elle resta bouche bée quelques secondes. Puis elle attrapa son sac, le hissa sur ses épaules. Elle était prête. Puisant en elle tout le courage dont elle se savait capable, elle plongea son regard dans le sien.

— Tu m'as promis de me laisser t'embrasser.

— C'est vrai. Je suis là.

Il lui souriait, mais il y avait quelque chose de tragique dans son sourire. Elle n'eut qu'un pas à faire pour se pendre à son cou. Le baiser ne dura pas très longtemps. Quelques secondes tout au plus. Pas même une minute. Mais Mireille eut l'impression qu'elle touchait à l'éternité. Quand elle se recula, elle réalisa qu'elle avait fermé les yeux, et que le goût de la bouche de Christian serait à tout jamais gravé dans sa mémoire.

— Bon camino ! lui lança-t-elle, mais sa voix manquait de conviction.

— Bon camino.

Elle fixa dans son esprit chacun des traits de son visage avant de pivoter et de s'en aller.

Épilogue

Mireille ne revit jamais Christian. Pas davantage que Viviane ou Karel. Ce matin-là, elle avait marché seize kilomètres sans s'arrêter, engourdie par trop de douleur. Puis l'orage avait éclaté, dehors comme dedans. À Golinhac, elle avait demandé une chambre, mais l'hôtel était plein. Incapable de s'imaginer croiser encore Christian sur la route, elle avait appelé un taxi, qui l'avait conduite à Rodez. De là, elle avait pris le train jusqu'à Toulouse et était rentrée au pays où Jocelyn l'attendait à l'aéroport avec les deux plus jeunes. La chaleur de cet accueil avait quelque peu apaisé la douleur de la déchirure. Parce que c'était de déchirure qu'il fallait parler ici, même si Mireille, pour se conforter dans sa décision, s'était longtemps répété qu'elle avait fait un choix.

Il y avait eu des moments, pendant les dernières semaines de l'automne, cette année-là, où elle avait été capable de plus de lucidité. Elle partait alors marcher le long de la rivière. Ce n'était pas qu'elle regrettait son geste, loin de là. Elle savait qu'elle avait pris la bonne décision et l'assumait pleinement, ce qui n'anesthésiait pas son cœur pour autant. La petite voix en elle, cette même petite voix entendue sur le Chemin, celle qui ressemblait tant à la voix de Viviane, lui répétait qu'elle avait laissé passer quelque chose d'important, quelque chose comme un coup de foudre immense qui ne se reproduirait plus.

Puis il y avait eu la naissance de Gédéon. Devenue grand-mère, Mireille avait dû accepter qu'elle était désormais à l'automne de la vie. Ce n'était pas encore l'hiver, mais disons qu'il restait peut-être moins d'années devant qu'il n'y en avait derrière. Christian en avait été conscient, lui à qui la vie avait décerné deux prises, coup sur coup. Et pourtant, il l'avait laissée partir. Sans doute avait-il compris mieux qu'elle ce que les conventions exigeaient d'eux. Après tout, si Viviane y avait vu clair à vingt ans, il était certain qu'un homme comme Christian, avec son passé, y avait aussi compris quelque chose.

Pendant des semaines, donc, elle s'était rendue au bord de la rivière où elle marchait, seule avec le bruit du vent. Comme sur le Chemin, le sentier suivait la rivière au gré des caprices du terrain, sinueux comme la vie, finalement. Et comme dans la vie, la densité de la forêt empêchait de voir ce qui se trouvait derrière le prochain tournant. Parfois, pour laisser sortir le trop-plein de chagrin qu'elle n'arrivait pas toujours à gérer, Mireille pleurait. La nature prenait alors l'aspect d'une mosaïque vivante. Il y avait le brun des troncs, le rouge et l'ocre des feuilles dans les arbres, le vert des herbes encore souples, le gris foncé du ruisseau et celui, plus clair, de la poussière de pierre qui traçait le sentier. Son regard enfin voilé de larmes ne percevait de la forêt qu'un tableau tacheté de couleurs qui lui donnait l'illusion qu'elle était encore là-bas, entre Estaing et Golinhac, qu'un demi-tour était encore possible.

Il s'est écoulé deux ans depuis cette nuit à la belle étoile. Le temps a atténué le chagrin, transformé la déchirure en souvenirs impérissables. En souvenir inestimable, aussi. Sur le Chemin, il s'était produit quelque chose d'extraordinaire, quelque chose qu'elle ne devait jamais oublier parce que chaque petit détail avait contribué à faire d'elle la grand-mère qu'elle est devenue aujourd'hui. Maintenant, quand elle pense à Christian, son cœur s'emplit de chaleur. Comme ce soir.

Ce soir, c'est l'anniversaire de Marc-Antoine. Après le souper, Mireille est sortie sur la galerie. Par la fenêtre qui donne dans la salle à manger, elle admire chacun des membres de sa famille qui prolongent la soirée en discutant autour de la table. Difficile de concevoir qu'il s'est écoulé vingt ans depuis le jour où, pour la première fois, elle a tenu son aîné dans ses bras. Quel homme exceptionnel il est devenu ! Et quel père attentionné ! Il suffit de le voir s'occuper de Gédéon ou embrasser Marie-Ève pour réaliser à quel point la vie peut réserver des surprises. Car Marc-Antoine est heureux, plus heureux que Mireille ne l'a jamais vu. Bien sûr, sa vie n'est pas facile, mais les difficultés financières ne semblent pas le tourmenter. Et si c'est le cas, il a la sagesse et la fierté de ne pas s'en plaindre. Frédérick, pour sa part, a changé du tout au tout. Il a de nouveaux amis avec qui il prépare un voyage en Angleterre, où ils comptent travailler sur une ferme. Joshua l'accompagnera peut-être si son état de sa santé le lui permet. Jocelyn est toujours aussi fier de son fils. De ses fils, finalement, puisqu'il accorde autant de temps et d'attention aux deux autres.

Mireille ne se lasse pas d'admirer la douceur et la détermination de Jocelyn. Sa patience aussi, parce que si elle devait nommer la plus grande qualité de son homme, elle n'hésiterait pas un instant. De la patience, il lui en a fallu pour accepter sans se fâcher l'état confus dans lequel Mireille est revenue de France cette année-là. Il n'avait pas posé de question, même si c'était évident qu'elle avait le cœur en miettes. Il l'avait prise dans ses bras toutes les nuits pendant des semaines. Il l'avait tenue serré souvent jusqu'au matin. Et puis, un soir, après lui avoir fait l'amour, il lui avait dit merci, sans raison. Avait-il deviné que c'est son amour pour elle, sa patience et sa sagesse qui avaient sauvé leur couple ? Quelle épreuve ç'avait été ! Une épreuve qui les avait finalement rapprochés et qui avait aussi resserré les liens familiaux. Mireille se disait souvent que rien que pour ça, ce voyage au bout d'elle-même en avait valu la peine. Mais elle en avait rapporté beaucoup plus. Elle vivait désormais avec un doute, une brèche qui avait ébranlé sa compréhension du monde et l'avait rendue indulgente avec elle-même et avec les autres. Certains jours, comme ce soir, elle se disait qu'une telle transformation relevait du miracle.

Que serait-il advenu si elle avait choisi Moncton comme Louise a choisi Londres ?

Mireille lève la tête pour regarder le ciel. Les nuages qui menaçaient encore au souper se dispersent tranquillement. Les étoiles apparaissent les unes après les autres, et Mireille se dit que ces mêmes étoiles brillaient au-dessus de Moncton une heure plus tôt. Christian… L'aurait-elle aimé autant si cet amour avait été possible ? Et lui, l'aurait-il aimée longtemps ?

Le vent souffle dans la cour l'odeur du feu de camp des voisins, mais aussi les effluves de la forêt. Les feuilles bruissent. Quand s'effacent les derniers nuages, c'est une lune pleine qui baigne la cour de lumière. Une lune identique à celle qui avait guidé Christian dans la clairière. Au moment où Mireille se fait cette réflexion, une étoile filante traverse le ciel. Le vœu monte tout seul, de très loin en elle. Elle voudrait revoir Christian encore une fois avant de mourir. Puis elle se ravise. Au fond, si elle n'avait qu'un seul souhait, ce serait que Christian soit heureux, où qu'il se trouve.

Elle se souvient tout à coup de cette conversation sous les étoiles. Qu'arrive-t-il à ces vies auxquelles on a renoncé ? Restent-elles liées au tronc comme les branches mortes d'un arbre vivant ? Si c'est le cas, chaque fois qu'on choisit, on meurt un peu, ne serait-ce que dans le cœur. Et ce qui reste de nous, par bonheur, continue son Chemin.

Mot de l'auteure

J'ai marché deux fois sur la route de Compostelle. En 2007 et en 2010. L'histoire de Mireille est une fiction, même si une partie des incidents qui ponctuent son voyage viennent de mon expérience personnelle et des histoires qu'on m'a racontées sur le Chemin.

Je tiens à signaler que l'année 2010 n'était pas une bonne année pour partir en pèlerinage à cause de l'infestation de punaises. La faute en revenait à nous, pèlerins et randonneurs, qui répandions le mal d'un gîte à l'autre en transportant ces bestioles dans nos sacs à dos.

Soyez cependant rassurés, la situation est sous contrôle. De tous les gens que je connais qui ont pris le chemin de Compostelle depuis deux ans, aucun n'est revenu avec des souvenirs aussi horripilants que les miens. Vous pouvez donc partir l'esprit en paix.

Je profite de l'occasion pour remercier Stéphane Tremblay et Marie-Pierre Robert, du Provigo Alimentation Stéphane Tremblay de Sherbrooke. Ils ont répondu à mes questions avec patience (et indulgence !) afin que je puisse reproduire de manière crédible la vie d'un marchand-détaillant. Je n'imaginais pas le métier aussi prenant.

Merci aussi à Ghislain Lavoie, mon fidèle premier lecteur, et à Pierre Weber, mon mari, qui me soutient pendant mes habituelles et trop fréquentes périodes de doute.

Avant de terminer, je veux souligner l'excellent travail de relecture de l'écrivaine Mélikah Abdelmoumen. Sans ce coup d'œil compétent, mon roman aurait été beaucoup trop long.

Cet ouvrage composé en Adobe Caslon corps 12,5 a été achevé d'imprimer au Québec
sur les presses de Marquis Imprimeur le dix-huit mars deux mille quatorze
pour le compte de VLB éditeur.